Cohau

Bilder aus der Dorkirche

Cohausz, Otto

Bilder aus der Urkirche

Inktank publishing, 2018

www.inktank-publishing.com

ISBN/EAN: 9783747765548

All rights reserved

Betrachtungen über die Heilige Schrift
Herausgegeben von P. Otto Cohausz S. J.
Band I

Bilder aus der Urkirche

Eine gemeinverständliche
Darbietung der Apostelgeschichte
von

P. Otto Cohausz S. J.

Zweite, verbesserte Auflage
(5.—7. Tausend)

Vier Quellen Verlag, Leipzig

IMPRIMI POTEST.

Coloniae, 3. aprilis 1922.

Bern. Bley, S. J.
Praep. Prov. Germ. Inf.

IMPRIMATUR.

Bischöfliches Ordinariat zu Bautzen,
den 3. Juni 1922.

J. V.

Skala

Apostol. Protonotar und Domdekan.

Zur Einführung.

Wie seine Vorgänger empfiehlt auch Papst Benedikt XV. in einem eigenen Schreiben die eifrige Lesung der Heiligen Schrift. Insbesondere wünscht er die Evangelien, Apostel=geschichte und Briefe der Apostel in jeder Familie zu finden.

Gewiß mit vollem Recht, denn Heilsbedürftige gibt es in unserer Zeit in großer Zahl, und eifrig sind sie auf der Suche, ihren Durst zu löschen. Aber scheinen will es, daß sie nicht immer den rechten Weg fänden. Nach Zisternen eilt zu viel ihr rastloser Fuß, am Quell lebenden Wassers gehen sie vorüber; und Zisternen — das sind von Menschen verfaßte Schriften, und der Quell lebenden Wassers — das ist G o t t e s h e i l i g e s W o r t.

Kein Buch bietet so viel religiöse Wahrheit und Stärkung wie die Heilige Schrift — warum wird sie trotzdem von so wenigen gelesen? Oft, weil sie manchen so schwer verständlich, dann auch, weil sie in ihrer gedrungenen Form bisweilen so wenig ansprechend erscheint. Die Erfahrung hat es gelehrt, daß die Schrift ohne beigefügte Erläuterung vielen ein verschlossenes Buch bleibt.

Wie nun die Freude am Heiligsten der Bücher wecken und dessen Inhalt auch weniger Gelehrten erschließen?

An guten „Kommentaren" fehlt es ja nicht, aber wohl wegen ihres zu großen Umfanges, ihres umständlichen wissenschaft=lichen Beiwerkes und ihres Verzichtes auf erbauliche Auswertung fanden sie in weiteren Kreisen verhältnismäßig wenig Leser.

3

Da dürfte es vielleicht am Platze sein, leichter verständliche Einzelbücher über Gottes Wort zu schreiben, die die streng wissenschaftlichen Ergebnisse zwar sorgfältig verwerten, das wissenschaftliche Rüstzeug aber beiseite lassen, dafür dann aber auch die Erbauung berücksichtigen.

Ein derartiger Versuch soll in nachstehenden Blättern unternommen werden. Findet er Beifall und verleiht Gott Zeit und Kraft, wird er auch auf andere Teile der Heiligen Schrift ausgedehnt werden.

Gegenstand dieses Bandes nun ist die Apostelgeschichte, die Geschichte der Urkirche.

Leider ist diese vielen zu wenig bekannt. Vertraut ist man mit Einzelheiten aus dem Alten Testament, vertrauter mit den Evangelien, auch kennt man noch die Ereignisse bis zur Sendung des Heiligen Geistes, aber was nach dem ersten Pfingstfest sich abspielte, wie die junge Kirche wuchs und erstarkte, wie sie litt und stritt — das ist den Durchschnittsgläubigen oft so gut wie verschlossen.

Leider! Denn zunächst ist die Apostelgeschichte ja die notwendige Ergänzung der Evangelien. Hier der Aufriß, dort der Ausbau; hier die Verheißung, dort die Erfüllung.

Wem müßte sodann nicht daran liegen, seine Familiengeschichte bis zu ihren ersten Anfängen zurückzuverfolgen, des Wirkens und Mühens der Stammväter und Stammütter liebevoll zu gedenken? Nun — diese wird uns Christen in der Apostelgeschichte ja geboten. Mit wie viel Schweiß, Not und Sorge, Gefahr und Leid sehen wir da gerade erworben, was uns Nachgeborenen als süßes Erbe so mühelos in den Schoß fiel!

4

r muß sich aber gerade in der jetzigen Zeit unsere
it den Werdejahren der Kirche zuwenden, da
nicht nur zum Gegenstand lebhafter Kämpfe
, sondern auch mehr als je wieder als Prüfstein
chkeit herangezogen werden. Wir Katholiken
e Untersuchungen nicht. Je eingehender viel=
ihrt werden, um so klarer wird die Wahrheit
tums erstrahlen.

urden die einschlägigen Schrifterklärungen, so=
en Werke „Der Weltapostel Paulus" und „Die
es Weltapostels Paulus" von Dr. F. X. Pölzl.
„Der heilige Petrus", wurde hin und wieder
. Die meisten geschichtlichen und geographischen
ben aber Dr. J. Felten, „Die Apostelgeschichte"
mentliche Zeitgeschichte", entnommen. Das hier
en, dürfte mich wohl der Mühe entheben, an den
len noch im besonderen die Fundorte anzumerken.
getische Fragen ging ich weniger ein, da ich mir
setzte, die Heilige Schrift Ungläubigen gegenüber
, sondern sie vielmehr Gläubigen zu erschließen.
t Beziehung weiteren Aufschluß wünscht, wird
eiden Schriften über die Urkirche von Battifol
welch letztere mir erst nach Fertigstellung der
ju Gesicht kam, finden.

achstehende Blätter etwas zur Erfüllung des ein=
iten päpstlichen Wunsches beitragen!

b o r f , den 15. Januar 1921.

Der Verfasser.

5

Vorwort zur zweiten Auflage.

Der rasche Vertrieb der ersten Auflage sowohl wie viele sehr günstige Besprechungen lassen mich hoffen, daß mein Versuch, die Heilige Schrift in dieser Weise den Gläubigen näher zu bringen, den Wünschen vieler entgegenkommt. Den Herren Rezensenten sei vielmals gedankt.

Ihre Ausstellungen machte ich mir zunutze, soweit das eben möglich war. Überall wurde in dieser Auflage die bessernde Hand angelegt, wobei mir das inzwischen neuerschienene Werk über die Apostelgeschichte von Alfred Wikenhauser und besonders manche gütige Winke des in der neuen Exegese überaus bewanderten P. Urban Holzmeister in Innsbruck große Dienste leisteten. Dieses hier anzuerkennen, erachte ich als eine Dankesschuld.

Nicht recht gefallen wollte dem einen oder andern der Titel „Betrachtungen". Versteht man unter „Betrachtungen" nur jene, nach Punkten gegliederten Erwägungen, wie sie sich in den landläufigen Betrachtungsbüchern finden, so sind meine Ausführungen allerdings keine „Betrachtungen". Ich faßte den Ausdruck aber weiter, wie man ja auch von Betrachtungen beim Sonnenaufgang oder dergleichen redet. Ich wollte niederschreiben, was sich mir bei betrachtendem Eindringen in die Heilige Schrift an Anregung ergab. — In der Zeitrechnung folgte ich noch der gewöhnlichen Auffassung. Obschon ja Christi Geburt früher anzusetzen ist, als es in dieser der Fall ist und dementsprechend die ganze Zeitfolge entsprechend vorzurücken wäre, hielt ich es doch nicht für nötig, hier zu ändern, bis sich die neue Ansicht mehr eingebürgert hat.

Valkenburg (Holland), den 21. März 1922.

Der Verfasser.

9

Das Jahrhundert der Apostel.

Bevor auf einer Bühne die Handlung selbst beginnt, läßt man, nachdem der Vorhang aufgezogen, dem Zuschauer einige Muße, den Hintergrund in Augenschein zu nehmen. So dürfte es auch hier am Platze sein, vor aller Schilderung der Entwicklung der Urkirche zunächst die Umwelt zu zeichnen, in der diese sich vollzog. Wie sah es also im Jahrhundert der Apostel aus?

1. Der erste Schauplatz der heiligen Ereignisse war die Stadt Jerusalem selbst.

Jerusalem, mit seinen gewaltigen Umfassungsmauern, zahlreichen Festungstürmen und stark gesicherten Toren, einer trutzigen Hochwarte gleich, war auf einer Hochebene gelegen, von Bergen umrahmt und von Tälern durchschnitten. Aus drei Teilen setzte sich das Weichbild der Stadt zusammen: aus der in einer Niederung befindlichen Unterstadt mit zahlreichen winkeligen Straßen und Gäßchen, aus der auf einer Felsenhöhe ragenden Oberstadt und aus dem dieser gegenüberliegenden Tempelberg, der das Nationalheiligtum des Volkes, den herodianischen Tempel und dicht angeschlossen die Trutzfeste der römischen Besatzung, die Burg Antonia, trug. Manche Prachtbauten ragten aus der Masse der vielen gewöhnlichen Häuser hervor, alle aber übertraf der Tempel, der in seiner verschwende=

7

rischen Ausstattung wie ein goldiger Schneeberg schon von ferne das Auge des kommenden Besuchers gefangen nahm.

Um Sion, „die Fürstin Judas", lagerte sich dann zunächst Judäa mit dem Toten Meer und den steinigen Bergen; ein rauhes und mehr düsteres Gebiet. Daran schloß sich im Westen das bis ans Mittelländische Meer grenzende K ü s t e n = l a n d, an dieses zum Norden gewendet das fruchtbare S a m a r i a, das wieder von G a l i l ä a abgelöst wurde. Dieses, ein sehr anmutiges See= und Hügelgebiet, mit volkreichen Dörfern und Städten übersät, dabei von der Natur reich gesegnet, bildete in vieler Beziehung die Perle Palästinas. An Galiläa lehnte, wieder abwärts steigend, das von vielen Bergrücken durchbrochene P e r ä a sich an, und den Abschluß bildeten im Süden die vielfach wüsten Gebiete der M o a b i t e r und J d u m ä e r.

Ganz Palästina war damals als Teil von dem R ö m e r = r e i c h eingefaßt, das von der spanischen Halbinsel bis zum Euphrat, von den Ländern des Nil bis tief ins Innere Britanniens hinein sich erstreckte.

Soweit Roms Macht reichte, bot die Welt das Bild einer hochentwickelten Kultur dar. Die Äcker trugen wogende Saatfelder, die Landstraßen waren von ungezählten Wanderern belebt, die Wüsten von Karawanen, Flüsse und Meere von Handels= und Kriegsschiffen durchzogen. Zahllose Gehöfte, Dörfer, Weiler fanden sich überall in die Landschaften eingestreut. Handel und Gewerbe blühten. Die eigentlichen Mittelpunkte der ganzen Kultur bildeten aber die zahlreichen Großstädte, die, meist an bedeutenden Häfen oder Karawanenstraßen gelegen, oft mit großer Pracht erbaut, zu Sammel-

8

Jeſiţes, der Bildung, des Genuſſes und der Pracht
ıren.

3 Grenzen aber zeigte ſich ein anderes Bild.
der Beduine in ſeinem einfachen Zelt, der
ıem ſchmuckloſen Kraal; Schwärme der Skythen
tummelten ſich da auf ihren wilden Roſſen, und
Balddickicht tauchte der Germane, noch in Tier=
, auf. Und hinter dieſen, jenſeits der Meere oder
Jebirge, lebten noch andere Völker, zu denen nie
l der Kultur gedrungen, deren Vorhandenſein in
en Welt kaum geahnt wurde.

des Römerreiches Glanz war mehr äußerer Schein
lehalt. Voll war das Land von Gold und Silber,
prächtigen Bauten und des ſtroţenden Lebens, voll
ſittlichen Niederganges und der religiöſen Verwil=
te die Erbenkultur damals ihren Höhe=
ſgen, dann auch das ſittliche Leben ſeinen
erreicht. Zum Moderboden war das Erdreich
ıs das Samenkorn des Chriſtentums aufnehmen
eſes aber in etwa ein Vorteil, ſind Aſche und
s gehalten, neuem Wachstum wieder zu Dienſten

ımit die geographiſche Urwelt gezeichnet,
ıriſtentum eintrat, ſo bedarf es zur Vervollſtändi=
ilbes noch einer Schilderung der geſchicht=
e. Das erſte Jahrhundert unſerer Zeitrechnung
ı im ganzen ein von Erfolg gekröntes. Faſt die
ınoß das Rieſenreich einen beglückenden Frieden.
Grenzen, in den Schluchten und Wäldern des

9

inneren Germanien, auf der britischen Insel und in den Euphratländern spielten sich bedeutendere Kämpfe ab. Das eigentliche Kernland durfte in Muße die Früchte früherer Kriege pflücken und behaglich verzehren. Es tagte die glanzvolle erste Zeit des neu erstandenen Kaisertums.

Als unser Erlöser in der Krippe lag, stand an der Spitze des Staates A u g u s t u s, der Einiger des Reiches. Unter ihm vollzogen sich die Flucht nach Ägypten, die Heimkehr nach Nazareth und das erste Heranreisen des Gottesknaben in dem stillen Galiläa. — Etwa fünfzehn Jahre war Jesus Christus alt geworden, als Boten auch in seine abgelegene Vaterstadt die Kunde von dem Ableben des großen Augustus trugen.

T i b e r i u s bestieg den Thron, ein älterer, anfangs nicht übler, später aber mehr durch Menschenverachtung, Härte und Wollust sich traurig auszeichnender Gebieter. Ob bei dessen Krönung nicht das Herz des jungen Nazareners bebte? Sollte doch unter diesem Gewalthaber die Stimme des Rufenden in der Wüste erschallen und ihn, den Messias der Welt, in seine Eroberungsbahn rufen; sollte aber auch eines Abends, indes dieser Kaiser als Greis auf Capris zauberhaftem Inselstrand sich am Untergang der Sonne freute, dieselbe Sonne seinen, des Königs der Juden, Kreuzesthron auf Golgatha bestrahlen. Tiberius erlebte noch die ersten glorreichen Anfänge der Urkirche, ihre Offenbarung am Pfingstfest, ihre erste Glanzzeit und Verfolgung in Jerusalem, ihre Ausreise zu den umliegenden Provinzen und ihre größte Eroberung, die sie in Saulus machte. Dann ward auch er im Jahre 37 aus dieser Welt abberufen und durch den fünfundzwanzigjährigen C a j u s C a l i g u l a abgelöst.

10

Ein Unglücklicher, zu Spiel und Grausamkeit neigend, ver= schwenderisch, ausschweifend, spottsüchtig, an Kränkung anderer sich erfreuend, ward dieser Herrscher zum Schrecken seines ganzen Landes. Zwei seiner Gattinnen sahen sich willkürlich von ihm verstoßen, Senatoren gefoltert, Gegner durch Dolch und Gift aus dem Wege geräumt. So weit trieb es der Wahn= witzige, daß er, sich als Gott dünkend, überall Tempel und Altäre zu seiner Ehre bauen ließ und selbst im Heiligtum von Jerusalem sein Riesenstandbild aufzustellen gebot. Mörder= hand gab ihm am 24. Januar 41 den Tod und der Welt die Freiheit wieder.

Gütiger war Claudius, dessen Regierungszeit, abge= sehen von einigen kleinen Kriegen, der Ausweisung der Juden aus Rom und einer großen Hungersnot im Reich, ruhiger an äußeren Ereignissen verlief, von häuslichen Unerträglichkeiten dagegen um so mehr getrübt wurde. Nicht nur seine erste Gattin Messalina, wegen ihrer Schamlosigkeit zum Sprichwort geworden, sondern auch seine zweite, die hochmütige, hab= gierige, herrschsüchtige und abgefeimte Agrippina, seine eigene Nichte, vergällten ihm das Leben. Noch mehr: Agrippina war es auch, die ihn durch Gift am 13. Oktober 54 aus dem Wege räumen ließ, um ihren Sohn Nero auf den Thron zu bringen.

In die Regierungszeit des Claudius fallen die ruhmreichen Wanderjahre des Christentums, das, besonders durch Petrus und Paulus getragen, seinen Weg durch alle Länder Klein= asiens bis nach Rom nahm.

Nero, der nunmehr folgende, versprach anfangs ein er= träglicher Herrscher zu werden, entartete dann aber bald. An= statt der großen Regierungsgeschäfte zu pflegen, zog er es vor,

in der Rennbahn als Wagenlenker, als Sänger oder Zither=
spieler sich von seinem Volk beklatschen zu lassen. Nicht nur,
daß er offenkundig ehebrecherische Verhältnisse unterhielt, nicht
nur, daß er seine erste rechtmäßige Gattin verstieß und der
zweiten einen solch rohen Fußtritt versetzte, daß sie daran
starb — selbst die eigene Mutter fiel seiner Grausamkeit zum
Opfer. Zuerst ließ er sie auf einem Schiff mit fallgruben=
artigem Boden auf die hohe See hinausführen, um sie zu er=
tränken, und, als sie durch Schwimmen sich rettete, sie er=
meucheln. Von da an aber war es, als hätte der böse Geist
ganz von dem Unglücklichen Besitz genommen; so blutgierig
wurde sein ganzes Verlangen, so uferlos seine Wollust, so
grausam seine Tücke, bis endlich der Senat sich gezwungen
sah, ihn zum Tode zu verurteilen, dem aber der Feigling mit
dem Wahnsinnsruf: „Ach, muß solch ein Künstler sterben", sich
durch einen Dolchstich in die Kehle entzog.

Nero war der Kaiser, den der Apostel Paulus, in Jerusalem
gefangen gesetzt, anrief. Nero war auch der Unglückliche, der
nach dem Brande Roms die Christenverfolgungen im römischen
Reich begann. Ungezählte Christusjünger und Jüngerinnen sah
man unter ihm, in Tierfelle gekleidet, von Löwen und Tigern
zerrissen oder, mit Pech umhüllt, als Fackel die kaiserlichen
Gärten erhellen.

Nachdem dann einige Monate Galba und Vitellius, welch
letzterer von den Truppen in Cöln zum Gegenkaiser ausgerufen
worden war, regiert hatten, gelangte im Jahre 69 V e s p a s i an
auf den Thron, der damals gerade als Feldherr in Palästina
stand. Ein gerechter Mann, ein ganzer Soldat, ein tüchtiger
Verwaltungsbeamter, mit reichen kriegerischen Lorbeeren, zu=

12

mal aus seinen Kämpfen in der mittleren Rheingegend, geschmückt, sollte dieser nach des Ewigen Plänen im Verein mit seinem Sohne und Nachfolger Titus das traurige Amt des Totengräbers an Israel ausüben. Unter ihm tobte an allen Enden der Aufstand in Palästina mit neuer Macht, unter ihm erreichte dann auch der jüdische Krieg, der Israels Herrlichkeit für immer in Schutt und Asche legte, den Höhepunkt.

Nachfolger Vespasians war sein Sohn Titus, die Freude des Menschengeschlechts, unter dem die junge Christengemeinde ruhige Tage genoß, bis dessen Nachfolger Domitian (81—96) den alten Christenhaß in erneuter blutiger Verfolgung wieder aufleben ließ.

Blutig-rot ging also das Jahrhundert unter, wie es blutig-rot begonnen hatte. Stand an seinem Anfang der bethlehemitische Kindermord, so an seinem Ausgang der domitianische Massenmord. Eine würdige Umrahmung für die neu beginnende Religion, deren Mittelpunkt das Kreuz von Golgatha, deren Kern Opfer und Ersterben waren.

So also gestaltete sich das geschichtliche Leben des ersten christlichen Jahrhunderts in der römischen Welt.

3. Was spielte sich nun auf dem engeren Schauplatz unserer Ereignisse, im heiligen Land, während dieser Zeit ab?

Dieses Jahrhundert, das erste des Christentums, sollte für das auserwählte Volk das letzte, sein Schicksals- und Sterbejahr werden. Als Christus in Bethlehem das Licht der Welt erblickte, stand Israels Stern noch hoch am Himmel. Noch prangte auf Sions Höhe der heilige Tempel, noch amtierte dort das Hohepriestertum in vollem Ornat, noch hallten Jerusalems Mauern wider von den Gesängen ungezählter, aus allen

Ländern herbeiströmender Pilger, noch war Israel eine welt=
bewegende Macht, aber doch schon hatte sich auf Sions Höhen
Israels Würger eingenistet, der römische Aar. In seinem
Horst, der hart an den Tempel angrenzenden Burg Antonia,
hielt er Wacht, des günstigen Augenblickes spähend, sich auf
sein Opfer zu stürzen, um es zu zerfleischen.

Der Augenblick sollte langsam, aber sicher kommen. Blind
geworden, wird Israel durch seine Maßnahmen ihn selbst vor=
bereiten. Von erschütternder Tragik ist es, diesem fast ein Jahr=
hundert dauernden Todeskampf eines einst so hoch begnadigten,
nun aber verworfenen Volkes zuzuschauen.

Schon recht bald sehen wir die Unruhen beginnen, in die
Israel sich immer mehr verstrickt und schließlich selbst er=
würgt.

Eben hatte Herodes, der Kindermörder, beim Beginn des
Jahrhunderts Judas König, das Auge im Tode geschlossen,
als auch schon der Aufstand ausbrach. Von dem neuen Herrscher
Archelaus verlangte das Volk Absetzung des von Herodes er=
nannten Hohenpriesters und Bestrafung einiger ihm miß=
liebiger Persönlichkeiten. Als Archelaus sich ablehnend ver=
hielt, verschanzten sich die Anführer im Tempel und schlugen
die herbeieilenden Kriegsleute in die Flucht. Erst als Archelaus
nun die Reiterei in die Menge hineinreiten und dreitausend
Mann niedermachen ließ, wurde man still. Doch kaum war der
junge Herrscher zur Entgegennahme der Königskrone nach Rom
abgereist, als der Vulkan abermals zu rauchen und zu speien
begann. Jetzt löschte der aus der Teutoburgerschlacht unrühm=
lich bekannte Quintilius Varus mit grausamer Hand das
Feuer.

14

Alles das vollzog sich kurz vor jener Zeit, da die heilige Familie aus Ägypten heimkehrte. Kein Wunder, daß der heilige Josef, als er von diesen Vorgängen Kunde erhielt, es vorzog, anstatt das gärende Judäa zum dauernden Wohnsitz zu nehmen, mit seiner heiligen Braut und dem Gotteskind dem friedlichen Galiläa zuzustreben. „Da stand er auf, nahm das Kind und seine Mutter und kam in das Land Israel. Da er aber hörte, daß Archelaus in Judäa regiere, anstatt seines Vaters Herodes, fürchtete er sich, dorthin zu ziehen, und ... zog in das Gebiet von Galiläa." (Mt. 2, 21, 22.)

Kurz nur war die jetzt beschiedene Ruhezeit. Das rücksichtslose Vorgehen des römischen Schatzmeisters Sabinus erregte einen neuen Sturm. Auf dem Tempelberg kam es wiederum zu einem blutigen Gemetzel. Die Römer griffen den Tempel an, richteten unter den Pfingstpilgern ein Blutbad an und steckten die Tempelhallen in Brand. Das war das Signal zur Schilderhebung im ganzen Land. In Judäa überfielen zweitausend Veteranen des Herodes die regierungstreuen Truppen. In Galiläa bemächtigte sich Judas, der Sohn eines Räuberhauptmannes, der zu Sepphoris aufgehäuften königlichen Schätze und Waffen. In Peräa sammelte ein Sklave des Königs Herodes, namens Simon, Gefährten, steckte den königlichen Palast in Jerusalem in Brand und fiel auch über andere königliche Bauten plündernd her. Andere Banden äscherten den königlichen Palast bei Amatha ein. Außerdem setzte ein Schafhirt, ein Riese von Gestalt, Athronges, sich selbst die königliche Krone aufs Haupt und leistete lange den römischen Heeren siegreichen Widerstand. Endlich erschien abermals Varus mit zahlreichen Truppen. Mord und Brand wüteten im ganzen

15

Land, die Aufständischen wurden geschlagen und zweitausend von ihnen ans Kreuz geheftet. Da war der Bann gebrochen[1].

Alles das geschah, indes der Jesusknabe in Nazareths Stille heranwuchs. Wie war nicht bereits dessen Kindheit von schicksalschweren Ereignissen umdüstert!

Mittlerweile kehrte Archelaus als bestallter Herrscher von Rom zurück, machte sich aber durch seine Grausamkeit bald so verhaßt, daß Augustus ihn nach Rom beschied, absetzte und nach Gallien verbannte.

Zur Strafe für all diese Vorgänge erhielt das Land keinen eigenen Herrscher wieder, sondern ward nun als Provinz gänzlich dem Römischen Reich einverleibt und Statthaltern unterstellt.

Der erste dieser, Coponius, kam, als Christus sechs Jahre alt war, ins Heilige Land. Gleich unter ihm gab es, von Judas von Gamala geleitet, wegen der Schatzung des Quirinus wieder eine Empörung, die aber unglücklich verlief und mit dem Tode des Judas endete. Auch kam es unter Coponius zu einem neuen Haßausbruch zwischen Samaritern und Juden, da erstere in der Osternacht Menschengebeine in den Tempel gestreut hatten, eine Verunreinigung und Herausforderung, wie sie in den Augen der Juden kaum höher gedacht werden konnte.

Von den zunächst folgenden Landpflegern ist wenig zu berichten. Aber Valerius, der von 15—26 regierte, schürte durch die willkürliche Ein- und Absetzung der Hohenpriester wiederum heftigen Unmut im Volke.

Gesteigert wurde dieser weiter durch den nach Valerius

---

[1] Dr. J. Felten. Neutest. Zeitg., Regensb. 1910, I, S. 145 ff.

16

auftretenden Pontius Pilatus (26—36)[1]). Dieser, ein schroffer, herrschsüchtiger, gewalttätiger Beamter, dabei voll Verachtung gegen die Juden und ohne Verständnis für ihre seelische Eigenart, unterließ während seiner zehnjährigen Regierung nichts, die Gegensätze aufs äußerste zu schärfen. Unter anderem erregte er bei seinem Einzug in Jerusalem den Unwillen des Gottesvolkes dadurch, daß er, entgegen allen früheren Gebräuchen, seinen Truppen befahl, ihre den Juden verhaßten Kaiserbilder mit in die Stadt zu nehmen und dem Tempel gegenüber aufzupflanzen. Schon damals hatte ihn in seinem Palast eine vieltausendköpfige Menge unter Schreien und Toben tagelang umlagert, so daß er sich schließlich zur Nachgiebigkeit gezwungen sah. Doch bald brachte er durch den Plan, den Tempelschatz zum Bau einer Wasserleitung heranzuziehen, die Volksseele abermals zum Wallen. Noch nicht gewitzigt, hatte er dann den Königspalast in Jerusalem mit heidnischen Sinnbildern schmücken und später sogar, als Jesus von Nazareth bereits lehrend das Land durchzog, mitten im Tempel einige opfernde Galiläer von seinen Soldaten niedermetzeln lassen. Es folgte das blutige Drama von Golgatha, das ihm neue Verachtung eintrug. Und als er es nun — es war etwa drei Jahre nach Christi Tod — auch noch wagte, eine Wallfahrt nach Garizim zu hindern, indem er seine Truppen die Zugänge zum Berg besetzen und in die Scharen der Pilger einhauen ließ, da stieg die schon lange brodelnde Glut zur Siedehitze. Judas Seele kochte jetzt über, und wer weiß, ob sich nicht schon damals ein grausamer Krieg entwickelt haben würde, wäre Rom durch Abberufung des verhaßten Land-

[1]) Betr. Zeitung. Felten, N. 3.

pflegers dem nicht zuvorgekommen. Pilatus ward ab=
gesetzt und des Landes verwiesen. Drei Jahre nur nach
Christi Tod fiel also der in schmähliche Ungnade, der, um
des Kaisers Gunst sich zu sichern, diejenige Gottes geopfert hatte.

Doch Ruhe sollte dem Lande damit keineswegs werden.
Unter dem folgenden Landpfleger vielmehr war es schon, wo
der damals zur Regierung gelangte Kaiser Cajus Caligula sein
eigenes Bildnis in Lebensgröße im Tempel zu Jerusalem
aufzustellen und sich als Gott anbeten zu lassen gedachte, ein
Vorhaben, das nur der Tod des wahnsinnigen Kaisers hinderte.

Auch der nach kurzer Selbständigkeit des Landes folgende
Cuspius Fadus (44—46) hatte schon bald nach seinem Re=
gierungsantritt zunächst Streitigkeiten in Peräa zu schlichten,
dann in Samaria Bestrafungen vorzunehmen, schließlich in
Judäa ein aufrührerisches Unterfangen des Lügenmeisters
Theudas niederzuschlagen.

Der ihm folgende Tiberius Alexander (46—48)
sah sich gezwungen, zur Dämpfung eines neuen Aufstandes
die Rädelsführer kreuzigen zu lassen. Unter dessen Nachfolger
Ventidius Cumanus kam es wiederholt zu neuen
Empörungen, bald hervorgerufen durch das unehrerbietige Be=
tragen römischer Soldaten im Tempel, bald durch die Rück=
sichtslosigkeit der Samariter gegenüber jüdischen Jerusalem=
pilgern. Neuen Zuwachs erhielt die innere Spannung und
Zerrüttung unter den dann kommenden Landpflegern Felix
(52—60) und Festus (60—62), beide bekannt aus der
Geschichte des heiligen Paulus. Mordbuben durchzogen das
Land, revolutionäre Parteien zum Sturz der Römerherrschaft
bildeten sich, religiöse Schwärmer riefen neue messianische

18

Bewegungen hervor, Bruderkämpfe zwischen der Gruppe der Eiferer und der der Gemäßigten brachen aus.

Zu viel unterirdische Glut war mit all diesen Vorgängen aufgespeichert; die Entladung mußte kommen, aber eine Entladung, die alles bisher Dagewesene überbot. Sie kam unter Gessius Florus (64—66).

Dieser Grausame reizte das Volk dermaßen, daß dessen Geduld brach. In Cäsarea loderte der Aufstände letzter auf und pflanzte sich wie ein Lauffeuer durch das ganze Land fort. Alle Dörfer und Städte standen bald unter Waffen. Die römischen Beamten und Soldaten wurden vergewaltigt, Kastelle eingeäschert. Aber Rom rächte sich bald. Gewaltige Heere eilten herbei, schlugen die Juden, verwüsteten die Felder, verbrannten Dörfer und Städte. Verzweifelt setzte sich das Volk zur Wehr, aber Stadt um Stadt fiel. Nur Jerusalem hielt noch stand. Auf dieses richtete sich nun die ganze Wut des Römers. Es war gerade um die Osterfestzeit. Hunderttausende von Pilgern waren in der Stadt, als der Feind vor derselben erschien, sie mit Wällen vollständig abschloß und nun zu beschießen begann. Der Festjubel machte dem Schrecken und Entsetzen Platz. Der Hunger wütete, Seuchen und die Geschosse der Feinde rafften Ungezählte dahin. Man warf die Leichen über die Mauer, da man sie im Innern nicht mehr ertragen konnte. Hunderte von Juden, die zu entweichen suchten, wurden aufgegriffen und im Angesicht der Stadt gekreuzigt. Endlich legten die Römer eine Bresche in die Mauer, die Belagerten zogen sich auf den Tempelberg und in die Oberstadt zurück. Hier ein verzweifeltes Ringen. Und was noch tragischer: während sie von Schwert und Flammen um=

2*

geben waren, würgten sich die Eingeschlossenen noch im grausamen Bürgerkrieg. Da aber kam der Schlußakt. Der Römer
erstieg die letzten Wälle, schleuderte die Brandfackel sogar in
den Tempel. Noch einmal ein Lärmen, ein Schreien, ein
Wehklagen, ein Prasseln der Flammen, ein Krachen der
Balken, und der letzte Rest der heiligen Stätte sank in Schutt
und Asche. Die Überbleibsel des Volkes wanderten, Ketten an
Händen und Füßen tragend, in die Verbannung.

„Wenn du es doch an diesem deinen Tage erkannt hättest,
was dir zum Frieden dient. Nun aber ist es vor deinen Augen
verborgen. Denn es werden Tage über dich kommen, wo
deine Feinde dich mit einem Walle umgeben, dich ringsum
einschließen und dich auf allen Seiten einengen werden.. Sie
werden dich und deine Kinder, die in dir sind, zu Boden
schmettern und in dir keinen Stein auf dem anderen lassen,
weil du die Zeit der Heimsuchung nicht erkannt hast." (Luk. 19,
42.)

So hatte der Gottessohn vor ungefähr vierzig Jahren beim
Einzug in die Stadt geklagt. Nun war es Wahrheit geworden.

Von dem am Morgen des Jahrhunderts noch so blühenden
Israel war nichts geblieben als eine Trümmerstätte, in der
nur einer noch frohlockend thronte: der römische Aar, Sions
nunmehriger Herrscher.

Aber bevor Israels Stern sank, war bereits aus seinem
Innern ein anderer aufgegangen, der bald die ganze Welt erhellen sollte: der Stern aus Jakob! Die Synagoge trat ab,
und ihre Stelle nahm nun ein — die Kirche. Begleiten wir
diese in ihrem Werden.

20

A. Noch im Schatten des Tempels.
(Ap. 1, 1—7, 60.)

I. Stilles Reifen.
(1, 1—2, 47.)

1. Nach dem Fest.
(1, 1—8.)

Das Paschafest, das Jesus von Nazareth den Tod brachte, war vorüber, die große Schlußfeier im Tempel beendet. Welches Bild bot Jerusalem nach den Festtagen dieses Jahres dar?

Die ungezählten Festpilger hatten in kleinen oder größeren Gruppen, sich teils ins Innere des Landes wendend, teils den Weg zur Wüste oder zum Meere nehmend, die heilige Stadt verlassen. Auch Pilatus war mit seiner starken militärischen Bedeckung wieder nach Cäsarea zurückgekehrt. Der Palast des Herodes stand ebenfalls wieder leer. Auf den Straßen und Plätzen begann man die für die Fremden bestimmten Zelte und Kaufbuden abzubrechen. Stiller geworden war es auch im heiligen Tempel, und die Burg Antonia droben, wo zahlreiches Militär geweilt, hatte sich wieder bis auf die gewohnte Besatzung geleert.

Der Alltag war wieder in Sion eingezogen, der graue Alltag mit seinem Schaffen und Sorgen. Dieses Mal aber grauer als je zuvor; denn dieses Hohe Fest war nicht so harmonisch ausgeklungen wie in früheren Jahren; war es doch mit Blut bemakelt worden. Die Hinrichtung des Nazareners

vor den Toren hatte doch einen Mißton in das ganze Festtags=
treiben hineingetragen. Und ob man sich auch bemühte, den
ungünstigen Eindruck zu verwischen, die wahre frohe Festes=
freude früherer Jahre hatte doch nicht kommen wollen. Der
grausame Tod, dazu die plötzliche Sonnenfinsternis, das Beben
der Erde, das Springen der Felsen, die Auferstehung der
Toten waren zu erschreckend gewesen. Was bedeutete zumal
das jähe Zerreißen des Vorhanges, der das Allerheiligste im
Tempel vom Heiligen trennte? War es nicht, als hätte eine
strafende Hand hier eingegriffen? Eine strafende Hand, die
wieder wie einst bei Balthasars Gastmahl das „Mene, Tekel,
Phares" vor aller Augen niederschrieb? Dazu der erschütternde
Vorgang mit dem einen abtrünnigen Anhänger des Propheten
von Nazareth! Zu den Hohenpriestern war er geeilt, wilde
Verzweiflung in den Mienen. Und da verstoßen, hatte man
ihn, wie von Rachegeistern gepeitscht, ganz verstört die Silber=
linge in den Tempel schleudern sehen, und dann fanden
Wanderer ihn in einer Schlucht vor den Toren erhängt
vor, mit einem zerrissenen Strick um den Hals, mit
gläsernen Augen und vom Fall zerspaltenen Körper. Ver=
scharrt wie ein Tierleib lag er jetzt auf ungeweihtem Land
draußen auf verfemtem Acker. Wie erschreckend war doch
das alles!

Um das Rätselhafte voll zu machen, hatten auch noch
geisterhafte Vorgänge am Grab sich abgespielt. Atemlos, noch
mit dem Ausdruck des Entsetzens in den Zügen, waren die
Wächter in der Osternacht in die Stadt gestürzt und hatten
die wunderbare Öffnung des Grabes gemeldet. Trotz Stein
und Siegel war der Leib des Gerichteten wie von unsicht=

24

baren Händen fortgetragen und blieb verschwunden. Wohl suchten die Hohenpriester den Eindruck durch die Fabel von dem Diebstahl des Leichnams durch die Jünger abzuschwächen, aber dennoch blieb all das Geschehene wie ein Druck auf allen Gemütern lasten. Wie eine grausame Ernüchterung war es über Jerusalem gekommen. Nicht nur wie eine Ernüchterung, sondern auch wie ein Drohgericht. Wie in einem sündigen Herzen, so sah es in jenen Tagen in Sion aus: die Leidenschaft war verflogen, die Besinnung kehrte zurück, der Stachel des Gewissens begann sich zu regen, zu bohren, zu quälen. Bleiern lag der Himmel auf der fluchbeladenen Stätte, bleierner noch das letzte Fest auf den Gemütern.

Nur ein kleiner Kreis machte eine Ausnahme: die getreuen Christusjünger waren es und die frommen Frauen. Oft kamen sie zusammen: in geheimen Winkeln, bei verschlossenen Türen oder in der ländlichen Stille Galiläas. War Jerusalem aber in Nacht, dann sie in Licht getaucht. Genau wie damals, wo Ägypten im Dunkel saß, über Israel aber die Sonne strahlte. Als sie noch trauernd in einem Saale der trüben Paschaereignisse gedachten, da war es plötzlich licht geworden, und vor ihnen stand der Auferstandene, verklärt, mit Friedensworten auf den Lippen. O, wie hatte ihr Herz gejubelt, welche Fülle des Trostes hatte der Tobüberwinder ihnen gebracht! Und nicht nur einmal — oft fand er sich bei ihnen ein. Bald in stiller Kammer, bald auf einsamen Wegen, bald am Ufer des Sees. Dann erschien er den Frauen, dann einzelnen Männern, wie dem Petrus oder Jakobus, dann allen Aposteln zugleich; ja einmal sogar, als fünfhundert Brüder zusammen waren, wurde er ihnen sichtbar. (1. Kor. 15, 5 ff.)

25

Vierzig Tage lang wiederholt er diese wunderbaren Vor=
gänge. In vielen Erweisen gibt er sich kund. Auch erscheint
er nicht nur, sondern redet und ißt mit ihnen, und diese Unter=
redungen währen lange und behandeln tiefernste Fragen. „Er
sprach mit ihnen vom Reiche Gottes." So oft, so lange, unter
so verschiedenen Umständen, in so vielen Betätigungen offen=
bart er sich, daß kein Zweifel an der Wirklichkeit seiner Auf=
erstehung mehr bleibt.

So verstehen wir auch den Umschwung, der sich mit den
Männern von Galiläa und ihrem Anhang in jenen Tagen
vollzog, ein Umschwung, wie er in der Weltgeschichte wohl
einzig dasteht. Die Jünger, am Schreckensfreitag und nach
Ostern, welch' ein Wechsel! Damals ganz Jerusalem voll
Hochspannung, sie voll Verzagtheit; jetzt ganz Jerusalem ge=
drückt, sie voll Freude, Mut und neuer Liebe zum Gekreuzigten
und seiner Sache. Wer erklärt mir das? Wäre der Gekreuzigte
im Grabe geblieben, dann waren sie ja die am ärgsten Be=
trogenen, und Betrogene beginnen dann, wenn der Betrug
entlarvt ist, für den Betrüger zu schwärmen, nicht nur zu
schwärmen, sondern zu wirken und zu opfern? Wäre das nicht
das Wunder der Wunder? — Soll Sinnestäuschung
zur Erklärung dienen? Sinnestäuschung, wo die Vorgänge
so oft, so verschiedenartig, so lange vor so vielen sich wieder=
holten? Oder der Glaube der Apostel, der sich die
Auferstehung ersann? Aber stellen sich denn die Jünger uns
nicht überall, wo sie uns begegnen, als Männer vor, die es
mit der Wahrheit sehr ernst nehmen, und die durchweg nur
sehr schwer sich von Christus überzeugen lassen? Wie nüchtern
und zurückhaltend tritt z. B. Nathanael dem neuen Messias

26

entgegen. (Jo. 1, 47.) Wie zagend Nikodemus? (Jo. 3, 1.) Welchen Schwierigkeiten begegnet Christus in dem engsten Apostelkreis noch beim letzten Abendmahl! (Jo. 16, 30 u. 14, 15.) Und nach dem Ostertag! Wie zögernd zeigt sich Thomas! Wie die Jünger von Emmaus! Schon immer war der Glaube der Jünger ein so zaghafter gewesen, daß Christus sie dieserhalb rügen mußte. Nun wurde der Meister von den Vertretern des jüdischen Glaubens, den Hohenpriestern, als Täuscher verurteilt, mußte da der sowieso schwache Glaube der Anhänger Christi nicht vollends erlahmen, falls Christus wie jeder andere Sterbliche im Grabe geblieben wäre? Mußte es da nicht allen ergehen wie den Emausjüngern, die mit dem „Wir hatten gehofft" all ihre Erwartungen begraben sahen und nun nach Hause zurückkehrten?

Und wenn das nicht geschah, wenn jetzt gerade der Glaube in nie dagewesener Stärke wiederauflebte, dann — so sagt jeder Verständige —, dann muß um jene Zeit etwas Außerordentliches geschehen sein, das imstande war, den Glauben wieder aufzurichten. Was war das? Die Beteiligten können das doch wohl am besten wissen, und sie sagen uns, daß Christus wirklich auferstand und vierzig Tage sich ihnen zeigte. Nicht hat also der Glaube der Apostel die Auferstehung Christi, sondern die Auferstehung Christi hat den Glauben der Apostel geschaffen.

Eine herrliche Zeit muß für Christi Jüngerkreis die Osterzeit gewesen sein, eine Zeit des friedlichen Sonnenscheins nach schwerer Gewitternacht. War es doch die Zeit steter Gnadenerweisungen, oft wiederkehrender religiöser hinreißender

27

Tröstungen, eine Zeit, wie Einzelseelen sie heute noch immer erleben, wo das Reich Gottes in ihnen festeren Fuß faßt. Den Augen der großen Welt verborgen, geht das Reich Gottes in jenen Tagen in einsamen Kammern Jerusalems um, und unter all den gebrandmarkten Gestalten der abtrünnigen Stadt sehen Engelaugen freudig bebende, vom stillen Glück überfließende Menschen wandeln, die Kinder des neuerwachten Lichts.

Vieles redete der Erstandene mit seinen Getreuen. Glich er doch einem, der aus erschreckender See- oder Schlachtennot glücklich die Heimkehr gefunden. Was war natürlicher, als daß die Freunde herbeieilend ihn umdrängten, ihn stürmisch begrüßten, beglückwünschten, befragten! Wie vieles gab es aber hier mit dem Herrn zu besprechen! Das erschütternde Geschehen der letzten Passahtage, des einen Apostels Los, der bis vor einigen Tagen ihr täglicher Gefährte gewesen, nun aber auf dem Schindanger draußen ruhte. Vor allem aber war es die Zukunft, die sie beschäftigte. Große Pläne hatte Christus ja den Begleitern enthüllt, nun sollten sie verwirklicht werden. Da gab es vieles zu fragen und zu antworten. Was jetzt beginnen? Wo und wie mit der Predigt des neuen Evangeliums anfangen? Wie die neue Religion gestalten? Erst Bruchstücke hatte der Herr seinen Sendlingen anvertrauen können. Darum gilt es jetzt vieles nachzuholen. „Vierzig Tage lang erschien er ihnen und r e d e t e v o m R e i c h e G o t t e s." (1, 3.)

Wie vieles, das die Lehre, Einrichtung und Führung der Kirche betraf, wird da den Aposteln bekannt gegeben worden sein. Kein Apostel hat es aufgezeichnet, keine Schrift

28

hat es in Buchstaben festgelegt, aber festgehalten wurde es in mündlicher Überlieferung und tatsächlicher Einrichtung, und ebensogut gehört es zu Christi Werk wie die später erfolgten spärlichen Aufzeichnungen der Schrift. Ist es darum doch irrig, nur das als Christi Tat und Wort anerkennen zu wollen, was die g e s c h r i e b e n e n Quellen dartun. Klarer und um= fassender als tote Bücher legt das im lebenden Lehramt fort= wirkende Wort Zeugnis ab von Christi Ziel und Wesen.

Frohe Hoffnungen und große Erwartungen weckten die Unterweisungen in der Seele der Jünger. Daß große Um= wandlungen bevorstehen, daß die Welt in Wehen liege, etwas Neues und Großes zu gebären, ahnten sie. Aber was war das Neue? Das war ihnen in a l l e n E i n z e l h e i t e n noch nicht erkennbar geworden. Erwartungsvoll tasten ihre Sinne an der dunklen Zukunft, aber noch immer wollen die Pforten zu klarem Einblick sich nicht öffnen.

Das Nächstliegende schien ihnen die Wiedergeburt des alten Gottesstaates Israels zur früheren davidischen Größe zu sein. War Israel doch das auserwählte Volk Gottes, der einzige Hort des echten Gottesglaubens. Schien doch auch mit Rom ja nicht nur Staatsgewalt über Staatsgewalt, sondern auch der Heidengott über den wahren Gott, das Weltreich über den Gottesstaat gesiegt zu haben. Was Wunder, daß sie so ganz mit den anderen Volksgenossen den Traum von Israels neuer Größe träumten und zuversichtlich sich mit der Frage hervorwagen: „Herr, wirst du jetzt das Reich Israel wieder= herstellen?" (1, 6.) Aber die Antwort bringt eine Enttäuschung. „Es steht euch nicht zu, Zeit oder Stunde zu wissen, welche der Vater in seiner Macht festgesetzt hat." (1, 7.)

So groß auch Israels politische Not, der Gottessohn hat Wichtigeres zu tun, als mit dem Geschick kleiner vergänglicher Erdenreiche sich zu befassen. Nicht das Reich Israel sinnt er wieder zu erheben, sondern das Reich Gottes in der ganzen Welt zu errichten. Wohl genoß das Gottesreich bisher im Reiche Israel Gastfreundschaft und Schutz, aber das Gehäuse war zu eng, die Form zu morsch geworden. Deshalb werden sie beide zertrümmert, damit das Gottesreich entfesselt jetzt ins Freie trete. Die Synagoge muß sterben, damit, aus ihrem Schoß geboren, die Kirche lebe. So fügt denn Christus hinzu: „Aber ihr werdet die Kraft des heiligen Geistes empfangen und mir Zeugen sein in Jerusalem, in ganz Judäa und Samaria und bis an die Grenzen der Erde." (1, 8.)

Aufblühen soll jetzt das Gottesreich. Wandern soll es, wie einst von Priesterhänden gehoben und von Priesterschultern getragen die Bundeslade in der Wüste aufbrach und wanderte. Wandern durch alle Lande, und sie, die Zwölfe, sollen ihm die Schultern bieten.

„Ihr werdet m i r Zeugen sein bis an die G r e n z e n d e r E r d e." Noch nie hatte ein Mensch ein solches Wort gesprochen, noch nie ein die Welt Verlassender solche, die ganze Welt erobernde Befehle gegeben. Und der die Worte sprach, war ein Zimmermann gewesen! Befehle formt sein Mund, wie keines Königs Mund sie je entronnen sind. Und siehe: die Erde fügt sich seinen Worten. Als Zeugen für Christus stehen die Grenzen des Weltalls da. Der Plan gelang; denn der ihn faßte, war ja Gott. Nur dem Höchsten fügen sich so untertänig die Geschehnisse der Welt.

30

2. Heimkehr.

(1, 9—13.)

Für tot hielt Jerusalem den Nazarener, für tot auch sein Werk, und es ahnte nicht, daß beide kraftvoll in seinen Mauern weiterlebten und gerade jetzt zur Eroberung der Welt sich rüsteten.

Vierzig Tage noch hatte der Auferstandene an seinem Lebenswerk weiter gebaut und ihm die letzte Vollendung gegeben. Nun durfte er heimkehren und die Kirche ruhig ihrer weiteren Entwicklung überlassen.

Noch einmal führt er die Seinen zum Ölberg hinauf, noch einmal redet er zu ihnen liebe, süße Worte, dann breitet er segnend seine Hände über die kleine Schar aus, segnend wie ein Vater segnet, wenn er aus dem Kinderkreis von hinnen zieht, und nun hebt er sich empor, schwebt höher und höher empor, bis eine Wolke ihn den Blicken der Jünger entzieht.

Atemlos hatten diese dem ganzen Vorgang zugeschaut. Nun, wo der letzte Sonnenstrahl hinter den Wolken verglomm, kam es ihnen ganz zum Bewußtsein, wie schön der Tag gewesen, der ihnen entschwunden war. Unverwandt hefteten sie noch immer ihre Augen nach oben, und weiche Sonnenuntergangsstimmung hob ihr Gemüt. —

Warum doch blieb nicht der Herr?

Jedes Wesen — das ist schon ein Gesetz der Natur — sucht die Stätte auf, die ihm gebührt. Im Staub noch bewegt sich die Raupe, zum Falter gewandelt, sucht sie das Luftreich auf. Christi Leib war ein verklärter, leidensloser, unvergänglicher, ein mehr geistiger geworden, ihm ziemt darum das Tal der Tränen und Schmerzen, das von Moderduft und Leichen=

3¹

geruch durchweht und vom Grabgesang und Totenklage durch=
rauscht wird, nicht mehr. Nur das Land der Seligen ist des
Seligen passende Stätte.. Auch ist das große Werk vollbracht,
soll denn des Helden Krönung fehlen?

Aber auch für die g e t r e u e n J ü n g e r u n d i h r e
N a c h f o l g e r war es gut, daß er von hinnen ging. Denn
so wird der Geist erscheinen und die Religiosität selbst geistigere
Züge tragen; war doch der Glaube, selbst der Besten, bis dahin
noch zu sehr an die sichtbare Außenseite des Menschensohnes
gebunden, die Hoffnung noch zu sehr von irdischen Messias=
absichten getragen und die Liebe noch zu viel durch die Mensch=
lichkeit Jesu Christi gefesselt. Nun aber, wo das Sicht= und
Greifbare schwand, streiften die Tugenden die letzten Erden=
hüllen ab. Der Glaube stützte sich nun auf das W o r t allein,
die Hoffnung streckte nach Unsichtbarem sich aus, und die Liebe
schwang immer mehr zum rein Göttlichen sich empor. Es
wäre ja auch durch den immerwährenden Aufenthalt des Auf=
erstandenen unter seinen Gläubigen der Verkehr mit Gott
mehr ein S c h a u e n denn ein S u c h e n Gottes geworden,
nun aber wollte Gott doch das Schauen und Besitzen dem
Jenseits vorbehalten und hier, unseren Augen verborgen, in
heißem Sehnen um sich werben lassen. Der Himmel ist des
Menschen letzte Heimat, deshalb war es gewiß gut, daß der
Heiland zum Himmel fuhr, um gemäß dem Satze: „Wo dein
Schatz ist, da ist auch dein Herz" unser ganzes Sinnen schon
jetzt mehr zum Himmel zu erheben. —

Noch immer schauten die Apostel zur Höhe hinauf, da
riefen Stimmen sie aus ihren Sehnsuchtsträumen zur Erde zu=
rück. In weißen Gewändern standen zwei Männer vor ihnen

3²

und sprachen: „Ihr Männer von Galiläa, was stehet ihr da und schaut den Himmel an? Dieser Jesus, der vor euch in den Himmel aufgenommen ist, wird wiederkommen, wie ihr ihn habt auffsteigen sehen in den Himmel." (1, 11.) Zur Rechten des Vaters wird der Erhöhte thronen, bis alle Völker dem Fußschemel gleich sich ihm zu Füßen gelegt. Dann wird er wiederkehren, um sein Königtum für ewig zu krönen. Die weite Kluft, die zwischen den Jüngern und dem geliebten Herrn sich ewig aufzutun schien, wird sich nur als vorüber= gehende erweisen. Der Herr wird wiederkommen — dieser Gedanke beschwichtigt den Schmerz, und in sichtlich gehobener Stimmung steigen die Elf mit ihren Gefährten nach Jerusalem in ihre Zufluchtsstätte hinab. War schmerzlich das Scheiden, dann tröstend die Hoffnung auf das Wiedererscheinen des Geschiedenen.

3. Am Vorabend großer Dinge.
(1, 15—26.)

In Jerusalem zu bleiben, bis sie in das Geistesbad ge= taucht seien, hatte der Meister seiner Herde geboten (1, 4) — sie tat es. Im Abendmahlhaus verbrachte sie die folgenden Tage, ausgenommen die Zeiten, wo sie im Tempel weilte. Und das geschah oft: „Sie waren immer im Tempel und lobten und priesen Gott!" (Luk. 24, 53.) Sammlung und Gebet war ihre Hauptbeschäftigung.

Doch noch ein denkwürdiges Ereignis wird uns aus jener Zeit berichtet. In jenen Tagen erhob sich Petrus und forderte Ergänzung der durch den schreckhaften Tod des Judas ver= ringerten Apostelzahl. „In diesen Tagen stand Petrus auf in=

mitten der Brüder — es war eine Schar von ungefähr hundert=
undzwanzig Personen — und sprach: „Liebe Brüder! Es muß
das Schriftwort erfüllt werden, das der Heilige Geist durch
den Mund Davids vorausverkündet hat über Judas, welcher
denen, die Jesus gefangen nahmen, als Wegweiser diente,
weil er zu uns zählte und Anteil an diesem Amte hatte. Dieser
erwarb sich einen Acker vom Lohn der Ungerechtigkeit und
barst, indem er nach vorn fiel, mitten entzwei, und alle seine
Eingeweide fielen heraus. Dies wurde allen Bewohnern Jeru=
salems bekannt; darum erhielt jener Acker in ihrer Sprache
den Namen Hakeldama, das heißt Blutacker. Denn es steht
im Buch der Psalmen geschrieben: Ihre Wohnstätte werde
öde, und niemand wohne darin; und: Sein Amt erhalte ein
anderer. So muß denn einer von den Männern, die mit uns
zusammen waren während der ganzen Zeit, da der Herr bei
uns aus= und einging, von der Taufe des Johannes an bis
auf den Tag, da er von uns weg aufgenommen wurde —
von diesen muß einer mit uns Zeuge seiner Auferstehung
werden." „Da stellten sie zwei vor, Joseph, genannt Barsabas,
mit dem Zunamen der Gerechte, und Matthias. Sie flehten
im Gebete: Du Herr, der du die Herzen aller kennst, zeige,
welchen von diesen beiden du erwählt hast, die Stelle dieses
Dienstes und Apostelamtes einzunehmen, von welchem Judas
abfiel, um hinzugehen an seinen Ort. Dann warfen sie das
Los über sie; dieses fiel auf Matthias, und er wurde den elf
Aposteln beigezählt." (Ap. 1, 15—26.)

Was bezweckte der Vorgang? Daß gerade er aus jener
Zeit als die einzig bemerkenswerte Tat uns berichtet wird,
bezeugt doch, daß man ihm hohe Bedeutung beilegte. Auch

34

das ist schon auffallend, daß unter den Teilnehmern jener Versammlung die Elf vorzugsweise mit Namen angeführt werden. „Als sie das Abendmahlhaus betreten hatten, stiegen sie hinauf und blieben dort: Petrus und Johannes, Jakobus und Andreas, Philippus und Thomas, Bartholomäus und Mathäus, Jakobus Alphäi, Simon Zelotes und Judas Jacobi. Diese alle verharrten einmütig im Gebete mit den Frauen und Maria, der Mutter Jesu, und seinen Brüdern." (1, 13.) Warum werden hier die Elf an erster Stelle genannt? Warum nicht die Mutter Jesu und seine Brüder? Warum werden sie einzeln mit Namen aufgeführt, was bei den anderen Männern nicht der Fall ist? Warum räumt die Schrift den Elfen einen besonderen Absatz ein im Gegensatz zu den anderen? Offenbar doch, weil die Elf eine ganz besondere Stellung im Reiche Christi auszufüllen hatten. Wir wissen aus dem Evangelium, nicht auf einer allgemeinen, unter sich völlig gleichen Brüderschaft richtete Christus sein Reich auf, sondern nur bestimmte seiner Anhänger wählte er zu den eigentlichen Trägern seiner Gewalt, zu den Überbringern seiner Lehre und Gnade aus: die Apostel.

Diese allein bevollmächtigte er, sein Evangelium zu predigen, die Schäflein zu leiten, Sakramente zu spenden. Nicht durch Schriften, sondern durch dieses l e b e n d e   L e h r a m t will er sein Werk gefördert wissen. Diese Apostel allein sollen ihm Zeugen sein. Den anderen Gläubigen — und sind es die Mutter und die Brüder Jesu selbst — obliegt die Pflicht, sich jenen zu fügen, nicht eigenmächtig selbst zu forschen, sondern von diesen die Lehre entgegenzunehmen. Seine Kirche soll aus einer lehrenden und einer hörenden sich zusammensetzen, und

3*

35

diefe Eigenfchaft tritt uns hier gleich in den erften Anfängen derfelben entgegen.

Weil Chriftus nicht dem freien Forfchen des einzelnen feine Lehre anvertraute, fondern fie durch ein lebendes Lehramt auszubreiten hieß, deshalb ift es auch zu erklären, wie man als erfte Tat die Ergänzung des Apoftelkollegiums vornahm. Nicht Selbfterfundenes vorzulegen, fondern genau zu über= bringen, was Chriftus tat und lehrte, mit anderen Worten Chrifto Z e u g e n fein, das ift der Apoftel Aufgabe. Deshalb aber ift nicht jeder tauglich, die durch Judas entftandene Lücke auszufüllen, fondern nur ein Mann, der für Chriftus auch wirklich zeugen kann, der alfo A u g e n = u n d O h r e n = z e u g e v o n C h r i f t i W i r k e n g e w e f e n i f t. Aus= gewählt muß darum nach Petri ftrenger Vorfchrift ein Mann werden, der mit den Elfen die „g a n z e Z e i t z u f a m m e n w a r", wo Jefus bei ihnen zuerft auftrat, bis zu dem Zeit= punkt, w o e r w i e d e r v o n i h n e n g i n g, v o n d e r T a u f e d e s J o h a n n e s b i s z u d e m T a g, a n d e m e r v o n i h n e n i n d e n H i m m e l a u f g e n o m m e n w a r d, ein Mann, der auch Zeuge der Auferftehung ge= worden". (1, 22.) — Wie ernft nehmen es doch diefe Männer damit, Chrifti Lehre und Tun, genau wie fie gefchehen, der Mit= und Nachwelt zu verkünden! Und doch follen nach dem Unglauben die Apoftel nur Schwärmer und Phantaften ge= wefen fein, die eigenen Einbildungen fich gefangen gaben? O nein, religiöfe Schwärmer ftellen folche lange Unter= fuchungen nicht an und find auch nie um genaue Feftftellung des gefchichtlichen Tatbeftandes fo bemüht, wie wir es hier bei den Elfen fehen.

36

Und damit nicht genug: unter den Zweien, die gefunden, heißen die Jünger noch durch eifriges Gebet G o t t s e l b s t den tauglichsten wählen, und erst, als dieser durch das Los geredet, verleiben sie den Matthias ihrer Schar ein. Tritt uns hier, gleich am Anfang seines Weges durch die Welt, das Christentum nicht in echt katholischer Gestalt entgegen? Ein Apostelkolleg mit dem Papsttum an der Spitze? Als Zeuge der Überlieferung? Diese als die lehrende, die Brüder Jesu, die Frauen mit Maria als die hörende Kirche? Wer gedenkt hier nicht des Schriftwortes: „Ihr seid Mitbürger der Heiligen und Hausgenossen Gottes, auferbaut auf dem Grunde der Apostel und Propheten, in welchen der ganze Bau zusammen= gefügt ist und heranwächst zu einem heiligen Tempel im Herrn!" (Eph. 2, 19 ff.)

Wen aber, der gewahrt, wie umsichtig und vorsichtig die Fundamente von den Aposteln gelegt wurden, muß nicht stolze Sicherheit erfüllen? —

Ausgebessert war der Schaden, den der Leidenssturm dem Schifflein Petri gebracht; zur Abfahrt lag es nunmehr im Hafen bereit. Nur eins fehlte noch: daß günstiger Wind wehe und die Segel schwelle. Aber auch das sollte ihnen werden. Wiederholt hatte ihnen ihr Meister ja eine neue Taufe, nicht aus dem Wasser, sondern aus dem Geiste versprochen.

Was es mit dieser im einzelnen auf sich habe, blieb den Versammelten verborgen, daß es aber etwas Großes und Be= seligendes sein müsse, war ihnen durch die häufigen Hinweise ihres Meisters klar geworden, und so erschienen ihnen wohl jene Tage, wie uns der Vorabend großer Feste. Die Arbeit ruht, die Straßen und Häuser sind gefegt, Glockenklänge er=

37

tönen vom Turm und lassen alle Herzen voll Erwartung freudiger schlagen.

Wohl wissend, daß große Gottesgaben nur in sorgsam bereitete Herzen sich ergießen, verwandten die Gläubigen die noch bleibende Zeit zu stiller Einkehr und tiefer Sammlung. „Sie alle verharrten einmütig im Gebete samt den Frauen und Maria, der Mutter Jesu." (Ap. 1, 14.)

Wo er aber so die Herzen bereitet fand, konnte der Erwartete nicht lange mehr ferne bleiben.

4. Christi Erntetag.
(2, 1—41.)

Heißer wurde mittlerweile die morgenländische Sonne und brachte in Garten und Feld die Früchte zur Reife. Blitzend fuhren überall die Sicheln in die Saaten, hurtig die Hände in die Sträucher und Zweige. Und als nun alles, was Gottes Huld so reichlich geschenkt, in Scheune und Kammer geborgen war, da schüttelten die Israelskinder den Staub ab, warfen Festtagsgewänder um und pilgerten, mit reichen Opfergaben, den Erstlingen der Flur, ausgerüstet, zum Tempelberg, um da dem Geber alles Guten zu danken.

Das war ja ein schöner Zug des auserwählten Volkes, daß es sein ganzes Walten und Schalten mit Gott zu verknüpfen verstand. Nicht nur, daß es alle Gaben der Felder und Herden, daß es Familienglück und Wohlstand auf Gott zurückführte, selbst den Boden, den es bebaute, und das Land, das es bewohnte, sah es nicht als sein Eigentum, sondern als Gottes Besitz an, ihm selbst nur zur Nutznießung und Vervollkommnung überlassen. Zu Gott erhob es deshalb den Blick bei Be-

38

ginn der Aussaat, zu Gott flehte es, wenn Dürre und Miß=
wachs drohte, zu Gott pilgerte es dankend, wenn Saaten und
Früchte glücklich geborgen waren. So wurde der Tempel mit
seinem religiösen Gut der Mittelpunkt des Ganzen, nicht nur
der Stadt, sondern auch des bäuerlichen und hirtlichen Lebens,
und sich selbst betrachteten alle nur als Kinder des Vaters,
der von Sion aus das Land beherrschte und jedem von ihnen
seine Stelle im Land anwies, seine Pflichten zuteilte und seine
Gaben spendete.

Zum Erntedankfest schickte man sich also auch jetzt wieder
an, zahlreich fanden Pilger aus allen Ländern in Sion sich
ein. Dieses Mal wollte Gott aber ein Erntefest besonderer
Art feiern.

Der Pfingsttag graut. Sanft ringt der Morgen aus den
Banden der Dämmerung sich los, mit seinem hellen Blau
bald Stadt und Land überspannend. Sonntag ist's! Ähnlich
wird es gewesen sein, wie bei uns an hohen Festtagen: Ruhe
und Stille in den einsamen Straßen der Stadt, Ruhe und
Stille auf den leuchtenden Höhen. Nun wird es lebhaft. In
allen Straßen, Gassen und Gäßchen sieht man festlich ge=
schmückte Kirchgänger ihr Haus verlassen und dem Tempel=
berg sich zuwenden: Einwohner von Jerusalem, Pilger aus
dem ganzen Land und aus den fernsten Judengemeinden des
Römerreiches. Der Gottesdienst beginnt. Posaunen, Zimbeln,
herrliche Gesänge ertönen. Was der Tempel an Pracht und
Feierlichkeit besaß, wurde heute der harrenden Menge dar=
geboten. Sicherer als je wähnt sich die Synagoge; ist der
Nazarener, der in den letzten Jahren so oft die Feste zu stören
wagte, ja jetzt nicht mehr zu fürchten. Sie ahnt nicht, daß

39

der Totgeglaubte gerade heute seine Hand ausstrecken und an allen Säulen des alten Baues rütteln wird.

Eben sind die religiösen Feiern beendet. Durch alle Tore fluten die Teilnehmer aus dem Heiligtum hinaus. Gruppen bilden sich. Zusammen plaudernd machen die einen halt. Andere schwenken, dem Heim zustrebend, in die verschiedenen Gassen und Straßen ein, wieder andere wenden sich den zahlreich aufgeschlagenen Krambuden zu. Noch andere wandeln durch die Stadt, begierig die Schönheit des leuchtenden Sommertages zu schlürfen.

Da ertönt plötzlich von einem Winkel der Stadt her ein gewaltiges Brausen. Es schwillt an, wird lauter und lauter. Aufhorchend halten die Spaziergänger ein, Türen und Fenster öffnen sich und lassen fragende Gesichter erscheinen. Einige Neugierige eilen dem betreffenden Stadtteil zu. Bald schließt eine ganze Völkerwanderung sich an, und Tausende füllen in kurzer Frist den Platz und die Straßen vor dem Abendmahlhaus, der Stätte des absonderlichen Geschehens. Dort werden Männer sichtbar, die wie vom heiligen Rausch befangen sich gebärden, die Galiläer! Dieselben, die um Jesus waren! Also die Sekte nicht tot? Nein, neu auflebend! Dabei wie umgewandelt, diese Männer! Wie Sturmeswehen ist es über sie gekommen, wie Feuerzungen!

Was war geschehen? „Als der Tag des Pfingstfestes gekommen war, waren alle einmütig an demselben Orte. Da entstand plötzlich vom Himmel herab ein Brausen, gleich dem eines daherfahrenden gewaltigen Windes, und erfüllte das ganze Haus, wo sie saßen. Und es erschienen ihnen zerteilte

40

Zungen wie von Feuer, und es ließ sich auf einen jeden von ihnen nieder. Und es wurden alle mit dem Heiligen Geiste erfüllt und fingen an, in verschiedenen Sprachen zu reden, so wie der Heilige Geist ihnen zu sprechen verlieh." (Ap. 2, 1 ff.)

Ein gewaltiges Getöse ertönte — wie ein Posaunenstoß war es, der das Erscheinen eines gewaltigen Königs ankündigt. Ja, mehr als ein Erdenkönig erschien ja hier.

Vom Himmel herab kam es — um anzuzeigen, daß der Neukommende ein Himmelsgeist, die dritte Person der Gottheit sei.

In großer Stärke, wie Brausen trat es auf — um alle zu seinem Empfang zusammenzurufen. Anders also wie auf Bethlehems Fluren. Da war ja die Zeit der stillen Aussaat, hier die der jubelnden Ernte.

Wie das Wehen des Windes — der Geist ist ja Hauch und Wehen. Unsichtbar und doch oft fühlbar. Heute kommend, morgen mehr sich verbergend, die Luft reinigend, die Schwüle abkühlend, Fruchtkeime sanft über die Ährenfelder verteilend, die Segel zu kraftvoller Fahrt schwellend.

Auch wie Feuer tritt er auf: erleuchtend, reinigend, erwärmend, entzündend.

Wie Feuerzungen — muß, wer von ihm glüht, ja auch in glühenden Worten reden.

Auf einen jeden von ihnen ließ er sich nieder — sollten sie doch alle zu seinen Wortführern und zu Trägern seiner Kräfte werden.

Und erfüllte das ganze Haus — reichlich wollte er der jungen Kirche sich schenken, alle ihre Glieder sollten

41

von seinen Gaben zehren, Papst und Apostel, Lehrer und Gläubige.

Nach den Vorboten und Zeichen erschien er selbst: **Und sie alle wurden mit dem Heiligen Geiste erfüllt** — erfüllt wurde ihr Geist mit strahlendem Licht, ihr Gemüt mit heiliger Glut, ihr Wille mit feurigem Eifer, ihr Leben mit stählerner Kraft.

So groß ist die Fülle, daß sie unwillkürlich mit Allgewalt nach außen sich ergießt: **Und sie fingen an in verschiedenen Sprachen zu reden.**

In verschiedenen, denn eine reichte nicht aus, das Erlebte ganz zu erschöpfen, war es ja nicht Menschen-, sondern Gottesgeist, der hier seine Weisheit kundgab.

Die **verschiedenen Sprachen** redeten sie, nicht **Verschiedenes** — ist es ja nur eine und dieselbe Wahrheit, die der eine Gott verkündet, und wo verschiedene Lehren sich aufdrängen, da weht nicht der Geist des Herrn.

Wie in Licht und Feuer getaucht schienen diese Männer; und als sie ins Freie traten, ging durch all die Tausende, die den Platz füllten, eine tiefe Bewegung.

Die verschiedensten Stimmen wurden laut.

Da waren zunächst fromme Juden, „gottesfürchtige Männer aus allen Völkern". (2, 5.) Diese fühlten sofort den göttlichen Hauch heraus, der aus den sonderbaren Männern sprach, wie der Heiland es ja gesagt hatte: „Wer aus Gott ist, der hört Gottes Wort." (Jo. 8,47.) „Sind denn nicht alle, die da reden," sprachen sie, „Galiläer. Wie hören wir sie denn ein jeder in unserer Sprache, in der wir geboren sind? Parther, Meder, Elamiter, Bewohner von Mesopotamien, von Judäa,

42

Kappadozien, Pontus und Asien, . . . Juden sowohl wie Bekehrte, Kreter und Araber, wir hören sie in unseren Sprachen die großen Taten Gottes verkünden." (2, 7 ff.)

Ein solch wunderbarer Vorgang gab gewiß zu denken. So durch dieselben Laute sich allen Zungen verständigen konnte nur einer, jener, der alle Geister beherrscht und alle Herzen lenkt: Gott. So war es jenen Gottesfürchtigen bald offenbar, daß aus den Männern von Galiläa Gott selber sprach, und unschwer schenkten sie ihnen Glauben. —

Hörten die Gläubigen aus den spannenden Lauten sofort die Sprache der himmlischen Heimat heraus, weil seit langem ihr Herz im Himmel beheimatet war, so waren andere noch zu wenig geistig gesinnt, um das Geistige zu erfassen. Verwundert schauen viele sich gegenseitig an und fragen: „Was das wohl bedeuten mag?" (2, 12.) Umflort noch ist ihr Blick, aber würdig ihre Haltung. Menschen waren es, wie die ruhige Bürgerschaft sie immer zahlreich aufzuweisen hat, noch nicht zu tieferer Erkenntnis gelangt, aber der Wahrheit nicht abhold, vielmehr ernster Belehrung gerne das Ohr darbietend.

Noch andere aber — wohl der ungebildete oder halbgebildete Großstadtmob — sind schnell mit der Sache fertig. Zu seicht, um Ungewöhnliches zu erfassen, zu oberflächlich, um sich ernster damit zu befassen, greifen sie zum Spott. „Die sind des süßen Weines voll", meinen einige sich witzig Dünkende (2, 13), und wieherndes Gelächter lohnt im weiten Umkreis die vorlauten Sprecher. Solch erbärmliche Naturen sind bei derartigen Gelegenheiten ja stets zur Stelle.

Längere Zeit schwanken auf diese Weise die Urteile und Stimmungen hin und her. Da kommt plötzlich Ruhe in die

43

wogende Menge. Droben auf dem erhöhten Platze, wohl auf
dem Dache, geht eine Veränderung vor sich. Petrus erhebt
sich, um zu reden. „Da stand Petrus auf mit den
Elfen, und seine Stimme erhebend, sprach
er: . . .“ (2, 14.)

Mit den Elfen stand Petrus da — nicht als einfacher Bürger redet er also, sondern als Vorsteher der
neuen Kirche. Es war ein weltgeschichtlicher Augenblick.
Zum erstenmal stellt das von Christus gestiftete Lehramt sich
der Welt vor. Jetzt, ausgerüstet mit der Kraft aus der Höhe,
will es Christi Befehl erfüllen, Zeuge für ihn zu sein in Jerusalem, Samaria und bis an die Grenzen der Erde. Zum
erstenmal erhebt es seine Stimme, um bis zum jüngsten Tag
nie mehr zu verstummen. Wie jetzt sein Wort mit Macht
dahinfährt über die vieltausendköpfige Menge, so wird es bald
dahinbrausen über alle Völker, Tote zu erwecken, Leben zu
fördern, eine verjüngte Welt zu schaffen, das Antlitz der ganzen
Erde zu erneuern. Was ihm im geheimen gesagt worden ist,
das wird es, Christi Wort gemäß, jetzt von den Dächern predigen.

Laut erhebt Petrus seine Stimme: „Ihr Männer von
Judäa und ihr Bewohner Jerusalems alle: dies sei euch kund,
vernehmet genau meine Worte.“ (2, 14.) Der Bedeutung
des Augenblicks entsprach der feierliche Eingang. So pflegen
nicht einfache Fischer zu reden, so redete nur ein Moses und
Josua, nur Männer, die einer weltgeschichtlichen Sendung an
die Völker sich bewußt sind.

Müßte das schon die Aufmerksamkeit fesseln, so drängt der
Gegensatz zwischen dem seichten Spott der Menge und der erschütternden Tiefe und Bedeutung des Pfingstereignisses dem

44

Sprecher Worte auf die Lippen, die, immer mehr sich steigernd, auch die leichtfertigsten Gemüter in ihren Bann ziehen mußten.

„O nein, nicht so ist es, wie ihr wähnt, nicht sind diese Männer trunken . . ., s o n d e r n d a s i s t e s, w a s d u r c h d e n P r o p h e t e n J o e l g e s a g t w o r d e n i s t. In den letzten Tagen werde ich von meinem Geist über alles Fleisch ausgießen, und eure Söhne und eure Töchter werden weissagen, eure Jünglinge werden Gesichte sehen und eure Greise Traumbilder haben . . . Und ich werde Wunderzeichen am Himmel tun oben, und Zeichen auf der Erde unten . . . Die Sonne wird in Dunkel verwandelt und der Mond in Blut, ehedem der große Tag des Herrn kommt. Dann wird es geschehen. Jeder, der den Namen des Herrn anruft, wird gerettet werden." (2, 15 ff.) Das Witzeln verstummt. Man fühlt heraus, daß man sich in dem Manne da getäuscht hat. Der da so redet, ist kein Trunkener, auch kein seichter Schwärmer, sondern ein Mann, an dessen Worten Herzblut klebt. Und was er da sagte von Joel, hatte das nicht tatsächlich überraschende Ähnlichkeit mit dem, was hier geschah? Das von der Ausgießung des Geistes, das von dem Prophezeien der Söhne und Töchter Israels! Sahen sie das nicht vor ihren Augen erfüllt? Und auch das andere, das von den Zeichen am Himmel und auf der Erde und von dem Verdunkeln der Sonne? Sie erinnern sich jetzt, wie das doch auch alles sich in etwa ereignet hatte: damals, vor einigen Wochen an dem Spätnachmittag, als sie alle voll Schrecken von Golgatha in die Stadt zurückflohen. Welch' überraschende Übereinstimmung! Die Gesichter werden ernst, nachdenklich.

Der Sprecher merkt es. Nun darf er sich mit dem heraus-

45

wagen, was ihn am tiefsten bewegte. „Ihr Männer von Israel, vernehmet einmal ein ernstes Wort: Jesus von Nazareth, einen Mann, den Gott unter euch bestätigt hat durch Machtbeweise, Wunder und Zeichen, welche Gott durch ihn in eurer Mitte wirkte, wie ihr auch wisset, diesen, der nach dem festgesetzten Ratschlusse und dem Vorherwissen Gottes über= liefert ward, habt ihr durch die Hände der Gottlosen ans Kreuz geschlagen und getötet. Gott aber hat ihn auferweckt." (2, 22 ff.)

Jesus von Nazareth — gesprochen ist das große Wort — für immer schien er begraben — nun steht er wieder vor ihnen auf. Jesus von Nazareth — das erstemal war es, daß nach den langen Wochen dieser Name wieder öffentlich erklang, und mit dem Namen erstand auch wieder in aller Gedächtnis plötzlich das ganze Lebensbild des Mannes, der ihnen so viel gewesen, der sie so sehr geliebt, und den sie verworfen hatten. Ob es nicht, sobald dieser Name erklang, wie ein elektrischer Funke durch die Menge ging?

Und von d e m Jesus heißt es, daß er lebt, daß er auf= erstand! Schon häufiger hatten sie das in den letzten Wochen vernommen, aber nur gerüchtweise. Nun ward es ihnen aus zuständigem Munde kund. „Diesen Jesus hat Gott auferweckt, des sind wir alle Zeugen." (2, 32.)

Daß alle diese Männer so nachdrücklich der Auferstehung ihres Meisters Zeugnis gaben, mußte um so tiefer Eindruck machen, als so wunderbare Dinge diese Aussagen begleiteten. Woher hätten jene auch diese neue, erhöhte Anhänglichkeit an ihren Meister gewonnen ohne einen neuen Beweis seiner un= gebrochenen Kraft empfangen zu haben. Wie wären über=

46

haupt diese einfachen Männer plötzlich auf die Idee gekommen, ihren Meister als auferstanden auszugeben, ohne daß er wirklich auferstanden war? So etwas war ja bis dahin nie gewesen! Die Idee war neu, wie wären diese Fischer gerade auf sie gekommen? Wie auch zu dem Gedanken, sie gerade zum Werbemittel für eine religiöse Bewegung zu machen? Und wie konnten diese Männer sie mit dieser Überzeugung vor= tragen? · Sie, die früher so furchtsam sich gezeigt hatten? Die Sache gab doch zu denken. Nun auch erinnerte man sich wohl des Vorgangs mit den Wächtern in der geheimnisvollen Nacht. Auch mochte das Andenken an das Töchterlein des Jairus, an den Jüngling von Naim und an Lazarus wieder leb= haft erwachen. War es unmöglich, daß er, der bei diesen Dreien so unwiderleglich seine Gewalt über den Tod bewiesen, nun auch selbst den Umklammerungen des Grabes sich entwunden habe? Stand nicht alles das dem Redner bestätigend zur Seite?

Es begann in den Köpfen zu tagen. Bald sollte das Licht wie Mittagshelle sie überfallen. Die Auferstehung Jesu war ja, wie Petrus nun weiter beweist, nichts Überraschendes, sondern deckt sich vollkommen mit Israels Lehre und Über= lieferung. Sagte doch David klar das Ereignis voraus. „Mein Fleisch wird in Hoffnung ruhen, denn du wirst meine Seele nicht im Totenreiche lassen, noch zugeben, daß dein Heiliger die Verwesung schaue." (2, 26. 27.) Nicht von seiner eigenen Auferstehung verstand David das Wort, denn er ist ja im Grabe zerfallen. „Ihr Brüder, es sei mir gestattet, freimütig zu euch zu reden vom Erzvater David. Er ist gestorben und begraben, und sein Grab ist bei uns bis auf den heutigen Tag." (2, 29.) Also hat die Prophezeiung

47

einen anderen im Sinn. Wen? Weil er (David) ein Prophet war . . ., so hat er, in die Zukunft schauend, von der Auferstehung Christi (des Gesalbten, des Messias) gesprochen, daß dieser nämlich nicht im Totenreiche gelassen, noch sein Fleisch die Verwesung schauen werde." (2, 30, 31.)

Daß der kommende Messias Israels schon, bevor sein Fleisch in Verwesung verfalle, also nach einigen Tagen aus dem Grabe erstehen werde, das hatte Gott durch den Mund seines Propheten also vorausverkündet. Nun aber hat Gott „diesen Jesus" auferweckt — also lautet der zwingende Schluß: ist dieser Jesus von Nazareth der verheißene Messias, und mit bis zur Erhabenheit erhobener Stimme ruft der Redner es hinaus: „So wisse denn das ganze Haus Israel unfehlbar gewiß, daß Gott ihn zum Herrn und Messias gemacht hat, diesen Jesus, den ihr gekreuzigt habt." (2, 36.)

Der Schluß war zwingend, die Offenbarung erschütternd. Wie vom Blitz getroffen taumelt die Menge zurück. Plötzlich lag der Tag erhellt vor ihnen, aber auch ihre Blindheit und ihre Frevel. Zentnerschwer senkte sich das Schuldbewußtsein jetzt auf ihre Seele, und folternde Angst greift an ihr Herz. Als sie das hörten, schnitt es ihnen durchs Herz, und sie sprachen zu Petrus und den Aposteln: „Was sollen wir tun, ihr Brüder?" (2,37.) „Was tun, um dem kommenden Zorne zu entgehen?, um abzuwaschen die entsetzliche Schuld?, um loszuwerden die verzehrende Qual?" — O, wie anders war jetzt die Stimmung der Tausende, denn damals, wo sie auf Golgatha weilten. Damals erschien ihnen der Nazarener als

48

ein Geächter, jetzt als der Gesalbte; damals Hohn, jetzt Bewunderung; damals Spott, jetzt tiefe Beschämung und Gewissensangst; damals Mitternacht für Jesu Religion, jetzt strahlender Sonnenaufgang. Welch ein Umschwung in wenigen Wochen! Und der vollzog sich durch wenig Worte aus ungelehrtem Mund! War das natürliches Geschehen? Nein, das war des Geistes Walten, der wie Sturm durch Petri Brust hindurch über die ganze Menge dahinwehte, der wie Feuerzungen von Petri Haupt herunter nun auch auf andere Häupter sich niederließ.

Tief waren die Herzen getroffen, schweres Schuldbewußtsein drückte sie nieder. Die Last war nicht zu tragen. Nach Hilfe schaut man sich um und wendet sich an dieselben Galiläer, die man früher als gedankenlose Schwärmer über die Achseln ansah, und die man eben noch als Trunkene verspottet hatte. Und das taten die Hauptstädter des Landes! Fühlten sie doch heraus, daß Gottes Verzeihung nur durch diese Gottesmänner werden könne, auf denen Gottes Geist und Gottes Wohlgefallen so sichtlich ruhte. So war es ja auch von Christus gedacht, die Versöhnung dem Menschen nicht durch inneres Bereuen allein, sondern durch Zuflucht zur Gotteskirche zu gewähren.

Und Heilsmittel für die wunden Herzen hält Petrus bereit: „Tuet Buße, und ein jeder von euch lasse sich taufen im Namen Jesu Christi zur Vergebung eurer Sünden. So werdet ihr die Gabe des Heiligen Geistes empfangen, denn e u c h gilt die Verheißung und e u r e n K i n d e r n und allen, die der Herr berufen wird." (2, 38 f.) — Und nun erzählt die Rede von all den Gnaden, die dem Volke zugedacht waren, von den liebevollen Plänen, die der Vater im Himmel betreffs seiner hegte. „Noch mit vielen anderen Worten legte er Zeugnis ab und ermahnte sie: Rettet euch heraus aus diesem verderbten Geschlechte." (2, 40.)

Wie ein Bach hatte die Rede begonnen, wie ein Fluß rauschte sie weiter, zum Strom anschwellend brach sie den letzten Widerstand. Nun gab es kein Entrinnen mehr; zu schlagend waren die Beweise, zu sprechend die Tatsachen, zu erdrückend die Geschehnisse. Kaum ist die Rede beendet, da drängen sich die Zuhörer an die Apostel und begehren die verheißene Entsündigung in der Taufe; dreitausend Seelen waren es schon am ersten Tage.

Wie mag die Tauffeier stattgefunden haben? Durch Besprengung, vermuten manche, weil es in Jerusalem an ausreichenden Wasserquellen gemangelt habe, und die Zahl der Täuflinge für Einzeltaufen zu groß gewesen sei. Nun aber dürfte der Heilsteich Bethesda mit seinen Hallen den Anforderungen genügt haben. Oder war das nicht der Fall, mußte denn die Taufe in der Stadt selbst, konnte sie nicht in der Umgegend geschehen? Heißt es doch auch von Jesus, daß er nach seiner großen Predigt von der Wiedergeburt in der Landschaft von Judäa taufte. (Jo. 3, 22.) Was sodann die geringe Zahl der Täufer anbetrifft, so kamen auf jeden Apostel nicht mehr als etwa zweihundertfünfzig Seelen. So viele werden aber heute noch oft genug an einem Firmungstag von einer Hand gesalbt. Und war dann die Taufe den Aposteln allein vorbehalten? Fanden sie nicht an den anderen Jüngern einwandfreie Gehilfen?

Denken dürfen wir es uns gewiß, daß die Apostel die neu

50

Gewonnenen zum Teich Bethesda oder in wasserhaltige Täler der Umgebung hinabführten, ihnen dort das heilige Sakrament zu spenden. Hell leuchtete die Sonne am blauen Himmel, weihevolle heilige Ruhe, wie nur der Sonntagnachmittag in ländlicher Einsamkeit sie kennt, hielt die im Sommerschmuck prangende Landschaft gefangen. Weihevoll sonntäglich wurde es auch in den Herzen der Tausenden. Sündenschwer, die Seele umnachtet, stiegen sie in die reinigenden Fluten hinab, wiedergeboren dem Himmel, rein und in Gnaden leuchtend kletterten sie wieder zu den Ufern hinauf. Und als der letzte der läuternden Flut entstieg, da überkam alle heiliges Entzücken. Gott lobend kehrten sie heim. Abendfrieden goß der Himmel aus über Land und Stadt, Abendfrieden erfüllte auch die dem wahren Leben Wiedergeborenen, und heiße Dankgebete verrichtend, sah man wohl manchen von ihnen am Abend noch lange in seiner einsamen Kammer knien. — So hatte Gott Erntetag gehalten. Zufrieden durfte er auf den Ertrag zurückblicken: nicht nur waren Tausende der Kirche einverleibt, sondern auch das ganze Stimmungsleben Jerusalems von Grund auf zugunsten der neuen Religion geändert worden.

Erfüllt hatte sich Christi Wort: „Und wenn dieser (der Heilige Geist) kommt, so wird er die Welt überführen von der Sünde und von der Gerechtigkeit und von dem Gerichte." (Jo. 16, 8.) Von der Sünde — überzeugt war jetzt ein großer Teil Israels, daß sein Unglaube und seine Verwerfung Jesu damals eine große Schuld gewesen. Von der Gerechtigkeit — die jetzt erfolgte Verherrlichung des Gekreuzigten zeigte ja deutlich, daß noch ein gerechter Gott lebt, der Leib wieder in Freude verwandelt. Von dem G e r i ch t e , weil der Fürst dieser Welt schon gerichtet ist. — Daß troß der grausamen Verfolgung, troß Tod und Banden, troß aller Gewalt, die der Fürst dieser Welt angewandt hatte, die neue Religion zu unterdrücken, diese lebenskräftiger als je sich erhob, bewies nur zu klar, daß die Macht des ersteren dahin war.

Schon beim ersten Auftreten des Geistes zeigte sich aber auch die Wahrheit des anderen Schriftwortes: „Die Frucht des Geistes ist Liebe, Freude, Friede, Geduld, Milde, Güte..." (Gal. 5, 22.)

Gemildert wurden die rauhen Herzen, beruhigt und beseeligt die erregten Gemüter, in Liebe geeint die entzweiten Seelen. Ob Galiläer, ob Meder, ob Juden, ob Araber — sie alle fanden sich zu einem Verstehen zusammen. Was Babel einst in seinem stolzen Übermut gespalten, das einte Sion jetzt wieder zu einem friedlichen Völkerbund. Damals verstanden sich selbst die nächstverwandten Stämme nicht mehr, weil sie vom Selbstsuchtsgeist sich einnehmen ließen, hier klangen selbst die fremdesten Herzen zu einem einheitlichen Saitenspiel zusammen, weil sie dem einen heiligen Gottesgeist sich überließen.

Nach Völkerfrieden ruft die Welt; fährt sie aber wie heute weiter fort, der Selbstsucht zu frönen, wird die babylonische Sprachverwirrung immer weiterschreiten. Erst wenn sie Adern und Seele wieder dem Heiligen Geist öffnet, wird sie zum Bruderbund sich verknüpfen.

Sommer war es, als der Geist im Land erschien. Als Sommer, voll flutenden Lichtes, im Himmelsblau, weiße Wolken bildend, Blüten, Saaten bringend, von Vogelsang umjauchzt, sollte er ja auch der Menschheit sich zeigen.

52

Alles dem Gekreuzigten zur Ehr. „Dieser wird mich verherrlichen, denn er wird von dem Meinen nehmen und es euch verkünden," hatte Christus gesagt. (Jo. 16, 14.) Das geschah jetzt. Das schönste Menschenleben versinkt in Dunkel, findet es nicht eine Feder, die es der Nachwelt in das rechte Licht rückt. Lebensbeschreiber des Gekreuzigten und seiner Taten zu werden, war des Heiligen Geistes Aufgabe, und nicht mit Buchstaben allein, sondern in unsterblichen Bauten hält er noch immer allen Völkern den vor Augen, der einst in Palästina so ruhmlos am Kreuze starb. Niemals fand ein Sterblicher einen solchen Sänger seines Ruhmes, wie er dem Sohne Gottes im Heiligen Geiste erstand.

Wir aber, die Ströme des Lichtes, des Friedens und der Liebe gewahrend, in die die Begnadeten Jerusalems am ersten Pfingstfest getaucht wurden, rufen voll heiliger Sehnsucht:

Komm, Schöpfer Geist, kehr bei uns ein!
Komm, suche auf die Herzen dein.
Erfüll das Herz mit deiner Gnad',
Das deine Lieb erschaffen hat!

5. Die neue Gemeinde.
(2, 42—47.)

Die Nacht hatte dem schönen Segenstage ein Ende gemacht, nicht dem Segen und dem Geiste. Stieg auch mit dem Morgen der graue Alltag am Himmel empor, in den Herzen der Neubekehrten war noch immer Feiertagsfreude. In gehobener Stimmung, Gott lobend und preisend, erhoben sie sich von ihrem Lager und begaben sich wieder zu dem Apostel-

53

kreis. Ist es uns ja nach erlebnisreichen frohen Tagen stets ein Bedürfnis, bald wieder mit den Teilnehmern der Geschehnisse zusammenzukommen und das Erlebte in vertrauter Besprechung nochmals mit ihnen durchzukosten.

Ein weiterer Grund trat hinzu: der gestrige Tag bedeutete einen völligen Wendepunkt im Leben der Neugetauften. Eine plötzliche Erschütterung war über alle gekommen, aber damit das neue Leben noch nicht erschöpfend gewonnen. Zu vieles gab es da noch zu fragen, zu vieles auch noch sich anzueignen. So finden wir in den nächsten Tagen die Neugläubigen mit wahrem Heißhunger um die Apostel geschart, um neue Lehren zu empfangen. „Sie verharrten einmütig in der Lehre der Apostel." (2, 42.)

Vielleicht fanden diese Unterweisungen in den Hallen des Tempels statt (2, 46), vielleicht auch in verschiedenen Häusern (2, 46), jedenfalls wohl so, daß jeder der zwölf Apostel einen Teil der Tausende um sich versammelte — das erste Bild einer schönen Katechetentätigkeit in der Kirche.

Neben dem Unterricht nahmen Gebete manche Stunde in Anspruch. Täglich versammelte man sich im Tempel und brachte dort gemeinsam lange Zeit im Lobe Gottes zu. (2, 46.) — Gewiß ist es nicht zu verwundern, daß die neue Christengemeinde Jerusalems noch immer zum Tempel hinaufpilgerte und dort am alttestamentlichen Gottesdienst teilnahm; war der Tempel ja doch die ihnen von Jugend auf vertraute Gottesstätte, hatte doch auch ihr Meister oft dort geweilt, und sollte die völlige Trennung von der Synagoge nur allmählich sich vollziehen. Das Christentum bedeutete ja auch nicht einen gänzlichen Bruch mit dem alten Bunde, sondern eine inner-

54

liche Weiterentwicklung desselben, nicht eine gänzliche Aufhebung, sondern eine Erfüllung des Gesetzes, und auch das wurde dadurch, daß die junge Kirche im Tempel ihre religiösen Übungen abhielt, treffend versinnbildlicht. Im Tempel tagte die junge Kirche, ein Zeichen, daß sie aus dem Tempel hervorgehe, aber schon sonderte sie sich von den anderen Betern ab — „sie verharrten e i n m ü t i g im Tempel" (2, 46) — ein Zeichen, daß in dem Alten Neues sich vorbereite.

Im ganzen verlief das Leben der Neubekehrten in jenen Wochen noch wie das der anderen jüdischen Bewohner der Hauptstadt.

Gleich beim Erwachen war es Sorge des Israeliten, das Herz zu seinem Gotte zu erheben und sich zum heiligen Dienst zu bereiten. Im Morgengrauen begab man sich zum Tempel, harrend in Stille, bis die Wächter auf dem Dache das erste goldene Aufleuchten der aufgehenden Sonne auf den Bergesgipfeln ankündigten. Das war das Signal zum Beginn der Opferfeier. Die Gläubigen nahmen ihre Plätze ein, Priester und Leviten erschienen in ihren Gewändern, herbeigeführt wurde das Opferlamm, dann geschlachtet, sein Blut nach den vier Himmelsrichtungen an den Altar gesprengt, sodann der Rest unter Darbringung von Gaben und unter dem Duft des Weihrauchs zu Asche verbrannt. Zahlreiche Gebete schlossen sich an. Inzwischen stieg langsam die Sonne am Himmel empor; neunmal ertönten Posaunen auf der Altane des Tempels; die Priester erteilten den Schlußsegen, und die Gläubigen zerstreuten sich. Manche begaben sich an die Arbeit andere blieben noch betend oder den Erklärungen der Schriftgelehrten lauschend im Heiligtum oder in dessen Vorhallen

55

zurück. Vermutlich sammelten auch da sich die ersten Christen zur Unterweisung in ihrem neuen Glauben um ihre Lehrer.

Waren die ersten Tagesstunden G o t t geweiht, so machte jetzt die E r b e i h r e A n s p r ü c h e geltend. Man widmete sich der Berufsarbeit: die einen sah man bald in ihrer, nach morgenländischer Sitte den Augen Vorübergehender offenen Werkstatt am Ambos oder an der Hobel= und Drehbank stehen, andere dem Schuster= oder Schneiderhandwerk obliegen, wieder andere boten in den Läden und Krambuden ihre Waren an, Schriftbeflissene beugten sich über alte vergilbte Rollen, die Frauen oblagen in Küche und Kammer ihrem Amte. Zweimal am Tage, gegen zwölf und drei Uhr, pflegte man die Arbeit durch eine Gebetspause, öfters im Tempel verlebt, zu unterbrechen.

Kehrte dann der Abend ein, so ward wieder mit dem Arbeitsgewand aller Erdenstaub abgestreift und wie der An= beginn, so auch der Rest des Tages in reineren erhabeneren Welten verbracht. Christi Wort gemäß: „Tut dies zu meinem Andenken", versammelte man sich zur Gemeinschaft des Brot= brechens. Anfangs nur an der hierfür wie eigens bestimmten Stätte — dem Abendmahlsaal; später aber, als die Zahl der Gläubigen zu groß ward, nahm man auch eine Reihe anderer Räume zu Hilfe: „Sie brachen das Brot von H a u s z u H a u s." (2, 46.)

Was diese Brotbrechung bedeutete, ist aus den Beschrei= bungen ersichtlich. Sie war kein einfaches weltliches Freundes= mahl. Ein solches war ja auch mit jenen Abendfeiern ver= bunden, aber es war nicht der Kern der Sache. Schon der oft wiederkehrende Ausdruck B r o t b r e c h u n g zeigt, daß es sich hier um einen besonderen Vorgang handelt. Heißt es doch

56

auch: „Täglich ... brachen sie das Brot von Haus zu Haus und nahmen Speise in Freudigkeit und Einfalt des Herzens." (2, 46.) Klar wird also zwischen dem ge= brochenen „Brot" und der anderen „Speise" unter= schieden. Zu beachten ist auch, daß Lukas, der Schüler Pauli, es ist, der den Ausdruck „Brotbrechung" gebraucht, also ihn im Sinne seines Meisters anwendet. Was versteht nun Paulus unter dem geheimnisvollen Vorgang? „Der Kelch, den wir segnen, ist er nicht die Mitteilung des Blutes Christi?" „Und das Brot, das wir brechen, ist es nicht Teilnahme an dem Leibe des Herrn?" (1. Kor. 10, 16.)

Zudem waren diese Abendfeiern ja nach Christi ausdrück= lichem Befehl eine Wiederholung seines letzten Abendmahles. Bei diesem aber hatte ein Doppeltes statt= gefunden. Als das gewöhnliche Mahl beendet war, da hatte Christus ein zweites, höheres eingesetzt. „Während sie aber aßen, nahm Jesus das Brot, segnete es und brach es und gab es seinen Jüngern und sprach: Nehmet hin und esset, denn dies ist mein Leib!" (Mt. 26, 26.)

Das eucharistische Brot war es also, das hier gebrochen wurde, eine Tatsache, die ja auch Paulus unwiderleglich be= stätigt. (1. Kor. 11, 20 ff.) —

Die tägliche Vereinigung mit Gott in der heiligen Kom= munion, die gleichen Erlebnisse aller drängten von selbst zu einer innigen Vereinigung aller Gläubigen untereinander. „Auch hielten sich alle Gläubigen zusammen und hatten alles gemeinsam. Ihr Hab und Gut verkauften sie und teilten davon allen

57

mit, nach eines jeden Bedürfnis." (2, 44. 45. Vgl. 4, 32 ff.)

Große freudige Ereignisse pflegen stets die Beteiligten näher zu bringen. Kam es doch vor, daß bei Eintreffen großer unerwarteter Siegesnachrichten sich sonst Fernstehende plötzlich vor Freude umarmten. So führte auch hier das erlebte über= quellende Glück innig alle zusammen. Alle betrachteten sich wie Brüder und Schwestern, und daß einer es weniger gut habe als der andere, erschien ihnen unerträglich. Deshalb stellte jeder dem anderen seinen Besitz zur Verfügung. Eine Art Gütergemeinschaft wurde eingeführt. Gewiß! Wenn man aber diesen Zustand für den von vielen jetzt ge= planten Gesamtkommunismus ansprechen zu können glaubt, irrt man sehr. Denn zunächst blieb die Gütergemeinschaft auf Jerusalem beschränkt. Die anderen christlichen Gemeinden kannten sie nicht. Allenthalben ertönt wohl die Forderung der gegenseitigen Unterstützung, nie aber die der Teilung des Besitzes. Auch in Jerusalem war die Güter= gemeinschaft keineswegs Vorschrift. Immer wird in den Predigten Petri Buße und Taufe, nirgends aber eine Ver= mögensabgabe verlangt. Ausdrücklich dagegen gesteht der erste Papst Privateigentum zu. „Blieb", spricht er zu Ananias, „er (der Acker) nicht unverkauft dein Eigen? Und als er verkauft war, hattest du nicht Macht, mit dem Gelde zu tun, was du wolltest?" (5, 4.) Auch von der Mutter des Markus Johannes wissen wir, daß sie ihr eigenes Heim unverändert behielt. (12, 12.) Daß zudem die Tat Josephs, der seinen Acker zugunsten der Armen verkaufte, ausdrücklich rühmend erwähnt wird, bezeugt, daß eine all=

58

gemeine Vorschrift dieser Art nicht bestand; denn wer hebt denn wohl z. B. die Steuerzahlung eines Mannes lobend hervor, wo die Steuerzahlung allgemeine Pflicht ist?

In vieler Beziehung weicht also die Gemeinschaftsbewegung Jerusalems von dem in neuer Zeit geforderten Kommunismus ab: einmal war sie nur eine auf eine Stadt beschränkte, dann eine selbst in dieser Stadt nicht allgemein durchgeführte, sondern dem guten Willen der einzelnen überlassene. Sodann war sie meist nur eine auf Teile des Besitztums sich erstreckende; endlich handelte es sich gar nicht, wie man es heute plant, um eine Vergesellschaftung der Produktionsmittel; denn nicht legten die Christen ihre Güter etwa zu einer unter Aufsicht der Gesamtheit vollzogenen Bewirtschaftung zusammen, sondern sie verkauften ihr Hab und Gut (2, 45) und brachten den Erlös des Verkauften herbei und legten ihn zu den Füßen der Apostel zur Verteilung an Bedürftige. (4, 34 ff.) Von einer Verteilung des Erlöses freiwillig entäußerter Habe ist also nur die Rede, nicht von einer allgemeinen Verteilung des Besitzes. Auch wurde der Erlös nicht etwa allen zu gleichen Teilen ausgeteilt oder etwa je nach der Arbeitsleistung, sondern: „Es wurde einem jeden zuteil, so viel er bedurfte.“ (4, 35.)

Damit ist der Sinn der ganzen Einrichtung aber deutlich gegeben: nur als Unterstützungskasse für die Bedürftigen ist sie gedacht, nicht als eine Eigentums- und Produktionsgemeinschaft; als eine Unterstützungskasse, zu der nicht zwangsweise Beiträge eingetrieben wurden, sondern in die jeder so viel einfließen ließ, als ihm gutdünkte. Daß so reichlich die Gaben flossen, erklärt sich

59

daraus, daß der Strom der Liebe, so nahe noch der Quelle, alle mit fortriß. Das Wort des Meisters: „Verkaufet, was ihr besitzet, und gebet Almosen" und „Machet euch Beutel, die nicht veralten, einen Schatz im Himmel" (Luk. 12, 33) war damals noch lebendig. Die ersten Christen hatten es begriffen, was es nichtiges um die Schätze ist, die Rost und Motten verzehren, und gaben diese freudig hin, der anderen wegen, die Rost und Motten nie verzehren werden. Mochte die Begeisterung damals auch etwas über die Ufer hinausschlagen, schlimmer ist, daß sie heute oft auf ein zu enges Bette beschränkt bleibt und zu vertrocknen droht. Weil man den christlichen Glauben ertötete, schwand auch zu viel die austeilende Liebe. Nur zu oft schloß man engherzig sein Gold in eiserne Truhen, und nur Gewalt kann zur Herausgabe zwingen. Man rufe den christlichen Geist und die christliche Liebe zurück, und der Brudersinn wird wie damals wieder die Kluft zwischen reich und arm überbrücken und an die Stelle des Kommunismus der Gewalt von selbst den der Liebe setzen.

Wohltun bringt Segen. Selbstsucht macht kalt und frostig, Liebe aber erweitert und beseligt das Herz. Das gewahren wir auch hier.

Glückliche Tage waren es, die die Gläubigen damals erlebten. „Sie nahmen Speise in Freudigkeit und Einfalt des Herzens und lobten Gott." (2, 46.) Eine Überfülle neuen geistigen Lebens war ihnen allen geworden; immer aber, wo der Himmel in die Herzen Neubekehrter hinabtaucht, jauchzt der ganze innere Mensch auf und alles Sehnen und Streben gewinnt einen unbeschreiblichen Schwung. Wie erfreuend und erquickend mußte aber das Leben in dieser Gemeinde sein,

60

wo so viele neu Beschenkte und neu Beglückte sich zusammen= fanden und einer das Glück des anderen durch seine Seligkeit vermehrte!

Die große Umwandlung der neuen Gläubigen konnte nicht verborgen bleiben. Die überirdische Freudigkeit, die sich in ihren Zügen, die große Selbstlosigkeit und Liebe, die sich in ihrem gegenseitigen Verkehr, die tiefe Frömmigkeit und Rein= heit, die sich in ihrem ganzen Verhalten ausprägten, gewannen ihnen aller Herzen. „Alles Volk war ihnen wohlgeneigt" (2, 47), und täglich meldeten sich neue zum Eintritt in die heilige Gemeinschaft. „Der Herr aber führte täglich diejenigen, welche selig werden sollten, der Gemeinde zu." (2, 47.) Seinen ersten Frühling erlebte das Christentum in jenen Tagen: die zarten weißen Blumen blühten, die Gnadensonne lachte, und die Freude sang in aller Herzen. „Es geschahen viele Wunder und Zeichen durch die Apostel in Jerusalem, und es war große Furcht unter allen." (Apost. 2, 43.) Gibt das nicht alles Winke, wie heute wieder das ganze Leben zu heiligen und neu zu ordnen wäre? Möchte doch wenigstens jede Familie damit beginnen, ihr Leben nach dem der Urgemeinde zu gestalten!

———

61

II. Die ersten Wetterstürme.
(3, 1—7, 60.)
1. Vor der Tempelpforte.
(3, 1—11.)

Machtvoll wuchs in Jerusalem die neue Gottespflanzung heran. War es da zu verwundern, daß nun auch der alte Neider des ersten Paradieses sich mit störenden Plänen einfand? Die neue Gemeinde wäre nie die echte Gemeinde C h r i s t i gewesen, hätte nicht auch sie teilgenommen an des Meisters Verfolgung und Schmach. Das, was Christus vorausgesagt: „Wie sie mich verfolgt haben, werden sie auch euch verfolgen" (Jo. 15, 20), sollte sich jetzt bewahrheiten.

Was mochte während all der Wochen sich wohl in den Herzen der Hohenpriester, Schriftgelehrten und Pharisäer abspielen? Gewiß war groß der Ärger, sahen sie doch die totgeglaubte Bewegung wieder ihr Haupt erheben; nicht nur ihr Haupt erheben, sondern weiter als je ihre Kreise ziehen. Ein Einschreiten jedoch schien vorerst nicht geraten; denn das, was bei dem Nazarener anstößig gewesen war: das Verletzen des Sabbaths, die Vernachlässigung der Waschungen, kurz die Umgehung des Gesetzes, zeigte sich bei den Jüngern nicht. Sah man diese vielmehr pünktlich im Tempel erscheinen, allen jüdischen Gebräuchen sich gewissenhaft unterziehen, Sittenstrenge und Liebe bekunden, und schienen sie somit zu echten,

62

gesetzestreuen Israeliten sich umbilden zu wollen. Daß sie neben dem Tempeldienst noch in den Häusern ihre eigenen Zusammenkünfte hatten, konnte um so weniger auffallen, als ja auch andere Juden zu kleinen Kreisen sich zusammenschlossen und sich ihre eigenen Synagogen erbauten.

So war längere Zeit Ruhe geblieben. Nunmehr aber trat eine Wendung ein und diese knüpfte sich, wie es ja auch im Leben Jesu gewesen war, an ein W u n d e r.

Unter den vielen Toren, die zum Tempel hineinführten, befand sich eines, das, aus korinthischem Erz gebildet, wegen seines reichen Schmuckes „das Schöne" genannt und vor allen anderen zum Eintritt ins Gotteshaus bevorzugt wurde. Diesen Umstand machte sich das Elend zunutze. Täglich sah man auf den Treppenstufen gerade dieser Pforte, ungezählte Krüppel, Bettler, Obdachlose den Vorübergehenden ihre abgemagerten Hände nach milden Gaben ausstrecken. Vor dem Tore des Glanzes das hungernde Elend! Wiederum einer der rätsel= haften Einfälle dieses an Gegensätzen so reichen Lebens. Aber das Tor des Glanzes war zugleich das Tor des H a u s e s G o t t e s; darum war dort die Not gut geborgen. Wer zu Gott ging und von Gott kam — das wußte man —, brachte auch die schönste Gottesgabe, das E r b a r m e n, mit! Be= zeichnend, daß das Elend auch heute noch nicht vor den Pforten der Börsen und Banken, sondern vor Klosterpforten und Gotteshäusern sich lagert.

Eines Tages nun — es war nachmittags drei Uhr, die Zeit der großen Gebets= und Opferstunde — stiegen Petrus und Johannes zu diesem Tor hinauf, um im Tempel zu beten.

Petrus und Johannes — ein schönes Freundespaar! Lange

schon waren sie miteinander verbunden. Dasselbe Meer hatten sie als Fischer befahren, aber eines verband sie inniger als das gemeinsame Gewerbe: der fromme Geist. Während andere ihres Alters Nichtigem nachgingen, hatten sie in sich die Messias= hoffnung genährt, den religiösen Hochsinn gepflegt, und des= halb auch wurden sie unter den ersten zu Nachfolgern des Herrn berufen.

Auch im Apostelkreis bleibt ihre besondere Vertrautheit bestehen. Gemeinsam wanderten diese zwei am Ostermorgen zum Grab, gemeinsam traten sie dem Meister am Galiläischen Meer näher, gemeinsam begaben sie sich heute zum Tempel.

Um zu b e t e n — kann es eine lauterere Freundschaft von Männern geben als diese, die im Höchsten und Heiligsten sich findet? — Sie stiegen zum T e m p e l hinauf; und doch stand an der Spitze desselben Kaiphas, der abgefeimte Richter des Herrn, und doch schlachteten dort Priesterhände das Opfer, an denen Christi Blut klebte! Trotzdem begaben sich die beiden Jünger zum Tempel. Sie wissen eben zu unterscheiden zwischen P e r s o n und A m t, zwischen der heiligen Sache Gottes und dem Staub, der von dem Menschtum sich ihr ansetzte. — Sie stiegen zum Tempel hinauf mit vielen anderen. Dreimal am Tage, morgens, nachmittags drei Uhr und gegen Abend pflegten die Israeliten die Arbeit durch einen Tempelbesuch zu heiligen. Gotterfüllt, mit Gott verknüpft war ihr ganzes Leben. Wie tief hatte damals die Religion noch das ganze Leben erfaßt!

Eben waren die Apostel im Begriff, in den Tempel hinein= zugehen, als man einen Mann, der vom Mutterschoße an lahm war, herbeitrug, um ihn den Bettelnden auf den Tempel=

64

stufen zuzugesellen. Kaum der Apostel ansichtig geworden, bat dieser sie um eine Gabe. Durch den Ruf aufmerksam geworden, blickten Petrus und Johannes ihn an. — Wie unauffällig und scheinbar zufällig Gottes Werke im Menschengewoge sich doch vollziehen! Ohne jede Nebenabsicht, nur um zu beten, begaben sich die Apostel zum Tempel; nur um sein täglich Brot zu gewinnen, sprach der Krüppel die ihm Unbekannten an, und in diesem Vorgange sollten doch Apostel und Krüppel zu Vollstreckern großer göttlicher Dinge werden.

Petrus sah ihn an — aber eigentümlich: während er schon oft diese Lahmen und Armen auf der Tempeltreppe gesehen, ohne von ihrem Anblick andere als alltägliche Eindrücke zu empfangen, fühlt er jetzt beim Ansehen dieses Lahmen etwas Geheimnisvolles an seine Seele pochen. Ob er sich plötzlich der Heilung des so ähnlichen achtunddreißigjährigen Kranken durch den Heiland erinnerte? Ob ihm dabei das Wort einfiel: „Wahrlich, wahrlich, ich sage euch: wer an mich glaubt, der wird die Werke, die ich tue, auch tun, und noch größere wird er tun?" (Jo. 14, 12.) Wie es auch sei: es erging ihm, wie es uns hin und wieder beim Zusammentreffen mit gewissen Personen ergeht: wir fühlen uns unwillkürlich gedrängt, ihnen etwas Besonderes zu sagen, zu geben, und gewahren an der Wirkung später, daß die Vorsehung es war, die in jenem Augenblick uns leitete. An dem Krüppel die ganze Heilkraft des Namens Jesu zu versuchen, sieht Petrus sich gedrängt. Aber er weiß aus den Wundern des Herrn nur zu wohl, daß Wunder sich nur einfinden können, wo der Glaube ihnen die Brücke baut. Prüfend blickt er den Armen an. Wird dieser die erforderliche Seelenstimmung aufbringen? Er hofft und spricht:

„Sieh uns an!" Die feierliche Art der Aufforderung weckt Zuversicht im Herzen des Krüppels. Doch noch umflort ist sein Geist. Ein größeres Almosen hofft er zu empfangen. Aber Petrus wehrt ab: „Gold und Silber habe ich nicht." Hatte er doch alles am Galiläischen Meer zurückgelassen. Daß aber Christi Wort erfüllt werde: „Jeder, der sein Haus, oder Vater und Mutter ... oder Acker verläßt, um meines Namens willen, wird Hundertfältiges erhalten" (Mt. 19, 29), sollte sich jetzt zeigen. „Gold und Silber habe ich nicht, was ich aber habe, das will ich dir geben: Im Namen Jesu, des Nazareners, steh' auf und wandle!" (3, 6.)

Kam das für den Lahmen nicht einer Enttäuschung gleich? Anstatt des erhofften Geldes nur ein frommes Wort, ein Wort zudem, das eine sehr sonderbare Zumutung enthielt. Aufstehen soll er? Er, der vom Mutterschoße an keinen Fuß zu rühren vermochte? Und das im Namen eines Zimmermannsohnes, der vor Monden zwar einiges Aufsehen im Land erregte, dann aber hingerichtet worden war? Wäre es noch des Kaisers Name oder des Moses Name gewesen! Heißt es, vom Namen dieses Zimmermannsohnes etwas erwarten, nicht dem Gespött verfallen? Doch der Gelähmte glaubt dem Wort, und Worte besitzen oft mehr Macht als Gold. Petrus faßt den Kranken an der rechten Hand und richtet ihn auf. Und siehe: anstatt wie früher umzusinken, fühlt der Gelähmte plötzlich eine geheime Kraft in seinen Füßen und Gelenken — seinen Füßen u n d Gelenken — Lukas, der A r z t , beschreibt es fachmännisch genau —. Der Gelähmte ist überrascht, springt auf, steht, und um noch immer mehr sich seiner neuen Kraft zu vergewissern, wandelt er, die Gliedmaßen nach allen Seiten

66

erprobend, hin und her. Aber wie er auch prüft: das ihm gewordene Geschenk erweist sich als dauerhaft. Er ist geheilt, den Fesseln entronnen, die ihn vierzig Jahre lang gefangen hielten. Vor Freude darob ist er außer sich. Aber das erste, was er unternimmt? „Er trat mit ihnen in den Tempel, gehend, hüpfend, Gott lobend." (3, 8.)

Viele erschienen täglich aus dem ganzen Land im Tempel, Gott dem Herrn für eine erwiesene Wohltat zu danken. Es fiel nicht mehr auf, aber die Freude des jetzt Geheilten war zu groß, sein Gotteslob zu laut und zu ergreifend, dazu sein Auftreten zu absonderlich glücklich, als daß es hätte verborgen bleiben können. Aller Augen richteten sich auf ihn und siehe: beim näheren Zuschauen wurden sie es gewahr: das war ja der Krüppel, den sie schon jahrelang täglich vor der schönen Pforte gelähmt dakauern gesehen hatten. Nun wandelte, nun sprang und hüpfte dieser umher! Was war denn geschehen? Von allen Seiten kamen alsbald die Tempelbesucher herbei und umringten die Männer. Petrus und Johannes wandten sich zum Gehen — so wenig war es ihnen um ein Schaustück zu tun. Beten nur hatten sie wollen; wo die Gelegenheit sich bot, auch noch den Leidenden von seiner Not befreien, mehr nicht. Doch der Geheilte hielt die beiden, bereits die Tempeltreppe herabsteigenden Apostel fest. Ein immer größerer Haufe umdrängte sie, und so wurden sie genötigt, über den Hof in eine der nahen Säulenhallen an der Mauer zu flüchten. Wiederum nicht ohne Bedeutung.

5*

2. In der Halle Salomons.
(3, 12—26.)

Die Halle Salomons war es gerade, die sie eilends ge=
funden hatten. Wie wunderbar! Hier an dieser Stelle hatte
ja gerade vor einigen Monaten — es war im Winter — ihr
Meister gestanden. Hier hatten die Juden ihn mit der Auf=
forderung umringt: „Wie lange hältst du unsere Seele in Un=
gewißheit? — Wenn du Christus bist, so sage es uns frei her=
aus." (Jo. 10, 24.) Hier dann hatte er noch einmal feierlich
seine Gottheit bekannt: „Ich und der Vater sind eins" (Jo. 10,
30), hier noch einmal feierlich ihren Unglauben gerügt. Es war
das der Höhepunkt seiner Lehrtätigkeit, das stärkste, in wunder=
vollstem Licht strahlende Aufflammen seines göttlichen Wesens
gewesen. Anstatt auf sein Bekenntnis hin anbetend nieder=
zufallen, hatten sie aber ihn zu ergreifen gesucht. Doch war
er damals ihren Händen entflohen, bis die Sichel des auf=
leuchtenden Frühlingsmondes zum Opfergang nach Jerusalem
ihn gerufen.

Wunderbare Fügung der Vorsehung nun: hier in dieser
Halle, wo Christus am deutlichsten vor seinem Leiden sich
geoffenbart hatte, sollte auch nach seinem Tode eines der
ersten Zeugnisse für seine Gottheit wieder erfolgen. „Ihr
Männer von Jerusalem, sprach Petrus zu der erstaunten
Schar, was wundert ihr euch hierüber; oder was blickt
ihr uns an, als hätten wir aus eigener Kraft
oder Macht diesen gehen gemacht?" (3, 12.)

Was seht ihr uns an? Bei großen Leistungen pflegen
die Menschen ja stets ihre Augen auf die menschlichen Voll=
strecker derselben zu richten und diese anderseits mit Behagen

68

ben gezollten Tribut für ihre Person in Anspruch zu nehmen.
Petrus lenkt, demütig und ehrlich genug, den Beifall, der ihm
zuteil wird, restlos auf den zurück, dem er gebührte. „Der
Gott Abrahams, der Gott Isaaks und der Gott Jakobs hat
s e i n e n S o h n J e s u s v e r h e r r l i c h t, welchen ihr
überliefert habt. D u r c h d e n G l a u b e n a n s e i n e n
N a m e n h a t s e i n N a m e d i e s e n, d e n i h r s e h e t
u n d k e n n e t, g e s t ä r k t, u n d d e r G l a u b e, d e r
d u r c h i h n i s t, h a t d i e s e m d i e v o l l k o m m e n e
G e s u n d h e i t w i e d e r g e g e b e n, wie ihr alle sehet!"
(3, 13. 16.)

Leugnen konnten sie es nicht! Nur ein Name war über
den Krüppel angerufen worden, und der Name hatte ihn
vollkommen geheilt. Und dieser Name war der Name des
verachteten Zimmermannssohnes, den sie vor einigen Wochen
gekreuzigt hatten! Und der N a m e Jesu wirkte nach dessen
Tode fast noch größere Wunder, als die P e r s o n Jesu bei
ihren Lebzeiten gewirkt hatte — war das nicht höchst sonderbar?
Mußte da der Nazarener nicht allen in einem ganz anderen Lichte
erscheinen? War dieser Jesus, dessen Anruf allein mehr als
königliche Macht ausübte, nicht doch, was die Apostel in den
letzten Wochen so oft verkündet hatten, der M e s s i a s, der
S o h n G o t t e s? Und mußte nun nicht auch wahr sein,
daß er auferstanden sei und lebe? Und hatte nun auch Petrus,
fortfahrend in seiner Rede, nicht wiederum damit recht, daß
nur in ihm Heil zu erlangen sei? „Jede Seele, welche diesen
Propheten nicht hört, wird aus dem Volke vertilgt werden!"
(3, 23.) Wie Schuppen fiel es wieder Ungezählten von den
Augen; begierig lauschten sie jetzt den Worten des Apostels, die

69

letzten Widerstände schwanden, und als die Abendschatten bereits heraufstiegen, da konnte der Herr einen neuen Triumph verzeichnen. Hunderte knieten, glaubend und anbetend in derselben Halle vor ihm nieder, wo vor wenigen Monaten noch sein Bekenntnis mit Mordversuchen beantwortet worden war.

3. Eine jähe Unterbrechung.
(4, 1—31.)

Die Nachmittagssonne begann bereits mit goldenem Gruß von den Dächern und Zinnen des Tempels Abschied zu nehmen. Blaue Schleier umwoben Berg und Tal. Da — Petrus war noch in voller Rede begriffen — entstand Unruhe: bewaffnet tauchte der Tempelhauptmann, einer der obersten Priester, mit anderen Priestern und der Wache auf. Der Auflauf im Tempel und Tempelhof, das laute Gebaren der Menge hatte bald die Aufmerksamkeit der Tempeldiener erregt. Schlimmer noch, daß auch Sadduzäer bei der Predigt Petri zugegen waren und Anstoß daran nahmen, daß solch einfache Männer das Volk lehrten und vor allem, daß sie die Auferstehung der Toten, den Sadduzäern ja so verhaßt, verkündeten. Diese erstatteten Anzeige und ein Einschreiten gegen diese fremden Männer — wer sie genau seien, war ihnen unbekannt (4, 13) — schien erforderlich. So machte sich denn der Hauptmann mit der Wache auf, befahl dem Volke, zur Seite zu treten, legte Hand an Petrus und Johannes und führte sie ab. Betroffen stand die Menge eine Weile da. Dann begann sie unter lebhafter Besprechung des Vorfalles sich zu zerstreuen. — Gestört war der weihevolle Tag, ertötet aber nicht der ausgestreute Same. Das, was die Tempelbesucher an dem Nach=

7º

mittag gesehen und gehört, das verließ sie alle beim Nachhause=
gehen nicht. „Viele von denen, die das Wort gehört hatten,
wurden gläubig und die Anzahl der Männer ward fünftausend."
(4, 4.)

Petrus und Johannes wanderten über Nacht in das Ge=
fängnis! Zum erstenmal also saßen sie, die freien Männer
Galiläas, in einer vergitterten Kerkerzelle! Ob es dieselbe
war, in der ihr Herr und Meister die letzte Nacht vor seinem
Verhör zugebracht hatte? Ob sie nicht wenigstens ihres Meisters
gedachten? Und in geistiger Gemeinschaft mit ihm den größten
Teil der Nacht verbrachten? —

Der Morgen graute. Schlüssel rasseln, die Tür öffnet sich
und man führt die Angeklagten vor den Hohen Rat. Noch
besteht er aus den alten Richtern, die Christus das Urteil
sprachen: Annas, Kaiphas, Johannes, Alexander und anderen.
Wie damals Christus, stellt man jetzt die Apostel als Angeklagte
in die Mitte! Und drohend hebt das Verhör mit der Frage
an: „Aus welcher Macht oder in welchem Namen habt ihr
das getan?" (4, 7.)

Zum erstenmal standen die einfachen Fischer aus der Pro=
vinz vor dem höchsten Gericht der Hauptstadt — wird nicht bei
ihnen die alte Schüchternheit sich regen? Und Furcht ihnen
den Mund verschließen? Früher einmal, damals im Hofe des
Hohenpriesters, war es geschehen, aber Petrus war jetzt nicht
mehr der Petrus von damals. Er, der einst vor Mägden und
Knechten nicht den Mut zum Bekenntnis fand, öffnet jetzt vor
dem Hohenpriester und dem ganzen erlauchten Rat kühn den
Mund und spricht: „Ihr Vorsteher des Volkes und ihr Ältesten
höret: Wenn wir heute vor Gericht gezogen werden wegen

71

einer biefem kranken Menfchen erwiefenen Wohltat, fo fei euch allen und dem ganzen Volke kund: Im Namen unferes Herrn Jefus Chriftus, des Nazareners, den ihr gekreuzigt, den Gott aber von den Toten auferweckt hat. Durch biefen fteht biefer ge= fund vor euch." (4, 8 ff.)

Aus dem Angeklagten wurde alfo ein Ankläger, und wie kühn hält er den hohen Herrn ihre Untat vor!

Alfo wieder einmal war der verhaßte Nazarener im Spiel. Noch immer trieb er feinen Spuk im Land. Aber es war mehr als ein Spuk. Eine Heilung hatte er ja vollführt. Aber weiter trägt Petrus den Angriff vor: „Er ift jener von den Bau= leuten verworfene Stein, der zum Eckftein geworden ift, und es ift in keinem anderen Heil." — Die Sicherheit des Sprechers und das Vertrauen auf feine Sache, die Überzeugung und Er= griffenheit, mit der er diefelbe vorbrachte, überrafchten. Das Wunder, auf das er fich berief, machte die Richter ratlos und das Wort von dem Eckftein war ihnen aus den Prophezeiungen nur zu bekannt. Auch erinnern fie fich jetzt, daß es ihnen fchon früher einmal entgegengefchleudert worden war, vom Propheten von Nazareth. (Mt. 21, 42.)

Da fehen fie fich die Angeklagten näher an und finden in ihnen alte Bekannte wieder: „Jetzt erkannten fie auch, daß diefe mit Jefus gewefen waren." (4, 13.)

Die Entdeckung traf fie wie der Blitz: Die Anhänger-Jefu wirkten Wunder, offenkundige Wunder. „Und da fie auch den Geheilten bei ihnen ftehen fahen, konnten fie nichts dagegen fagen." (4, 14.) Die Verlegenheit war groß. Was tun?

Man ließ die Angeklagten abtreten und verhandelte lange

72

bei verschlossenen Türen. „Was sollen wir mit diesen Menschen machen?" fragten sie hilflos, „denn es ist doch ein Wunder durch sie geschehen, das allen Bewohnern von Jerusalem bekannt ist. Es ist offenkundig, wir können es nicht leugnen." (4, 16.) Nun dann wäre es das richtigste gewesen, nunmehr allen Widerstand aufzugeben und zu glauben. Wohl mochte die Gnade auch jetzt wieder diesen Gedanken nahelegen, vielleicht mit starkem Nachdruck ihn aufdrängen, aber der alte Stolz und Trotz lehnt sich abermals dagegen auf. So schwer ist es ja stets dem, der sich selbst einmal böswillig dem Geist der Verneinung auslieferte, später ihn abzuschütteln. „So wenig ein Mohr seine Haut ändern kann, oder ein Parder sein Fell, so wenig könnt ihr Gutes tun, die ihr des Bösen gewohnt seid." (Jer. 13, 23.)

Glauben wollte man nicht — was aber nun? Auch den Anhängern Jesu wie dem Meister den Prozeß machen? Sie mochten von der damaligen Aufregung, von der großen Mühe, dem Pilatus das Todesurteil abzuringen, von den rätselhaften Vorgängen auf Golgatha und in der Osternacht und von dem seltsamen Ende des Verräters noch gerade genug haben. Auch war die Tat ja nutzlos geblieben. Ein Haupt war der Bewegung abgeschlagen und neue Häupter wuchsen ihr jetzt in Fülle.

Der Weg der gewaltsamen Unterdrückung hatte sich als verfehlt erwiesen. Auch würde das Volk, das die Galiläer lieb gewonnen, schwerlich noch für einen neuen Karfreitag zu haben sein. So glaubten sie denn diesesmal den Weg unauffälligen Totschweigens vorziehen zu sollen. „Damit es nicht weiterhin unter das Volk verbreitet wird, wollen wir sie scharf bedrohen,

73

nicht mehr in diesem Namen zu irgendeinem Menschen zu reden." (4, 17.)

Zu hoffen war ja, daß bei diesen einfachen Männern eine scharfe Drohung genügen werde, sie verstummen zu machen. Aber sie sollten sich täuschen; denn nicht zwei einfache Männer standen ihnen hier gegenüber, sondern eine neue Macht, eine Macht, von Gott selbst bestellt und mit göttlichen Freibriefen ausgestattet, eine Macht, an der daher auch die Gewalt irdischer Machthaber sich stauen sollte: die Macht des Papst = tums.

Mit hochaufgerichteter Gestalt und mit vor Eifer und dem Bewußtsein der Würde flammendem Blick sprach Petrus: „Ob es recht ist, vor Gottes Angesicht, euch mehr zu gehorchen als Gott, das urteilt selbst ... Denn was wir gesehen und was wir gehört, das können und dürfen wir nicht verschweigen." (4, 20.)

Wieder hatte eine der großen Stunden geschlagen, als Petrus diese Worte sprach: die Geburtsstunde der Gewissens= und Glaubensfreiheit, die Geburtsstunde auch des Non possumus, das von da an so oft in der Geschichte des Papsttums sich wiederholen sollte. Dem wuchtigen Eindruck vermochten sich selbst die Richter nicht zu verschließen. Anstatt das kühne Wort durch neue Gewaltmaßnahmen zu strafen, ließen sie es bei einer nochmaligen Bedrohung bewenden, und die An= geklagten durften abtreten.

Diese kehrten zu den Ihrigen zurück. Die Freude war groß; hatte man doch in Anbetracht des Schicksals des Meisters die ganze Nacht um das Leben der Beiden gebangt. Als diese nun lebend erschienen und den für Hohepriester und Älteste

74

gewiß nicht rühmlichen Verlauf der ganzen Verhandlung erzählten, war man sich klar, daß die Synagoge den ersten gewaltigen Erdstoß und die ersten Mauerrisse erlitten, das Christentum aber einen vollen Erfolg davongetragen habe. Wie ganz
anders war heute die Lage, als damals an dem unglückseligen
Paschafest! Der damals übermächtige Angriff der Feinde war
zum Stehen gebracht. Mehr, er war zurückgeschlagen. Nun
war man des Alpdruckes für immer los. Der Feind war
nicht mehr zu fürchten. Greifbar nahe sah man hier Gottes
Macht und Weisheit in die Geschichte seiner ersten Gemeinde
eingreifen und einmütig erhob man sich zum Preise des Höchsten.

„Herr, du bist es, der den Himmel und die Erde und das
Meer und alles, was darin ist, gemacht hat. Du hast durch
den Heiligen Geist, durch den Mund unseres Vaters David,
deines Knechtes, gesprochen: Warum toben die Heiden und
sinnen die Völker auf Eitles? Es stehen auf die Könige der
Erde und kommen zusammen die Fürsten wider den Herrn
und seinen Gesalbten. (Pf. 2, 1. 2.) In Wahrheit haben sich
versammelt in dieser Stadt wider deinen heiligen Knecht Jesus,
deinen Gesalbten: Herodes und Pontius Pilatus mit den Heiden
und Völkern Israels. Sie taten alles, was deine Hand und
dein Ratschluß vorherbestimmt. Und nun, o Herr, sieh her auf
ihre Drohungen und verleihe deinen Knechten, mit allem Freimut dein Wort zu predigen. Strecke deine Hand aus, daß
Heilungen, Zeichen und Wunder geschehen durch den Namen
deines heiligen Knechtes Jesus." (Ap. 4, 24—30.)

Es ist dieses das älteste gemeinsame Kirchengebet, das uns
hinterlassen wurde. Groß, wie alle Kirchengebete sind.

Wer echt beten will, muß sich zunächst die nötige weihe-

75

volle Umwelt schaffen. Unser Kirchengebet hebt darum mit dem erhabensten, umfassendsten Rundblick an: „Herr, du bist es, der den Himmel und die Erde und das Meer und alles, was in ihnen ist, gemacht hat." Ganz bauen sich diese kleinen Beter in Gottes große Welt wie in einen Tempel ein. Von diesen erhabenen Höhen ringsum mußte auch Erhabenheit in die Seele der Beter hinabsteigen und Gottes Wollen auch im Weltgeschehen sich ihnen erschließen. Was David schon so lange geweissagt, was sie so oft gesungen, das Siegen Gottes und seines Gesalbten über die tobenden Völker — hob jetzt vor ihren Augen an, erfüllte mit Zuversicht ihre Seele und legte ihnen nur noch einen Wunsch in den Mund. „Und nun, o Herr, sieh herab auf ihre Drohungen und gib deinen Dienern, daß sie mit allem Freimut dein Wort reden, indem du deine Hand zu Heilungen ausstreckst und daß Zeichen und Wunder geschehen durch den Namen deines heiligen Sohnes Jesus." Ein rührendes Bittgebet! Für ihre Priester fleht die Gemeinde, für ihre Priester um Kraft und Mut, Gottes Wort mit Freimut zu verkünden, Jesu Namen überall Eingang zu verschaffen. Wie durchwehte doch alle, Priester und Volk, derselbe Geist! Wie einte doch alle der eine Gedanke des Reiches Gottes. —

So endete der Tag der ersten Verfolgung, der erste Kampf= tag des Papsttums mit der feindlichen Macht. Der Feind war geschlagen. Siegesstimmung umrauschte die lohenden Wacht= feuer der Streiter des Herrn. Betend verbrachten diese den Abend, und wie stets, wo Großes für Gott geschehen, hielt auch Gott mit seinem erquickenden Trost nicht zurück:

„Als sie gebetet hatten, da ward die Stätte, wo sie ver= sammelt waren, erschüttert, und sie wurden alle mit dem

76

heiligen Geiste erfüllt und redeten das Wort Gottes mit Zu=
versicht." (4, 31.) —

Für das junge Papsttum war der Tag ein Glanztag ge=
worden. Nicht nur, daß es die Feinde in die Flucht schlug —
auch über Krankheit und Gebrechen hatte es seine Macht und
Überlegenheit gezeigt. Wie der Lahme vor der Tempelpforte,
so hatte Sünde und Elend vergebens bei anderen Gewalten
Hilfe gesucht. Das Papsttum, in Petrus verkörpert, kam, sprach
das Steh auf! und die Wunden der Menschheit vernarbten.
So wandert es noch immer durch die Welt. Gold und Silber
vermag es der Welt nicht zu spenden, dafür ihr aber Besseres
zu bieten: den Namen Jesu, dessen Wundermacht noch heute
die Seelengebrechen heilt, Sündenfesseln löst und Grabes=
kammern öffnet.

4. Belial in Christi Zelten.
(5, 1—11.)

Der glänzende Sieg über die Hohenpriester hatte eine neue
Welle der Begeisterung für Christi Sache und eine neue Hoch=
flut der gemeinsamen Liebe zur Folge. „Die Apostel gaben
mit großer Kraft Zeugnis von der Auferstehung Jesu Christi!"
(4, 33.) „Die Menge der Gläubigen aber war ein Herz und
eine Seele" (4, 32), und alle, die Besitzer von Äckern und
Häusern waren, verkauften dieselben und brachten den Erlös
des Verkauften herbei und legten ihn zu den Füßen der Apostel.
Besonders zeichnete sich hierbei ein Levit aus, dem man ob
seiner Kunst, die Menschen zu trösten, später den Namen
„Barnabas", das ist Sohn des Trostes, beilegte.

Dieser Erfolg ließ aber den Widersacher alles Guten nicht

77

schlafen. War es ihm nicht gelungen, mit Gewalt von außen das Christentum zu zertrümmern, so suchte er es jetzt durch Vergiftung des Geistes im Innern zu zerstören, und nur zu leicht fand er willfährige Gehilfen.

Unter den vielen hatte sich auch ein älteres, wie es scheint, kinderloses Ehepaar, Ananias und Saphira, der Christen= gemeinde angeschlossen, ohne jedoch den heldenmütigen Geist der anderen zu teilen. Letzteres wurde ihnen zum Verhängnis. Gut ging alles, bis die große Liebestätigkeit einsetzte und die Frage des Güterverkaufs auch an diese beiden herantrat. Die Verlegenheit war groß. Auf der einen Seite hätten beide doch auch zu gerne sich den Geschenkgebern angeschlossen. Auf der anderen Seite war es aber zu hart, sich vom Gelde zu trennen. Wovon auch in schweren Zeiten, die ja kommen konnten, und zumal im Alter, sich ernähren, wenn man sich des Besitzes ent= äußerte? Was tun? Beide überlegen hin und her. Da kommt dem Ananias, von finsterer Gewalt eingeflößt, eines Tages ein Einfall. „Wie wäre es, wenn du den Acker verkauftest, aber heimlich einen Teil des Geldes zurückbehieltest...? Dann ist die Ehre gewahrt und für die Tage der Not gesorgt!" — Aber das Gewissen erhebt Einspruch! Ein langer Kampf! Doch Saphira ist von dem Plan entzückt, und die Würfel fallen, die über das Los beider so unheilvoll entscheiden. „Ein Mann mit Namen Ananias, samt seinem Weib Saphira, verkaufte einen Acker. Mit Wissen seines Weibes unterschlug er etwas von dem Erlös, brachte einen Teil davon und legte ihn zu den Füßen der Apostel." (5, 1—2.) Belial hatte damit Einzug in Christi bis dahin unentweihte Zelte gehalten.

Doch sofort auf der Schwelle des Heiligtums sollte er seinen

78

Richter finden. Schwer mit Geld beladen, begab sich Ananias zu dem Haus der Apostel, raunt etwas von seinem und seiner Gattin frommen Vorhaben und beginnt, die blanken Münzen auf den Tisch zu zahlen. Ganz wohl ums Herz war es ihm dabei nicht; das Gewissen gab ihm keine Ruhe und aufzuschauen zu dem Apostel wagte er nicht. Petrus sah sich den Mann an. Das unruhige Gebaren desselben fiel ihm auf, und dessen schwarze Seele lag plötzlich vor ihm offen. Er spricht voll heiliger Entrüstung: „Ananias! Warum ließest du vom Satan dein Herz verleiten, daß du dem Heiligen Geiste logest und von dem Erlöse des Ackers unterschlugest? Blieb er nicht un= verkauft dein eigen? Und als er verkauft war, konntest du nicht mit dem Gelde tun, was du wolltest? Warum beschlossest du solche Tat in deinem Herzen? Nicht Menschen hast du ge= logen, sondern Gott!" (5, 3.)

Wie angedonnert steht Ananias da. Plötzlich sieht er seinen ganzen Schein entlarvt, plötzlich auch gewahrt er seine Tat in ihrer ganzen Größe. „Nicht Menschen hast du gelogen, sondern Gott!" Es war zu viel. Der Schlag rührt ihn und tot sinkt er zu Boden. Große Furcht kam über alle, die es hörten. — Nachdem der Schrecken sich etwas gelegt, räumten die dienenden jungen Männer den Entseelten hinweg und trugen ihn hinaus zur Stätte der Toten.

Unterdessen harrte Saphira zu Haus der Rückkehr ihres Gatten; wohl noch begierig, die Lobeserhebungen zu erfahren, die ihre Tat bei der Gemeinde ausgelöst habe. Aber Stunde um Stunde verrann, der Erwartete erschien nicht. Drei Stunden waren schon vorüber, da hielt die Unruhe sie nicht mehr in ihren Wän= den. Sie kleidet sich zum Ausgehen an und eilt zum Haus der

79

Apostel. Nichts ahnend betritt sie die Schreckensstätte. Tiefe
Bewegung geht beim Anblick des armen Weibes, das, ohne es
zu wissen, so jäh zur Witwe geworden war, durch die Reihen
der Anwesenden. Noch liegt das Fluchgeld auf dem Tische
und auf dasselbe hinweisend, fragt Petrus: „Sage mir Weib,
habt ihr um diesen Preis den Acker verkauft?" Mit frecher
Stirn erfolgt die Antwort: „Ja, um diesen!" Wiederum sprühen
Zornesblitze aus Petri Augen, und sein Mund spricht voll Entrüstung: „Warum seid ihr übereingekommen, den Geist des
Herrn zu versuchen?" „Siehe, die Füße derer, die deinen Mann
begruben, sind schon vor der Tür, auch dich hinauszutragen."
(5, 9.) Wie? Hörte sie recht? Der Betrug entdeckt? Der
Gatte tot? So plötzlich? Schon begraben? Da rührt auch sie
der Schlag: „Alsbald fiel sie zu seinen Füßen nieder und gab
den Geist auf." — „Als aber die Jünglinge hereinkamen,
fanden sie dieselbe tot, trugen sie hinaus und begruben sie
neben ihrem Manne."

N e b e n   i h r e m   M a n n e — so sollte sie demjenigen
Gefährte in der Todesstrafe sein, dem sie es in der Leidenschaft gewesen war. Unglückliches Ehepaar, das, anstatt im
Guten sich zu fördern, übereinkam, den Geist des Herrn zu
versuchen und so sich gegenseitig das Verderben bereitete.
Möchte es doch niemals Nachahmer in der Kirche Gottes finden!
Aber wie vieles nennt sich immer noch Liebe, was im Grunde
nur blinder Haß ist, da es den Leidenschaften des anderen Gatten
schmeichelt und dabei seine Seele in ewiges Verderben stürzt.
Wie oft wohl mag in ewigem gegenseitigen Fluch sich gegen-
überstehen, was hier in blinder Liebe sich so leidenschaftlich
suchte, wie oft wohl der finstere Abgrund das Ende des Weges

80

sein, der am Traualtar so glückverheißend begann! Regt das einsame Doppelgrab an Jerusalems Friedhofsmauer nicht unwillkürlich manches Ehepaar zum Nachdenken an?

„Und große Furcht kam über die ganze Kirche und über alle, die es hörten." (5, 11.) Große Furcht zu wecken, war auch Gottes Absicht bei dem erschütternden Strafgericht.

Immer ja hatte er bei Israel beklagen müssen, daß sich bei ihm zu wenig sittlicher Ernst und zu viel frommer Schein und Halbheit finde. Das Volk glaubte, betete, besuchte den Tempel, opferte und wähnte damit aller Gerechtigkeit Genüge getan zu haben, wo es zu gleicher Zeit doch der Habsucht, Ungerechtigkeit, Hartherzigkeit, Unzucht und Heuchelei frönte. Israel feierte Gottes Feste, befolgte aber vielfach nicht seine Gebote. Es ehrte Gott mit den Lippen, aber sein Herz war fern von ihm. Und dabei dünkte es sich recht fromm. Dieses Doppelspiel aber machte alle Religiosität zuschanden.

Nun drohte dieser gleiche Geist auch in die junge Kirche einzubringen, und das wäre ihr baldiger Tod geworden. Deshalb erstickt Gott ihn mit aller Macht gleich in seinen ersten Anfängen. In seinem Reiche sollen nur ganze Menschen sich finden. Menschen, die Handeln und Denken miteinander in Einklang bringen, die entschlossen sind, nicht nur dem Äußeren nach, sondern mit ganzer Seele ihm zu folgen, Menschen, denen das bei der Taufe gesprochene „Ich widersage" nicht etwa nur eine leere Redensart, sondern Tat und Wirklichkeit geworden ist.

Auch war es Gott von Anfang an darum zu tun, die von ihm eingesetzte Kirchengewalt mit der nötigen Autorität zu umgeben. Zu binden und zu lösen hatte er die Apostel bestellt.

Da diese aber einfachem Stande entnommen waren, lag die Gefahr nahe, sie weniger zu achten oder als rein menschliche Größen zu betrachten. Das „Wer euch hört, der hört mich, wer aber euch verachtet, der verachtet mich," sollte darum allen deutlich zum Bewußtsein kommen. Und hier, wo Gott so auf= fallend sofort seine ausführende Strafgewalt mit dem Wort des ersten Papstes vereinte, war das Papsttum für immer als von Gott bestellt und mit Gott verbunden beglaubigt.

Aber noch eine andere Auszeichnung war dem Papsttum verheißen. An ihm sollten die Pforten der Hölle zuschanden werden. Da war es gewiß am Platze, hier beim ersten Ansturm der Hölle die Sieghaftigkeit des Papsttums leuchten zu lassen. Ein Papsttum, das befähigt war, wie hier, auch den ver= borgensten Trug bei seinem ersten Entstehen zu entlarven und mit solcher Strafe auszuscheiden, das bot auch für die Zukunft die Gewähr, seiner Aufgabe, unfehlbar allen Lug und Trug aus der Kirche fernzuhalten, gerecht werden zu können. Das hatte auch den Berechtigungsnachweis erbracht, auch weiterhin den Bannstrahl zu entsenden und in Glaubens= und Sitten= lehren das letzte Wort zu sprechen.

Der ganze Vorgang erinnerte darum stark an einen sehr ähnlichen, der an einem neuen Ausgangspunkt der alten Kirche sich abspielte: an Sinai! Wie Gott damals den Moses neu zum Führer des Volkes bestellte und, um ihm Ansehen zu verschaffen, mit Blitz und Donner seine Verordnungen unter= stützte, so war es auch hier, wo die neue Lehrgewalt die alte ablöste. Und wie damals die Menge zitternd die Schranken umstand und Moses bat, für sie die Angelegenheiten bei Gott zu besorgen, so erfüllte auch jetzt Furcht vor der neuen Autorität

82

alle Gemüter, eine Furcht aber, die wieder Freude weckte, weil sie die heiligsten Güter der Religion: Wahrheit und Reinheit des Lebens, in so sicherer Hut geborgen wußte und die neuen Lehrer in allem in die Rechte der alten eingesetzt sah.

Dem christlichen Leben der Zukunft bot sodann der Vorgang neue Antriebe. Jeder, der sich Christus angeschlossen, hat einmal die Feuerprobe seiner Festigkeit zu bestehen. Größere Versuchungen treten an ihn heran, nun heißt es, entweder das Ich seinem Gotte oder seinen Gott dem Ich opfern. Tut er ersteres, geht er mit großen Schritten der Vollkommenheit entgegen, tut er letzteres, verfällt er schlaffer Halbheit, verscherzt er Gnade um Gnade, bis vielleicht zum Schluß der letzte Faden bricht, der ihn mit seinem Herrn verband. Bei Ananias und Saphira war das Geld der Stein des Anstoßes, bei anderen sind es ungeordnete Liebe, Furcht vor neuen Sorgen, Opferscheu, Eigenwille und Bequemlichkeit. Wohl dem, der die Bedeutung der für seine Zeit und Ewigkeit nur zu oft entscheidenden Stunde in ihrem ganzen Ernst erfaßt. Ananias und Saphira taten es nicht. So ward ihr Verderben besiegelt.

So schmerzlich also auch für die beiden Betroffenen das Strafgericht war, so viel Segen hatte es doch wiederum, wie es bei Gottes Werken ja stets der Fall ist, im Gefolge.

5. Es dämmert.
(5, 12—42.)

Wie ein erfrischendes Bad hatte das religiöse Strafgericht in Jerusalem gewirkt, und neu belebt, nahm die Christengemeinde einen noch höheren Aufschwung als bisher. „Durch bie Hände ber Apoftel aber gefchahen viele Zeichen und Wunder unter bem Volke . . . . fo baß fie bie Kranken auf bie Straßen hinaustrugen und auf Betten und Tragbahren legten, bamit, wenn Petrus käme, wenigftens fein Schatten jemanben von ihnen überfchatte und fie von ihren Krankheiten befreie." (Ap. 5, 12—15.)

Immer mehr traten bie von Gott ber jungen Kirche eingefenkten Kräfte zutage. Im Falle Ananias hatte fich burch bas fofortige Verbinden ber göttlichen Strafgewalt mit Petri Unheilswort bie Erfüllung bes Verfprechens gezeigt, baß alles, was bie Kirchenhäupter auf Erben b i n b e n , auch im Himmel g e b u n b e n ift; in ber wunderbaren Befreiung von Krankheiten aller Art fchon burch Petri Schatten tat fich jetzt kund, baß bas, was bie Apoftel hienieben l ö f e n , auch im Himmel g e l ö f e t ift.

Von Gott fo beglaubigt, wirb bie Kirche nun binbend und löfend unter allen Völkern auftreten. Und mögen auch bie von ihr gewirkten Taten nicht mehr fo in bie Augen fallen wie bamals, wo ber werbende Glaube folche Stützen erforberte, fo ift nicht minber groß ihre Kraft. Anftatt ber vielen Einzelwunder fteht fie felbft in ihrer Unzerftörbarkeit und Unwiderlegbarkeit ba als Wunder, und noch immer gefchehen burch bie gefalbten Hände ber Apoftel viele geiftige Zeichen und Wunder: bie Erbfchuld weicht unter bem heiligen Waffer, bas fie fpenben, Tote werben lebenb unter bem Abfolvofegen, ben fie erteilen, und felbft Gottes Sohn nimmt bie Stelle bes Brotes ein, bas fie weihen, aber er weicht auch aus ben Seelen, bie fie vom Weinftock trennen.

Die neu zutage tretenbe boppelte, teils erfchütternbe, teils

84

beglückende Macht der Kirchenhäupter, erzielte eine zweifache Wirkung auf die Umwelt. Halbe Seelen, durch Ananias belehrt, schreckten vor dem Anschluß an die Gottesgemeinde zurück: „Von den anderen aber wagte es keiner, sich ihnen zuzugesellen." (5, 13.) „Das Volk aber pries sie hoch, und die Menge der Männer und Frauen, die an den Herrn glaubten, nahm immer mehr und mehr zu." (5, 13—14.)

Nun auch griff die Bewegung weit über die Hauptstadt hinaus. „Es strömten aber auch viele Menschen aus den umliegenden Städten nach Jerusalem zusammen und brachten Kranke und von unreinen Geistern Geplagte dahin, damit sie geheilt würden." (5, 16.)

Wie hatte sich doch jetzt die Sachlage gegenüber dem unseligen Paschafest von damals geändert! Noch ein wenig, und das ganze Land fiel der neuen Lehre anheim.

Voll Ingrimm sah der Hohe Rat zu. Bis dahin hatte er geschwiegen, jetzt aber schien jede weitere Untätigkeit zum Verrat an der eigenen Sache zu werden. Kurzer Hand läßt er darum die Apostel wieder einmal gefangen nehmen und in das öffentliche Gefängnis werfen. Doch Christus erweist sich stärker als er. „Ein Engel des Herrn öffnete in der Nacht die Türen des Gefängnisses, führte sie hinaus und sprach: ‚Gehet hin, tretet im Tempel auf und sprechet zu dem Volke alle Worte dieses Lebens.'" (5, 19 f.) — Die Oberherrschaft des Hohenpriestertums über den Tempel ist dahin, jetzt tritt das Evangelium lehrend an seine Stelle. „Als sie dies gehört hatten, gingen sie bei Tagesanbruch in den Tempel und lehrten." (5, 21.) Bei Tagesanbruch — also fanden sich da schon heilsbegierige Männer und Frauen

85

im Gotteshaus vor. Ein rühmliches Zeugnis für den Eifer der Juden.

Während Christus so schon in der Frühe neue Triumphe feierte, ereilte seine Gegner neue Schrecken. Diese hatten sich mittlerweile versammelt und die Apostel zum Verhör herbeizuführen geheißen. Aber die ausgesandten Diener waren mit der Nachricht zurückgekehrt: „Das Gefängnis fanden wir mit aller Sorgfalt verschlossen und die Wächter vor den Türen stehen; als wir es aber öffneten, fanden wir niemand darin." (5, 23.) Bestürzung und Entsetzen auf aller Gesicht. Erinnerte denn das nicht an jene Osternacht, wo auch trotz des sorgsamen Verschlusses und der Wächter der Nazarener so geheimnisvoll aus dem Grabe entschwand? Was nun? Als der Tempelhauptmann und die Hohenpriester diese Reden hörten, „wurden sie r a t l o s, was wohl daraus werden sollte." (5, 24.)

Da kam jemand und verkündete ihnen: „Sehet, die Männer, die ihr in das Gefängnis gesetzt habt, stehen im Tempel und lehren das Volk." (5, 25.) Wie? — Im T e m p e l, wo doch alle von der Gefangennahme wußten? — Und l e h r e n — trotz des strengen Verbotes? Kam das nicht einem Hohn auf den ganzen Hohen Rat gleich? Hieß das nicht, ihn in seiner ganzen Ohnmacht gegenüber dem Propheten von Nazareth bloßstellen und der Lächerlichkeit preisgeben? Es war zum Knirschen! Der Tempelhauptmann stürmt mit seiner Truppe zum Tempel hinauf, in die Halle Salomons hinein, auf die lehrenden Apostel zu. Doch da begegnen ihm zornig auflodernde Blicke, drohende Gebärden; einige der Anwesenden greifen sogar zu Steinen. Angewandte Gewalt, so sieht der

86

Befehlshaber bald ein, würde nur auf ihn zurückfallen. Er verlegt sich daher aufs Unterhandeln. Petrus beruhigt die Menge und folgt freiwillig dem Beamten. „Da ging der Tempelhauptmann mit seinen Dienern hin und führte sie herbei, jedoch ohne Gewalt; denn sie fürchteten das Volk, es möchte sie steinigen." (5, 26.)

Ein scharfes Verhör beginnt: „Haben wir," herrscht der Hohepriester die Gefangenen an, „euch nicht auf das strengste untersagt, in diesem Namen zu lehren? Und seht, ihr habt ganz Jerusalem mit eurer Lehre erfüllt und wollt das Blut dieses Menschen auf uns bringen." (5, 28.) Knirschender Zorn ob des verachteten Befehls sprach aus jeder Silbe, aber auch Furcht. Mußte, wenn der Nazarener immer mehr an Glanz und Anhang gewann, nicht die ganze Volkswut, die sie damals gegen jenen angerufen, sich jetzt gegen sie, die Mörder, wenden? O, wenn dieses Volk erwacht, wird es da nicht des Hingerichteten Blut von ihrer Hand fordern? Nicht das Auge um Auge in Anwendung bringen? Die Gefahr lag zu nahe; sie wuchs mit jedem Tag. Wie war doch die Stimmung umgeschlagen! Sie, die den Messias gemordet, mußten jetzt selbst des gewaltsamen Todes ob des Nazareners gewärtig sein! Heftig pochte das böse Gewissen!

Immer sicherer dagegen fühlte sich das gute Recht. „Man muß Gott mehr gehorchen als den Menschen." (5, 29.) — das war die kurzgefaßte bestimmte Antwort des Apostelfürsten. „Der Gott unserer Väter hat Jesus wieder auferweckt, den ihr ans Holz gehängt und getötet habt." (5, 30.) Wieder also wurden die Ratsherrn offen und ungeschminkt als Mörder des Messias an den Pranger gestellt! Und das von einem Manne

87

aus dem Volke und einem Manne, der ob seiner Wunder sich
ihnen überlegen zeigte! Rasende Wut erfaßte sie. „Als
sie das hörten, ergrimmten sie und gedachten,
sie zu töten." (5, 33.) Schon springen einige von den
Sitzen auf, sich an den Jüngern Christi zu vergreifen. Da aber
erhebt sich in dem entstehenden Tumult ein altehrwürdiger
Greis, Gamaliel, ein beim ganzen Volke beliebter Gesetzeslehrer. Abgeklärt an Sinn wie weiß an Haaren, hatte er sich
schon lange seine besonderen Gedanken über die neue Sekte
gemacht. Manche „messianische" Bewegung hatte er in den
langen Jahren seines Lebens schon kommen und gehen sehen.
Diese aber zeigte doch ein anderes Gepräge. So ganz anders
war ihr Stifter gewesen, so ganz anders der Verlauf, als es
bei den anderen der Fall gewesen. Die vielen Wunder verfehlten doch ihre Wirkung auf den frommen und weisen Greis
nicht. Noch nicht ganz zum Glauben durchgedrungen, fühlte er
doch wenigstens schon die Möglichkeit, daß Gott bei den
Galiläern seine Hand im Spiel haben könne, heraus, und er
sprach: „Ihr Männer von Israel, sehet zu, was ihr mit diesen
Menschen tun wollt. Denn vor diesen Tagen stand Theudas
auf und sagte, er sei etwas und es schlug sich eine Zahl von
vierhundert Männern zu ihm. Er wurde getötet, und alle,
welche ihm glaubten, zerstreuten sich und wurden zunichte.
Nach diesem erhob sich Judas, der Galiläer, in den Tagen der
Schätzung und zog viel Volk zum Abfall nach sich; auch dieser
kam um und alle, so viele ihrer, die mit ihm hielten, wurden
zerstreut. Und nun sag ich euch: Stehet ab von diesen Menschen
und lasset sie; denn wenn dieses Vorhaben oder
dieses Werk von Menschen ist, so wird es zu-

88

nichte werden; wenn es aber von Gott ist, so
werdet ihr nicht vermögen, es zunichte zu
machen. Am Ende möchtet ihr sonst noch als
Widersacher Gottes erfunden werden." (5,
35 ff.)

Als Widersacher Gottes erfunden werden — hatte ihnen
das nicht der Nazarener selbst oft genug schon vorgehalten?
Nun sprach es einer der Ihrigen, ein treuer Pharisäer, ein
Weiser unter den Gesetzeslehrern, selber aus! Und legten nicht
die vielen Geschehnisse der letzten Zeit denselben Gedanken
nahe? Sie wurden kleinlaut! „Da stimmten sie ihm
bei." (5, 39.) Aber nochmals wollten sie ihre Kunst ver=
suchen. „Alsbald riefen sie die Apostel herbei, ließen ihnen
Streiche geben, befahlen ihnen, ja nicht mehr im Namen Jesu
zu reden und entließen sie." (5, 40.)

Vergeblich. Die im Besitze Gottes Befindlichen vermag
weder die Geißel niederzubeugen, noch auch Drohung der
irdischen Gewalt zu erschrecken; in Gott tief wurzelnd, er=
achten sie Leid für Christus als Freude und das Verbot als
neuen Marschbefehl. „Diese gingen freudig vom Angesichte
des Hohen Rates hinweg, weil sie gewürdigt worden waren,
um des Namen Jesu willen Schmach zu leiden. Täglich
aber ohne Unterlaß lehrten sie im Tempel
wie in den Häusern umher und verkündeten die
frohe Botschaft von Christus Jesus." (5, 41 f.)

Gamaliel hatte nur zu wahr gesehen: mochte man auch
noch so oft gegen die Kirche anrennen, von Gott war das
Werk, darum von Menschenhand nicht zerstörbar.

Wenn die damaligen Ratsherren heute aus den Abgründen

89

der Ewigkeit auf die Entwicklung des Christentums hinblicke,u müssen sie da nicht erröten ob ihrer Torheit, die im Interesse Gottes Gottes Reich bekämpfen zu müssen glaubte?

Wie viele Nachfolger haben jene Blinden aber im Laufe der Zeit gefunden! Wie viele glauben noch immer, Gott und der Menschheit einen Dienst zu erweisen, wenn sie die Kirche Roms mit aller Gewalt bekämpfen. Ob es ihnen nicht auch einmal dämmern wird? Wie lichtvoll hebt sich sodann die Gestalt des ruhig überlegenden Greises von dem tobenden Hintergrund der anderen giftsprühenden Ratsherrn ab! Immer noch sind Leidenschaften und Vorurteile schlechte Ratgeber, ruhige Überlegung und sachliches Forschen dagegen Wege zur Wahrheit.

„Denn sie sprechen bei sich selbst, verkehrt urteilend . . . Stellen wir dem Gerechten nach, weil er uns lästig fällt . . . Er rühmt sich, die wahre Gotteserkenntnis zu haben und nennt sich selbst Gottesknecht . . . Als unrecht gelten wir ihm, und er hält sich fern von uns . . . Dann aber (am Ende) werden die Gerechten voll Zuversicht stehen ihren Bedrängern gegenüber: Diese aber werden voll Furcht sie sehen und in der Angst der Seele seufzen: Seht, das sind die, die wir zum Gespötte hatten. Ihr Leben galt uns als Torheit, ihr Tod als Untergang. Seht, wie sie zu den Gotteskindern gezählt sind und ihr Anteil unter den Heiligen ist . . . So haben wir uns denn geirrt, und das Licht der Gerechtigkeit leuchtet uns nicht." (Weish. 2, 1. 12. 13; 3, 1 ff.) —

Gamaliels Beispiel zeigt aber auch, wie ein ruhig denkender Mann die Wogen der Leidenschaft zu glätten, wie ein weiser Rat großes Unheil zu verhüten imstande ist. Möge es unter Männern und Frauen viele solcher Friedensseelen geben!

90

6. Riffe im Neubau.

(6, 1—7.)

Die bisherigen Gefahren, die der jungen Kirche drohten, waren glücklich überwunden. Schwerere sollten kommen. Wo die Menschenansammlung größer wird, stellt sich auch das Menschlich=Allzumenschliche nur zu bald ein. „In jenen Tagen, da die Zahl der Jünger wuchs, entstand ein Murren der Griechen gegen die Hebräer." (Ap. 6, 1.) Was ist unter den G r i e ch e n, was unter den H e b r ä e r n zu verstehen?

Lange Jahre nach der Besitznahme des gelobten Landes hatte sich Israel still im Lande gehalten, meist dem Ackerbau und dem Gewerbe obliegend, indes der Handel mehr von den Kananäern ausgeübt wurde. Unter den Königen, besonders unter Salomon, der mit den umliegenden Völkern und auch weiter entlegenen Ländern regere Handelsbeziehungen anknüpfte, wurde das anders. Manche Israeliten schlugen bereits den Weg ins Aus= land ein. Größere Ausdehnung nahm diese Auswanderung aber erst durch die assyrische und babylonische Gefangenschaft. Wurde hierdurch ja der größte Teil des Volkes verpflanzt. Die Lage der Verbannten war anfänglich eine sehr gedrückte. Ohne Besitztum, ohne Rechte führte Israel im fremden Land ein Sklavenleben. Aber die ihm eigene Geschmeidigkeit und Zähigkeit, dazu der in der Überzeugung von Gottes besonderer Erwählung festgewurzelte starke Wille bahnten ihm bald bessere Wege. Da zum Landerwerb sich wenig Möglichkeit bot, blieben den Verbannten nur der Handel und die freieren Berufe offen. So wurde Israel mehr ein Handelsvolk und gelangte so immer mehr in die Oberschichten des Reiches. Selbst sehr einfluß= reiche Stellungen öffneten sich ihm, wie aus dem Schicksal

Daniels, der drei Jünglinge, des Tobias, des Mardochäus, der Esther und anderer ersichtlich ist. Als Cyrus nach siebzig Jahren die Rückkehr nach Jerusalem freistellte, machten darum verhältnismäßig nur wenige Israeliten von der Erlaubnis Gebrauch, so wohnlich hatte sich das Gottesvolk bereits unter den fremden Völkern eingerichtet.

Von Babylon und Assur führte der Handelsgeist nun die Abrahamskinder in alle Lande. Man sah sie bald in Kleinasien, Griechenland, Ägypten, Arabien, Rom, und zu Christi Zeit gab es keine Hafen- oder wichtigere Karawanenstadt mehr, in der sich nicht eine jüdische Kolonie befand. Ihr Einfluß auf den Handel und das Geldwesen wurde bald ein ungeheurer und damit auch auf das gesellschaftliche und staatliche Leben, so daß selbst die Herrscher mit ihnen, als mit einem Staat im Staate zu rechnen hatten und ihnen viele Vorrechte einräumten. Das aber erregte naturgemäß den Haß der eingesessenen Landbewohner, die den Fremdlingen wegen ihrer Absonderung schon von vornherein abgeneigt waren.

Aber eines an Israel fand unter den Völkern bald viele Verehrer: seine Religion.

Überall, wo Israeliten Fuß faßten, war es ihr erstes, eine Gemeinde zu bilden, eine Synagoge zu bauen oder, fehlten dazu die Mittel, einen einfachen Gebetsort zu errichten. Dort versammelten sich die Zerstreuten, um an Gottes Wort sich zu nähren und in der Fremde mit den Feiernden auf dem fernen Sion sich zu vereinen. Die von allem Heidnischen so gänzlich abweichende Gottesverehrung mußte bald die Aufmerksamkeit erregen, nicht nur die Aufmerksamkeit, sondern auch die Bewunderung und Vorliebe vieler, und ungezählte Heiden,

92

Männer und Frauen schlossen sich dem Volke Gottes als Heils=
begierige, als „Proselyten" an. — So groß war die Zahl
dieser, daß Ovid in Rom jedem, der die schönsten und er=
lauchtesten Patrizierinnen zu sehen wünschte, den Rat gab, sich
vor den Toren der jüdischen Synagogen aufzustellen [1]).

Wie bei allem hienieden, hatte Gott auch bei dieser Zer=
streuung der Juden seine erhabenen Absichten. Israel sollte
der Künder seines Namens, der Überbrücker mancher Gegen=
sätze, der Wegbereiter des Evangeliums werden, wie es schon
der fromme Tobias seinen Mitverbannten mit den Worten
prophezeit hatte: „Preiset den Herrn, ihr Kinder Israels, und
lobt ihn vor dem Angesicht der Völker, denn darum hat er
euch unter die Heiden zerstreut, welche ihn nicht kennen, da=
mit ihr seine Wundertaten verkündet und jenen zu wissen tuet,
daß kein anderer der allmächtige Gott ist wie er." (Tob. 13,
3—4.)

So hatte sich eine doppelte Judenschaft herangebildet:
eine im Lande und eine im Auslande wohnende.

Jene bedienten sich der alten Vätersprache, diese der
griechischen Weltsprache; jene hielten streng an allen
Überlieferungen des Gesetzes fest, diese paßten sich in manchem
ihrer heidnischen Umgebung an; jene bezeichnete man darum
mit dem Namen „Hebräer", diese nannte man die
„Griechen".

Da nun aus beiden manche sich der Kirche anschlossen,
machte sich auch da der Unterschied bemerkbar und daraus sollte
eine Schwierigkeit erwachsen.

---

[1]) Ars. Amat. I, 76.

Bei den palästinensischen Juden, den Hebräern, waren die ausländischen, die Griechen, wegen ihres freieren Verkehrs mit den Heiden und ob mancher Abschwächungen des Gesetzes weniger gut gelitten, und das mochte sich auch auf die Christengemeinde übertragen, insofern, als die Armenpfleger, vermutlich Hebräer, ihre Genossen besser denn die Griechen bedachten. Darob entbrannte der Unwillen letzterer.

„In jenen Tagen, da die Zahl der Jünger sich mehrte, entstand ein Murren der Griechen über die Hebräer, weil bei der täglichen Almosenspende ihre Witwen zurückgesetzt wurden." (6, 1.) Zum erstenmal zeigte sich in der sonst so brüderlich einigen Gemeinde also ein Mauerriß, der bei den sowieso schon vorhandenen Gegensätzen sich leicht vergrößern und zu einer Gefahr für den ganzen Gottesbau werden konnte. Deshalb tat schleunige und geschickte Abhilfe not.

Da riefen die Zwölf die Menge der Jünger zusammen und sprachen: „Es geht nicht an, daß wir vom Worte Gottes ablassen und den Tisch besorgen. Darum, o Brüder, ersehet euch sieben Männer unter euch aus, die einen guten Leumund haben und voll des heiligen Geistes und der Weisheit sind, diese wollen wir für das Geschäft bestellen. Wir aber werden bei dem Gebete und dem Dienste des Wortes beharren."

„Diese Rede fand Beifall bei der ganzen Menge, und sie erwählten Stephanus, einen Mann voll des Glaubens und heiligen Geistes, und Philippus, Prochorus, Nikanor, Timon, Parmenas und Nikolaus, einen Judengenossen aus Antiochia. Diese stellten sie den Aposteln vor und diese legten ihnen unter Gebet die Hände auf." (6, 2 f.)

Wiederum ein Beweis für die Machtstellung der Zwölf in

94

der Urkirche. Sie sind es, die die Schlichtung des Streites in die Hand nehmen, sie, die die Menge zusammenrufen, sie, die Vorschläge machen, sie, die den Auserwählten zu ihrem Amt die Hände auflegen und sie damit bestellen. Ihnen aber auch leistet die Menge unbedingten Gehorsam. Sie selbst betrachten es dabei als ihre persönliche Aufgabe, dem Gebete und dem Dienst am Worte obzuliegen; für untergeordnetere Aufgaben sind Hilfskräfte heranzuziehen, aber alle diese bleiben doch ihrer Leitung unterstellt.

Durch Wahl von seiten der Menge ließen die Apostel die Träger des neuen Amtes bestimmen, nicht ernannten sie die= selben selbst. Das war klug gehandelt! Denn damit wurde sowohl ein Ausgang für die in der Gemeinde brütende bittere Stimmung eröffnet, da sich diese in so weitgehender Weise berücksichtigt sah, als auch für die Zukunft einer erneuten Ent= fremdung vorgebeugt, da die neuen Vorgesetzten, aus der Menge und von der Menge erwählt, deren Wünsche am besten kannten. Mit der Wahl selbst waren die Sieben aber noch nicht zur Ausübung ihres Amtes befugt. Zuvor legten ihnen die Apostel noch unter Gebet die Hände auf (6, 6), sie erteilten ihnen mit anderen Worten die Diakonatsweihe, und erst jetzt waren die Neuernannten zu ihrer neuen Aufgabe gerüstet. Wie könnte auch jemand im Namen Jesu eine Macht= stellung in der Kirche versehen, der nicht von Jesus Christus selbst damit beauftragt worden ist. Sagt doch der Herr selbst: „Ich bin die Tür." (Jo. 10, 9.)

Wer aber könnte denn andere mit höherer Machtvollkommen= heit ausrüsten als diejenigen, die sie selbst von Christus zur Weitergabe empfangen, die Apostel? Diese allein bestellte

95

Christus mit dem Wort: „Mir ist alle Gewalt gegeben, im Himmel und auf Erden, darum gehet hin und lehret . . ." (Mt. 28, 18.) zu Trägern seiner Macht. Von diesen geht sie über auf die von ihnen Ernannten und Geweihten, und wie in dem Tempel Jerusalems alle Lichter von dem einen heiligen Feuer gespeist wurden, so pflanzt sich Christi Machtvollkommenheit fort von den Aposteln zu den Päpsten; von diesen zu den Bischöfen und von diesen wiederum zu den Priestern und Diakonen. Nur in der Kirche Roms aber ist diese ununterbrochene Handauflegung bis zu den Aposteln hin zu finden — wiederum ein Beweis, daß sie allein die wahre Kirche Christi ist.

Durch die weise Maßnahme der Apostel war der Mauerriß glücklich für immer ausgemerzt und fester als je hielt die Gemeinde wieder zusammen. „Und das Wort des Herrn wuchs, und die Zahl der Jünger zu Jerusalem vermehrte sich sehr. Auch eine große Menge von Priestern ward dem Glauben gehorsam." (6, 7.)

Von Priestern! Das war der größte Erfolg! Denn wer hatte hartnäckiger dem Nazarener widerstrebt als deren Oberhäupter? Wer hatte größere Opfer des Stolzes und Erdenglücks beim Übertritt zu bringen als sie? Hieß Christus sich zuwenden für sie doch der Ungnade, dem Spott und Bann der Hohenpriester und aller anderen Amtsbrüder, außerdem wohl noch mit ihren Familien der Brotlosigkeit verfallen. Und doch, sie kamen, kamen „in Menge" und „wurden dem Glauben gehorsam". Dem Glauben an den von vielen so gehaßten Nazarener! Wenn aber diese, die so lange sich Sträubenden, sie, die im Lande lebten, die alle von den Galiläern vorgebrachten Gründe genau nachprüfen konnten und auch infolge ihrer

96

perſönlichen Opfer und amtlichen Stellung nachzuprüfen ge=
halten waren, doch endlich zum Glauben an Chriſtus ſich ver=
ſtanden, ſo müſſen die Beweiſe für dieſen ſo überwältigend
geweſen ſein, daß auch das widerſtrebende Herz ſich ihnen nicht
mehr verſchließen konnte.

Wiederum welche Beruhigung für uns! Einen größeren
Triumph konnte die Sache Chriſti nicht feiern, eine größere
Niederlage aber auch der Tempelberg nicht erleben als
dieſen Übertritt zahlreicher Prieſter. Sah dieſer ſich doch von
ſeinen eigenen Anhängern immer mehr verlaſſen und das von
Chriſtus vorausgeſagte Wort: „Euer Haus wird öde gelaſſen
werden" (Mt. 23, 38), langſam zur Wahrheit werden.

Die geſchickte Beilegung des Streites legte aber noch eine
neue Seite der Kirche offen: ohne jede Gewalt, von innen
heraus, wurden die Schäden geheilt. Welch erfreuliche Re=
gierungsweisheit tritt hier zutage! Die Männer von Galiläa
beſaßen aus ſich dieſe Gaben nicht; es war ein anderer, der
ſie leitete, jener, den Chriſtus ihnen als Beiſtand verheißen.
Iſt deſſen Einfluß aber nicht auch heute noch ſichtbar? Es
gibt keine Regierung, der ſo ſchwere Aufgaben der Einigung
jemals geſtellt wurden wie der Kirche. Umſpannt ſie doch,
wie kein anderes Reich, alle Länder, alle Zeiten, vereint ſie
doch in ihrem Schoß Völker aus allen Nationen und Stämmen,
Völker ſo verſchieden an Sitten, Gebräuchen, Eigenarten, Er=
ziehung, Sprache, Bildung und Kultur, ſo verſchieden an
politiſchen und wirtſchaftlichen Zielen, dabei oft auf ſo ge=
ſpanntem Fuße miteinander lebend, ja oft genug in blutiger
Fehde ſich einander zerfleiſchend, und doch weiß ſie ſchon faſt
zwei Jahrtauſende alle in ungetrübter Einheit zuſammen=

zuhalten. Indes andere Reiche und Monarchien wie Meeres-wellen sich erheben und an innerer Schwäche bald wieder zer-fallen, steht die größte Monarchie, die des Papsttums, wie ein festgefügtes Hochgebirge da, alle Reiche überragend. Ist das das Werk ihrer irdischen Leiter? Das Werk armseliger Männer, Männer, die oft wenig mit Regierungskunst sich befaßten, die hie und da sogar eher dem Untergang als dem Aufstieg förder-lich zu sein schienen? Nein, da zeigt sich deutlich die Erfüllung des Wortes: „Vom Herrn ist dies geschehen, und es ist wunderbar in unseren Augen." (Pf. 117, 23.) und auch die des anderen: „Siehe, ich bin bei euch alle Tage bis ans Ende der Welt." Bewies in anderen Jahrhunderten die Kirche ihre Göttlichkeit mehr durch das Überragende ihrer Lehren, dann in unserer Zeit, in der krachend die Weltreiche zusammen-stürzen, durch die Überlegenheit ihrer gemeinschafts-bildenden und erhaltenden Macht. „Groß sind die Werke Jahwes! Der Erforschung wert für alle." (Pf. 110,2)

Die Vorgänge in Jerusalem sind aber wieder recht lehr-reich für unsere Zeit. Wir haben es dort ja mit Ansätzen einer Strömung zu tun, die heute wieder mehr als je zu einer Ge-fahr zu werden droht: mit den Anfängen überspannter natio-naler Sonderbestrebungen.

Jedes Volk, jede Sprache hat ein Recht auf Leben und ureigene Entfaltung, jedoch hat jedes auch die Rechte des anderen zu beachten, und alle sollten bei ihren Bestrebungen doch die friedliche Eingliederung in die höhere Einheit, die des Gottesreiches, nicht aus dem Auge verlieren. Erdenreiche ver-gehen, das Gottesreich bleibt ewig. Wie könnten sich hienieden die leidenschaftlich bekämpfen, die eine Taufe, ein Glaube,

98

ein Herr, eine Hoffnung, ein Brot verbindet und zu deren Aufnahme das eine Vaterhaus seine Tore geöffnet hält?

Reichen wir uns darum über alle Gegensätze, die wir, soweit sie berechtigt sind, ja nicht zu verwischen brauchen, die Hand zum gemeinsamen Christenbund!

Wo aber trotz des besten Willens Schwierigkeiten entstehen, da suchen wir sie in der schönen und weisen Art beizulegen, wie jene in Jerusalem beigelegt wurden. Den Anfang mache die kirchliche Behörde der einzelnen Länder, die ja zur Hüterin des Friedens berufen ist, und ihren Anweisungen füge sich dann demütig die Christenheit, wie es in Jerusalem der Fall war!

7. Das erste Blut.
(6, 8—7, 60.)

Eine alte Anschauung besagt, daß, soll ein Bau Bestand haben, in seine Grundmauern Blut eingemauert werden muß. Beim Christentum war das in hervorragendem Maße der Fall. Mit Christi Blut, mit Gottesblut war das Fundament gesalbt, nicht nur eben gesalbt, sondern ganz getränkt, und mit Blut sollte jede weitere Gesteinslage durchsetzt werden.

„Voll Gnade und Kraft tat aber Stephanus Wunder und große Zeichen unter dem Volke." (Ap. 6, 8.) Stephanus, der Grieche! — Das verschaffte naturgemäß dem Christentum gerade unter den Griechen großen Anhang und erregte deshalb auch den Widerstand dieser Judengruppe. Ein wahrer Sturmlauf auf den Zeugen Christi begann. Zuerst erhoben sich Anhänger aus der Synagoge der Libertiner gegen ihn; sie wurden zurückgeschlagen. Dann standen die Cyrenäer, dann die Alexandriner, dann die aus

Cilizien, zuguterletzt die aus Asien auf — aber, so viele ihrer auch kamen, „sie vermochten der Weisheit und dem Geiste, der aus ihm redete, nicht zu widerstehen." (Ap. 6, 10.)

Niederlage in Redekämpfen aber verletzt die Eitelkeit; verletzte Eitelkeit hinwiederum erregt Wut und schürt Rache. Wo aber Zorn und Rache Platz greifen, da ist es dem Menschen nicht mehr um ruhige Feststellung der Wahrheit zu tun, sondern nur noch um Vernichtung des Gegners. Da auch ist man in der Wahl der Mittel nicht mehr wählerisch. Immer, wo Wahrheitsgründe versagen, ist jegliche Gewalt willkommen. „Da stifteten sie Männer an, welche sagen sollten, sie hätten ihn Worte der Lästerung wider Moses und wider Gott sprechen hören." (Ap. 6, 11.)

Solch käufliche Seelen finden sich ja stets, und wie immer, wo Hetzer ihre giftige Wortkunst ausüben, fanden sie auch hier ihre Gemeinde am denkunfähigen, leicht erregbaren Pöbel. „Diese also regten das Volk und die Ältesten und Schriftgelehrten auf; es entstand ein Auflauf, und sie schleppten ihn mit sich fort, führten ihn vor den Hohen Rat und stellten falsche Zeugen auf, welche sagten: Dieser Mensch hört nicht auf, wider die heilige Stätte und das Gesetz Reden auszustoßen, denn wir haben ihn reden hören: Dieser Jesus, der Nazarener, wird diese Stätte zerstören und die Überlieferungen ändern, welche uns Moses gegeben hat." (Ap. 6, 12 ff.)

Der Angeklagte traut kaum seinen Ohren. Wie unwahr, wie entstellt und verdreht war doch das Vorgebrachte! Alles gewiß geeignet, schwächere Geister zu erschüttern und zu

100

knicken, aber unseren Gottesmann hebt die ganze Lüge und Bosheit nur um so höher empor.

Augenblicke kann es geben, in denen die Seele ob der Größe und Erhabenheit der Aufgabe, die ihr plötzlich gestellt wird, nicht nur ins Riesenhafte wächst, sondern auch von einer so merkwürdigen Weihe erfüllt wird, daß auch nach außen hin diese innere Stimmung ausstrahlt. Ein solcher Augenblick war für unseren Jünger Christi jetzt gekommen. „Und da alle, die im Hohen Rate saßen, auf ihn ihre Blicke richteten, sahen sie sein Angesicht wie das Angesicht eines Engels." (Ap. 6, 15.)

Mutig und kraftvoll, wie Engelsrede, war auch die Verteidigung, die Stephanus auf die Aufforderung des Hohepriesters „Ist dem also?" nunmehr begann. Im Bestreben, sich von dem Vorwurf, er führe Lästerworte gegen Moses und Gott im Munde, zu reinigen, sucht er, weit ausholend, die Übereinstimmung seiner Lehre mit der ganzen Geschichte Israels darzutun. Von Abraham anfangend, über Jakob, den Aufenthalt in Ägypten und den Einzug ins gelobte Land hinüberführend, ist er eben bis zum Tempelbau Salomons gekommen, da übermannt ihn der Zorn. Die eben wieder in gedrängter Kürze dargelegte Reihe der Gnaden Gottes und der Undanksäußerungen Israels, zumal die Schilderung des Abfalls zum goldenen Kalb, wühlt orkanartig die tiefsten Tiefen seiner gottliebenden Seele auf. Ja, wie bei Sinai, so hatte ja jetzt gerade wieder in Christi Leben und Tod und Auferstehung eine große Gottesoffenbarung, die größte, stattgefunden; wie damals, so aber auch jetzt wieder dieselbe Verachtung sich gezeigt. Da hält's den Sprecher nicht länger; wie ein Strom, dem die Dämme

101

durchbrechen, ergießt er seinen ganzen Ingrimm über die An=
kläger. „Ihr Halsstarrigen und Unbeschnittenen an Herz und
Ohren, ihr widerstehet alle Zeit dem heiligen Geist; wie eure
Väter, so auch ihr! Welchen der Propheten haben eure Väter
nicht verfolgt? Sie haben die getötet, die da weissagten von der
Ankunft des Gerechten, dessen Verräter und Mörder ihr nun
geworden seid." (Ap. 7, 51 ff.) —

„Als sie dies hörten, ergrimmten sie in
ihrem Herzen und knirschten mit den Zähnen
wider ihn." (7, 54.) Der Diener Christi aber ward nur
noch um so mehr gefestigt. Klar steht das kommende blutige
Ende vor seinem Auge, aber wunderbar fühlt er sich auch von
Gott gestärkt. Schon auf der Schwelle der anderen Welt
stehend, sieht er bereits deren Schleier fallen. „Er aber, voll
des heiligen Geistes, blickte zum Himmel und sah die Herr=
lichkeit Gottes und Jesus zur Rechten Gottes
stehen und sprach: „Sehet, ich sehe den Himmel
offen und den Menschensohn zur Rechten
Gottes stehen." (7, 55. 56.)

Wiederum eine Bestätigung des Heilandswortes: „Und vor
Statthalter und Könige werdet ihr geführt werden um meinet=
willen. Wenn sie euch aber überantworten, so seid nicht be=
sorgt, wie oder was ihr reden sollt; denn es wird euch in jener
Stunde gegeben werden, was ihr reden sollt, denn nicht ihr
seid es, die da reden, sondern der Geist eures Vaters ist es,
der in euch redet." (Mt. 10, 18 ff.) Gottes Vatersorge läßt
die hienieden wandernden Kinder nie aus dem Auge. Wo
größere Not, da ist sie mit größerer Hilfe zur Stelle. „Der
Herr ist mein Licht und mein Heil, vor wem soll ich mich fürchten?

Der Herr ist meines Lebens Schutz, vor wem sollte mir grauen?"
(Pf. 26, 1.)

Wirkt Gottes Geist auf Gottliebende aber erhebend, dann
auf Gott Widerstehende aufreizend.

Die Unbesiegbarkeit der von Stephanus vorgetragenen
Wahrheiten, der ganze Geist, der aus ihm sprach, die wunder=
bare innere Erleuchtung, die ihm von oben gegeben ward und
sogar als Siegel Gottes auf seinem engelhaft verklärten
Antlitz sich ausprägte, hätte die Ankläger zur Einkehr und Um=
kehr anregen müssen, aber mit der wachsenden Erleuchtung
wuchs der boshafte Widerstand. Selbst wohl fürchtend, end=
lich doch den steten Antrieben der Wahrheit zu unterliegen,
griffen sie zu dem Mittel, das der Geist der Verneinung zur
Selbstsicherung gewöhnlich benutzt: „Sie aber, mit lau=
ter Stimme aufschreiend, hielten ihre Ohren
zu, stürzten einmütig auf ihn los, und nach=
dem sie ihn zur Stadt hinausgeschleppt,
steinigten sie ihn, und die Zeugen legten
ihre Kleider zu den Füßen eines jungen
Mannes nieder, der Saulus hieß. Und sie
steinigten Stephanus, welcher betete und
sprach: „Herr Jesus, nimm meinen Geist auf!
Und auf die Kniee fallend, rief er mit lauter
Stimme: Herr, rechne ihnen diese Sünde
nicht an." Und als er das gesagt hatte, entschlief er im
Herrn. Saulus aber willigte ein in seinen Tod." (7, 57 ff.)

So war das „Ihr Halsstarrigen und Unbeschnittenen an
Herz und Ohren, ihr widerstehet allezeit dem Heiligen Geiste"
wiederum nur zu wahr geworden.

103

Mit Stephanus aber auch war eine ganz neue Art von Blumen in Christi Garten erblüht, die Paſſionsblume, eine Blume, deren Same über alle Länder verweht, eine neue, nie erlöſchende Menſchenart erzeugen ſollte, das Geſchlecht der chriſtlichen Märtyrer.

Wenn in dem Amphitheater Roms die ſtufenweiſe auf= ſteigenden Sitze mit den faſt hunderttauſend Zuſchauern ſich ge= füllt, wenn dann auf ſeiner in der Mitte der Zuhörer hervor= ragenden Bühne der kaiſerliche Hof Platz genommen hatte, dann ertönten Zeichen zu Beginn des grauſamen Gladiatoren= oder Tierkampfes und heraus traten in langen Reihen die bunt= gekleideten Ringer. Vor der Tribüne des erlauchten Imperators machten ſie Halt und riefen: „Caesar morituri te salutant: Kaiſerlicher Gebieter, die Totgeweihten entbieten dir den Gruß!" und dann ſtürzten ſie ſich in den Kampf. Ihre Bruſt keuchte, ihre Glieder ächzten, ihr Blut rann in Strömen, bis endlich ihre Seele entfloh und die zerſetzte Hülle im Staub zurückließ.

Von Stephanus geführt, trat jetzt ein neues Kämpfer= geſchlecht in die Arena der Welt, ein Geſchlecht, beſtehend aus kernigen Männern, aber auch aus gebrechlichen Greiſen, zarten Frauen und Mädchen und ſchwachen Kindern, ein Geſchlecht, geſinnt, nicht ſchnöder Augenweide, ſondern nur der Ehre ihres Gottes zu dienen. Nach oben richtet ſich ihr aller Blick, dahin, wo der Himmel ſich öffnet, wo Chriſtus, ihr König, zur Rechten des Vaters ſteht. Zu ihm erheben die Todesopfer alle freudig ihr Auge, ihm entbieten ſie alle frohlockend das Caesar morituri te salutant! Dann reichen ſie ihre Glieder den Löwen und Stieren, den Rädern und Peitſchen, den Schwertern und

Flammen dar, stets bereit, wo der Mund verstummt, mit dem Blut zu zeugen für den, der sein Blut für sie vergoß. Gottes Kinder müssen sich seiner würdig erweisen, wie könnten sie es, würden nicht auch sie, wie er, schwerer Leiden gewürdigt?

Wenn aber schon die Gladiatoren Roms den Zuschauern Beifallsstürme entlockten, wie ganz anders muß da nicht das Kämpfergeschlecht Christi, das so zahlreich, so opfermutig sich dem Tode weiht, alle gläubigen Herzen mit heiligem Frohlocken erfüllen! Sind diese Heldenseelen doch die Kerntruppe unseres Geschlechtes, der schönste Triumph unseres Herrn, der Stolz unseres Volkes, ein Schauspiel für Menschen, Engel und für Gott.

Dabei aber auch ein Beweis für die Echtheit und Göttlichkeit unseres Glaubens, denn d i e s e K r a f t, die alle diese, gebrechliche Greise, schwache Jungfrauen und sogar Kinder an den Tag legten, dabei d e r G e i s t, der aus ihnen allen sprach: diese heilige Freude, diese Sanftmut, diese Feindesliebe, zudem diese übernatürlichen E r s c h e i n u n g e n, die wie das Abendrot ihr Abscheiden verklärten, alles das läßt sich nicht n a t ü r l i c h, sondern n u r d u r c h e i n h ö h e r e s g ö t t l i c h e s E i n g r e i f e n e r k l ä r e n. Könnte Gott aber jemals eine falsche Religion in d e r Weise unterstützen? Dann hätte er selbst die Völker in Irrtum geführt! Ist das bei dem Weisesten, Gerechtesten, Heiligsten denkbar? Nie und nimmer! E b e n s o w o h l w i e d i e ä u ß e r e n, s i n d a l s o a u c h d i e s e i n n e r e n i n d e n M ä r t y r e r n v o l l z o g e n e n S e e l e n w u n d e r u n t r ü g l i c h e S i e g e l, d i e G o t t a u f d i e c h r i s t l i c h e R e l i g i o n a l s g ö t t l i c h e s e t z t e. — Doch noch in anderer Weise bezeugen die Märtyrer die Wahrheit des Christentums. S i e a l l e g i n g e n f ü r d i e

105

Tatsachen, die die Grundlage des Christen=
tums bilden, also für Christi Leben, Lehren
und Wunder in den Tod!

Die ersten Märtyrer waren alle Konvertiten. Sie
alle lebten anfangs in einem anderen, als dem christlichen
Glauben. Nun traten die Apostel an sie mit der Forderung
heran, den Glauben zu wechseln und Christo sich anzuschließen.
Das aber hieß, etwas Ungeheuerliches verlangen. Denn was
wechselt der Mensch schwerer als seine Religion, als die
mit der Muttermilch eingesogene Religion? Dazu sollten jene
zur Religion Christi sich bekennen, zu einer Religion, die
ein einfacher Zimmermannsgeselle gegründet hatte, die un=
gelehrte Fischer verkündeten, zu einer Religion, in der der
Zimmermann sich zum Mittelpunkte, zum Gotte,
machte und sich wunderbarerweise sogar zur Speise dar=
bot! Dabei war diese Religion von den Führern Is=
raels selbst verworfen, der Stifter derselben sogar
hingerichtet! Die Hohenpriester und Schriftkundigen glaubten
der neuen Religion nicht, wie konnten dann einfache Laien
aus dem Juden= und Heidentum sie annehmen?

Zu allem verlangte der Übertritt die größten Opfer.
Beugen mußte man seinen Verstand unbedingt den Lehren
des Nazareners, den Willen seinen Gesetzen, voll und ganz
mußte man in allen religiösen Fragen dem Befehl der
ungebildeten Fischer und ihrer Nachfolger sich unter=
stellen. — Bedeutete das schon ein Aufgeben des ganzen
natürlichen Menschen, so kamen dazu noch die empfindlichsten
äußeren Bedrängnisse. Von den früheren Religions=
genossen wurden die Übertretenden mit Verachtung, oft genug

106

mit gesellschaftlicher Feme, von der eigenen Familie mit Aus=
stoßung bestraft. Dann setzte zu allem bald die staatliche
Verfolgung ein. Wer übertrat, mußte sich auf Ein=
ziehung seiner Güter, auf Kerker, Körperqualen, selbst auf den
grausamsten Tod gefaßt machen.

Erschütternde Aussichten! Wie konnten die Apostel Christi
unter diesen Umständen auch nur auf einen einzigen
Anhänger rechnen? Und doch, Hunderte, Tausende, Legionen
kamen und starben für Christus.

Wie ist das zu erklären? Welche Mittel wandten die Künder
Christi an? Nur eins: Im Namen Jesu geboten sie An=
schluß an seine Religion und zum Beweis der Rechts=
kräftigkeit ihrer Forderung beriefen sie
sich darauf, daß Christus sich durch seine
Lehre, sein Leben und seine Taten als Gott
bezeugt habe.

Der einzige Stützpunkt für die Übertretenden waren also
die Taten und Ereignisse des Lebens Jesu.
Hatten diese so stattgefunden, wie seine Jünger behaupteten,
so mußten die Zuhörer trotz aller Opfer den Bruch mit der
ganzen Vergangenheit und den Anschluß an das Christentum
vollziehen; hatten diese nicht stattgefunden, so waren sie frei.
Da ist es doch verständlich, daß sie sich zuerst
gründlich von der Wahrheit und Wirklich=
keit der vorgetragenen Umstände des Lebens
Jesu überzeugten!

Dabei war eine Nachprüfung leicht. Denn viele von
den Konvertiten lebten ja im Lande Palästina oder in Jeru=
salem selbst. Sie hatten zum großen Teil Jesum gesehen, sie

107

kannten Naim, Kapharnaum, Bethanien und all die anderen Orte, wo Christus die Wunder gewirkt haben sollte; konnten sich also an Ort und Stelle überzeugen, ob dort wirklich der Jüngling, die Tochter des Jairus, Lazarus auferweckt worden und ob dort die anderen Taten geschehen seien. — Die in anderen Provinzen Wohnenden kamen aber entweder selbst zur Wallfahrt ins Heilige Land oder vernahmen die Berichte von solchen, die an Ort und Stelle gewesen waren. So war allen eine gründliche Untersuchung der Vorgänge möglich.

Möglich war sie und wegen der vielen, mit dem Religions= wechsel verbundenen Opfer auch geboten. Nun nahmen Tausende und abermals Tausende auf die Taten Jesu hin den Glauben an und hielten an ihm fest, kostete es auch den qualvollsten Tod! Also sind die Taten geschehen! Hätten wir also auch keine geschriebenen Urkunden für die uns über= lieferten Lehren und Taten Jesu, so wäre dieses Blut= zeugnis der Legionen von Märtyrern Zeug= nis genug! Keine Religion ist auf solche Fundamente aufgebaut wie unsere Kirche; der beste Beweis, daß sie allein ist das Haus Gottes, „die Säule und Grundfeste der Wahr= heit." (1. Tim. 3, 15.)

Aber noch ein dritter Gedanke sei hinzugefügt. Auf= gabe der Religion ist es nicht, den natürlichen Menschen noch fester mit der Natur verbinden, sondern ihn aus allem rein Triebhaften, rein Irdischen und Welt= lichen zu erlösen; sein Bestes, seine Seele aus allen Banden, aus allem rein Stofflichen mehr und mehr herauszuheben, sie gleichsam zur Siegerin über alle Naturtriebe zu machen

108 .

und sie auf die Bergeshöhe des ganz Übernatürlichen, Himmlischen zu erheben, sie Gott ähnlich zu gestalten, der ja auch frei von allem Stofflichen hoch im ewigen Geisteslichte wohnt. Nur ein Mittel reicht aber zu diesem Zweck voll und ganz aus, die Vernichtung des eigenen natürlichen Selbst, wie es im unblutigen und blutigen Martyrium vor sich geht.

Dieses Problem hat kein Religionsstifter so erfaßt und aufgegriffen wie Christus, der da sagt: „Wer sein Leben gewinnen will, wird es verlieren, wer es aber verliert um meines Namens willen, wird es gewinnen." Keine Kirche ist darin Christus aber so gefolgt wie die katholische, die einesteils der maklabäischen Mutter gleich ihre Marterkinder dem blutigen Henkerschwert darbietet, anderseits, Maria nachahmend, sie zum Tempel trägt, sie Gott im Ordensleben weiht und zum mystischen Absterben anleitet. Sie fordert also wie keine andere den Menschen zum sieghaften Aufstieg über alles Erdenhafte auf und das, in den Augen mancher der Kirche Fernstehender eine große Torheit, ist allen Sehenden wiederum die beste Gewähr, daß sie in den Fußtapfen dessen wandelt, der für sich den mystischen und blutigen Tod zugleich erwählte.

„Wenn aber jemand den Geist Christi nicht hat, der ist nicht sein ... Demnach, meine Brüder, sind wir nicht dem Fleische verpflichtet, daß wir nach dem Fleische leben. Denn wenn ihr nach dem Fleische lebt, werdet ihr sterben; wenn ihr aber durch den Geist die Werke des Fleisches ertötet, werdet ihr leben, denn alle, die vom Geiste Gottes getrieben werden, diese sind Kinder Gottes!" (Röm. 8, 9. 12 ff.)

B. Über das Heilige Land zerstreut.
(8, 1—12, 25.)

I. Verwehte Samenkörner.
(8, 1—9,1.)
1. Der Sturm bricht los.
(8, 1—4.)

Lange hatten die Christusfeinde ihren Unmut und Groll zurückgehalten, mit der Steinigung des Stephanus brach er nun mit elementarer Gewalt hervor. Erschreckend ging das Unwetter über die Christusgläubigen in Jerusalem nieder. Aus dem Tempel wurden sie verjagt, auf den Straßen beschimpft und mißhandelt. Selbst in ihre Häuser drang man ein, zerrte die Männer von ihrer Arbeit, die Frauen vom Herd fort und schleppte sie unter Schlägen und Drohungen in den Kerker. Die Häuser der Christen leerten, die Gefängnisse füllten sich, und noch immer war des Bedrängens kein Ende. Besonders war es einer, der dem Verhetzungswerk keine Ruhe gab: Saulus. Gierig wie ein Wolf, der einmal Blut gesehen, stürzte er sich auf die Schäflein des Herrn. „An jenem Tage erstand eine große Verfolgung in der Kirche zu Jerusalem. Saulus aber verwüstete die Kirche, indem er in die Häuser eindrang und Männer und Frauen fortschleppte und sie ins Gefängnis lieferte." (Ap. 8, 1. 3.)

Gestört waren die schönen gottesdienstlichen Versammlungen, verstummt die frohen Lieder. Bittere Not drückte die

Eingekerkerten, dumpfe Angst lagerte auf den noch Freigeblie=
benen. Alle sahen den Tod vor Augen.

Da mochten sie wohl des Wortes ihres Meisters gedenken:
„Verfolgt man euch in einer Stadt, fliehet in eine andere."
Ein längeres Verweilen in der Mörderstadt bot wenig Nutzen
und so begaben sich die Bedrohten heimlich hinaus. Die einen
irrten auf den bewaldeten Anhöhen umher, andere suchten,
wie einst die Makkabäer, Unterschlupf in den zahlreichen Höhlen
der nahen Steinwüste. Wieder andere baten gute Bekannte
in verborgenen Dörfern um ein Versteck und noch andere
glaubten sich bei den Samaritern am besten geborgen. Da=
mals war es, wie es später in der französischen Revolutionszeit
war, wo auch Wälder, Wildnisse und verborgene Scheunen
zahllosen Gott Treuen Schutz vor ihren Verfolgern boten. „Alle
zerstreuten sich in die Gegenden von Judäa und Samaria,
die Apostel ausgenommen." (Ap. 8, 1.)

„Die Apostel ausgenommen!" Hieß Klug=
heit die H e r d e vor einer unnötigen Schlachtung bergen, so
gebot die Pflicht den H i r t e n, zu bleiben und den Wolf
abzuwehren. „Die Apostel ausgenommen." Ja,
die Führer hielten unentwegt stand, entschlossen, Christi Sache
bis zum äußersten zu verteidigen! Das zeugte von Christi
Art! So machten es die Hirten der Kirche ja immer. So die
großen Märtyrerpäpste Clemens, Martinus, so die großen
Kirchenfürsten Cyprian, Athanasius, Polykarp, so auch in unseren
Tagen die großen Bekennerbischöfe des Kulturkampfes und der
chinesischen Kirchenverfolgung. Und solche Hirten zu besitzen —
das ist der Kirche Kraft und Stolz. „Es ist," fragt ein Pro=
testant, der verstorbene Professor der Philosophie an der

114

Berliner Universität, F. W. Paulsen, „es ist die Frage er= wogen worden, worin doch das Geheimnis der Lebenskraft der schon so oft totgesagten und totgeglaubten katholischen Kirche liege? In dem Aberglauben und der Dummheit der Massen? In ihrer kindlichen Furcht vor den Dingen, die nicht sind? Oder in der Festigkeit der kirchlichen Organisation? In der Klugheit der Leiter? In der Unterstützung, welche sie bei den Herren dieser Welt findet? Vielleicht tun auch diese Dinge dazu, obwohl man auch sagen könnte: Durch eben diese Dinge sei sie mehr als einmal dem Untergange nahegebracht worden. Das eigentliche Geheimnis liegt doch wohl darin, daß in ihr immer Männer und Frauen die Kraft fanden, ihr Leben zum Opfer zu geben. Waren es auch immer nur einzelne (?), so kostbar und wirksam ist das Opfer, daß es den herabziehenden und zerstörenden Einfluß der vielen, die in der Kirche ihr Wohl= leben suchten, aufzuwiegen imstande war [1]." —

Der Sturm brach los, aber wie jeder Sturm hatte auch er sein Gutes. Knickte er auch manchen vielversprechenden Ast, so trug er doch auch den Blütenstaub zu manchen der Be= fruchtung harrenden Feldern hinüber. Anstatt von der Ver= folgung im Glauben erschüttert zu sein, erhoben die Zerstreuten hoch das Haupt. „Sie zogen umher und verkündigten die frohe Botschaft des Wortes Gottes." (Ap. 8, 4.)

So war Christus wieder einmal den Händen der Feinde entgangen, und anstatt seine Beute sich rauben zu lassen, ver= mehrte er sie, jenen zum Spott, um ein Bedeutendes.

----

[1] System d. Ethik[7] 1906, S. 161.

8*

2. In Samaria.

(8, 5—8.)

Unter den Ausgewanderten war auch der Diakon Philippus, der Stephanus von allen Amtsbrüdern am nächsten Stehende. Dieser durchwanderte zunächst Judäa und kam dann ins Land der Samariter. Nach kurzer Reise sah er in der Ferne die Hauptstadt (8, 5) vor sich auftauchen, thronend auf einem vorgeschobenen Felsen, der von einer höheren Bergkette im Hintergrund halbkreisartig umschlossen war. Mit ihren gewaltigen Stadtmauern und Türmen und Toren bot sie, wie auch schon der Name besagt, den Anblick einer trotzigen, hohen Warte dar. Und eine Hochwarte war sie lange Zeit gewesen. Nicht nur dem samaritanischen V o l k s t u m, sondern auch der samaritanischen I r r e l i g i o n. Hier hatte ein aber= gläubischer Jahwekult seinen Mittelpunkt gehabt. (Is. 16, 46 ff.; Os. 7, 1.) Hier befand sich vor Zeiten ein Heiligtum der Astarte (4. Kng. 13, 6.), und um den Wirrwarr vollzu= machen, hatte der gottlose Achab hier einen prächtigen Baal= tempel errichtet. (4. Kng. 10, 25.)

Durch mehrfache Belagerungen dann geschädigt, wurde der Ort unter Herodes später wieder zu neuer Blüte gebracht. Dieser ließ die Stadt bedeutend erweitern, mit vielen Pracht= bauten, Bädern, Theatern nach römischer Art, ja, sogar mit einem weithin sichtbaren Tempel zu Ehren des Kaisers Augustus und einer Rennbahn versehen.

So war die hochgelegene Feste ein Gemisch von jüdischer und römischer Kultur, von gottgläubiger und heidnischer Re= ligion, das Gegenstück zu der anderen Hauptstadt des Landes, zu Jerusalem, der Hochburg des Jahweglaubens.

116

Jerusalem und mit ihm das leitende Israel hatte abermals von Christus sich losgesagt. Da nun sollte Christi Wort in Erfüllung gehen: „Darum sage ich euch, das Reich Gottes wird von euch genommen und einem Volke gegeben werden, welches die Früchte desselben hervorbringt." (Mt. 21, 43.) Philippus lenkte seine Schritte nun zu dieser Stadt. Für einen Juden eine gewaltige Tat; denn wer war den Israeliten verhaßter, wer schien ihm verabscheuungswürdiger, war mehr zu meiden als der Samariter? Kein Pharisäer strebte jemals diesen Toren zu, kein Schriftgelehrter, mochte er auch Meere durchqueren, um einen Proselyten und Bekehrten zu machen, dachte je daran, diesem Volke, das doch von vornherein als verworfen galt, die Heilsbotschaft zu bringen.

Nicht so der, der gekommen, zu retten, was verloren war und die zerstreuten Schäflein Israels zu sammeln. Zu diesen gehörten doch auch die Samariter, da sie ja aus Israel hervorgegangen waren, und so ziemte es sich gewiß, daß ihnen, nächst Israel, zuerst das Evangelium angeboten wurde. Auch hier zeigt sich die Treue Gottes, der einmal gegebene Versprechen nicht bricht und sich früherer Anhänglichkeit in Dankbarkeit erinnert. „Ich gedenke der Frömmigkeit deiner Jugend, der Liebe deiner Brautzeit, wie du hinter mir herzogest in der Wüste ... Was haben eure Väter Unrechtes an mir gefunden, daß sie sich von mir entfernt haben? .. Kehre wieder, du abtrünniges Israel, nicht länger werde ich zürnen ... reich bin ich an Huld!" (Jer. 2, 25; 3, 12.) Ja, weil einst Samariens Väter sich in „der Brautzeit", in der Wüste, treu dem Herrn erwiesen, sollten zum Dank troß allem die Söhne das Heil finden.

117

Philippus steigt den Berg hinan, schreitet durch die Tore, betritt die Straßen mit ihrem geschäftigen Treiben, und auf einem freien Platze, wo er eine Gruppe Menschen findet, macht er Halt und predigt Christum.

Der Auftritt erregt Aufsehen. Neugierig eilen von allen Seiten Zuschauer herbei. Der fremde Prediger macht Eindruck. Mehr noch, als er selber, das, was er sagt, das von Christus dem Messias. Den Messias erwarteten ja damals auch die Samariter mehr als je. Von dem Nazarener im Judenland hatten sie auch wohl alle gehört, manche ihn gewiß sogar gekannt und bewundert, andere ihn sehnsüchtig begehrt. Auch lebte noch in aller Munde, wie Jesus, im Gegensatz zu den anderen Schriftgelehrten, ihren Stamm nicht verurteilt, sondern sogar den Juden als Spiegelbild vorgehalten und wie er noch etwa zwei Jahre vor seinem Tode in der Stadt Sichar sich so überaus huldvoll dem Weib am Jakobsbrunnen und allen Bewohnern erwiesen habe.

So konnte es denn nicht ausbleiben, daß man mit der größten Aufmerksamkeit dem Christusboten zuhörte, daß sich seine Predigten bald herumsprachen, daß täglich die Zahl der Anhänger wuchs und daß, als Philippus zu den Worten noch Wunder gesellte, zahllose um die Aufnahme in das neue Gottesreich baten. „Und das Volk hörte einmütig auf die Predigt des Philippus, denn sie sahen die Zeichen, die er wirkte. Viele von ihnen hatten unreine Geister, die unter lautem Geschrei ausfuhren. Auch viele Gichtbrüchige und Gelähmte wurden geheilt. Daher war eine große Freude in jener Stadt." (8, 6—8.)

„Und als Philippus die frohe Botschaft vom Reiche Gottes verkündete, glaubten sie ihm, und Männer und Frauen ließen sich taufen im Namen Jesu Christi." (8, 12.) —

Mit der Taufe war die Wiedergeburt vollzogen, aber eines fehlte den Neuaufgenommenen noch: die Fülle des Heiligen Geistes. Dem schuf man Abhilfe.

„Als aber die Apostel in Jerusalem hörten, daß Samaria das Wort Gottes angenommen habe, sandten sie den Petrus und Johannes zu ihnen. Diese zogen hinab und beteten für sie, daß sie den Heiligen Geist empfangen möchten. Denn er war noch über keinen von ihnen gekommen, sondern sie waren nur getauft im Namen des Herrn Jesus. Da legten sie ihnen die Hände auf und sie empfingen den Heiligen Geist." (Ap. 8, 14—17.)

Der ganze Vorgang wirft wiederum viel Licht auf die Einrichtung der Kirche. Zur Taufe, dem Sakrament der ersten Reinigung von der Sünde, trat die Firmung, das Sakrament der Geistessendung. Zu dessen Spendung waren die gewöhnlichen Glaubensboten nicht imstande, sondern nur die Apostel, die Bischöfe. Erteilt wurde er durch die Handauflegung, genau wie es heute noch in der katholischen Kirche Brauch ist. Wiederum eine große Genugtuung für uns alle, zu sehen, wie unsere Kirche so ganz in den Bahnen der Apostel wandelt, also die — apostolische ist!

Nachdem Petrus und Johannes die heilige Handlung vollzogen und den Neugläubigen „das Wort des Herrn geredet hatten," überließen sie die weitere Bekehrung anderen. „Sie selbst kehrten nach Jerusalem zurück", aber nicht, ohne auch

119

auf dem Wege noch jede Gelegenheit zur Offenbarung Christi zu benutzen. „Sie verkündeten in vielen Gegenden der Samariter die frohe Botschaft." (8, 25.) —

Samaria nahm auf, was Jerusalem verworfen hatte, und indes dieses bald aus dem Buche Gottes gestrichen ward, blühte in Samaria das Christentum mächtig empor. Die Stadt, später Sebaste geheißen, wurde Sitz eines Bischofes und das Grab mancher christlichen Märtyrer. Eine Zeitlang zurückgegangen, wurde sie zur Zeit der Kreuzzüge abermals zu einem Bistum erhoben. Dann aber, unter der Herrschaft der Türken, sank die Feste immer mehr bis zu dem jetzt dort befindlichen elenden Dorfe hinab, und nur Trümmer geben heute von der früheren Herrlichkeit Kunde. Immerhin aber bleibt die Geschichte Samarias und Jerusalems ein lehrreiches und mahnendes Beispiel für die eine Wahrheit, daß Gottes Gnade allen sich anbietet, aber nur denen sich ganz mitteilt, die ihr geneigtes Gehör schenken. „Siehe, ich stehe vor der Tür und klopfe an. Wenn jemand meine Stimme hört und mir die Tür aufmacht, so werde ich zu ihm eingehen und mit ihm Mahl halten und er mit mir." (Off. 3, 20.) Möge aber niemand, wandelte er auch anfangs fern von Gott, wäre er auch in Irrtum und Sünde verstrickt gewesen, verzagen! Jerusalem ging in seinem Eifer anfänglich Samaria voraus, später aber ließ es nach, indes Samaria durch reges Gottsuchen alles wieder einholte, was es anfänglich versäumt hatte, ja die Gottesstadt auf Sion noch überholte. Ein treffender Beleg für das Wort: daß oft genug die ersten die letzten und die letzten die ersten sein werden. „Ja, Sünder und Zöllner werden euch vorausgehen ins Reich Gottes." (Mt. 21, 31.)

120

3. Ein religiöser Zweikampf.
(8, 9—24.)

Während des Aufenthaltes der Apostel in Samaria spielte sich dortselbst ein Zwischenfall ab, der seine Wellen über die ganze alte Welt schlagen sollte.

Um die Zeit [1]), wo der Jesusknabe in Nazareth still aufwuchs, tummelte sich nicht sehr weit von ihm in dem samaritanischen Flecken Gitta ein anderer Knabe, den der Feind alles Guten und der Nachahmer Gottes einst als Werkzeug zu benutzen gedachte, um dem Weltheiland im Zweikampf zu begegnen, Simon, später mit dem Zunamen der „Magier" bedacht. Schon früh hatte dieser, von Ehrgeiz und Aberglauben getrieben, sich von einem Meister in die Zauberei einführen lassen und manche durch seine Geheimkünste betört. Da stand im Nachbarland plötzlich Jesus von Nazareth auf, setzte durch seine Wunder alle in Erstaunen und zog ein ganzes Volk huldigend hinter sich her.

Dieser Erfolg ließ den ehrgeizigen Magier nicht schlafen. Er gedachte bei seinem Volke die Rolle zu übernehmen, die Christus bei den Juden gespielt hatte. Auch er gab sich als ein höheres Wesen aus und wußte durch allerlei Geheimkünste sich mit blendendem Schein zu umgeben. Den in der Luft liegenden Messiasgedanken ausnutzend, war es ihm leicht, sich großen Anhang zu verschaffen. „Ein Mann, mit Namen Simon, befand sich zuvor in der Stadt. Er hatte durch seine Zauberei das Volk irregeführt, indem er sich für etwas Großes ausgab. Alle hingen ihm an, klein und groß, und sagten:

---

[1]) 3. G. f. Fouard und Felten, Neutest. Zeitgsch.

Das ist die Kraft Gottes, welche die Große heißt. Sie achteten auf ihn, weil er sie lange Zeit mit seinen Zauberkünsten berückt hatte." (Ap. 8, 9—11.)

Schon schien durch ihn des Satans Thron in Samaria für immer errichtet, da trat in Philippus Christus ihm entgegen und sagte ihm den Kampf an. Durch die Wunder und Lehren des Philippus, zumal auch durch die Geistessendung, sah Simon sich in seiner Machtstellung bedroht, und wie alle Kinder dieser Welt, in ihrer Art schlau, gedachte er zunächst durch eine List sich seinen Einfluß zu erhalten. Auch er ließ sich taufen und: „Als Simon sah, daß durch die Handauflegung der Apostel der Heilige Geist verliehen werde, bot er ihnen Geld an und sprach: Gebt auch mir diese Gewalt, daß jeder, dem ich die Hände auflege, den Heiligen Geist empfange." (8, 18. 19.) Petrus aber, den Trug durchschauend, wies ihn entrüstet zurück. „Dein Geld fahre samt dir ins Verderben, weil du gemeint hast, die Gabe Gottes für Geld zu bekommen. Du hast keinen Anteil und kein Anrecht an diesem Worte; denn dein Herz ist nicht aufrichtig vor Gott. Bekehre dich von dieser deiner Bosheit und bitte Gott, ob dir etwa dieser Anschlag deines Herzens vergeben werde. Denn ich sehe dich in bitterer Galle und Ungerechtigkeit verstrickt." (8, 20—23.)

Im Aberglauben befangen und wie alle Zauberer vor höheren Mächten bangend, war Simon ob dieses Drohwortes von Angst und Entsetzen gepackt und flehte bitterlich: „Betet ihr für mich zum Herrn, damit euer Fluch nicht über mich komme!" (8, 24.)

Für jetzt entging er weiterer Strafe, aber seine Bekehrung war keine ernste. Vom Bösen einmal in Besitz genommen, suchte er weiter für das Böse zu werben. Er ließ nicht nach, sich weiter als höheres Wesen auszugeben, gründete die Sekte der Simonianer, durchzog genau wie Christus einen großen Teil der alten Welt, gewann viele Anhänger und kam sogar bis nach Rom. Dort aber wurde er nach der Sage von Petrus abermals entlarvt und endete bald ruhmlos. Seine Anhängerschaft führte zwar noch längere Zeit den Kampf gegen Christi Reich weiter, aber bald wurde auch sie ebenso wie ihr Stifter von den Wellen der Vergänglichkeit für immer verschlungen. —

Schatten läßt Gott zu, damit das Licht um so heller erstrahle. Simons Trug sollte der Wahrheit Christi dienen. Zu oft stellen Ungläubige die Behauptung auf, daß Christi Erfolg nur der Leichtgläubigkeit der Massen und der Mache seiner Anhänger zuzuschieben sei. Simons Geschichte schlägt solche Behauptungen aber ein für allemal nieder. Denn wie ähnlich war dieser dem Nazarener. Beide gaben sich als etwas Höheres aus, Jesus als „Sohn", Simon als die „Kraft" Gottes; beide wußten die Massen zu gewinnen, beide wirkten Zeichen; beide zogen erobernd durch die alte Welt, beide errichteten ihr Reich — und doch — Simons Bau zerfiel bald in Schutt und Asche, Christi Kirche dagegen dehnt ihre Grenzen immer mehr über den ganzen Erdkreis aus. Wenn nun beider Erfolg nur k ü n st l i ch e M a ch e gewesen wäre, woher der Unterschied? Erweist sich da nicht der Ungläubigen Behauptung als Trug? Simons Reich zerfiel, weil es auf Lug gebaut und bald als solcher entdeckt wurde, Christi Werk dagegen hatte Bestand und immer größeren Erfolg, weil es, je länger geprüft, um so mehr

123

als felfenfefte Wahrheit sich erwies. Wäre, wie der heutige Unglaube es so leicht hinwirft, die damalige Zeit so leichtgläubig und urteilslos gewesen, so ist es gar nicht zu erklären, daß sie nicht ebensogut dauernd dem Messias Samariens als dem der Juden sich anschloß. Daß sie es nicht tat, zeugt, daß sie ernst zu prüfen verstand und auch prüfte. Wieder ein Beweis für die Zuverlässigkeit unseres Glaubens.

Doch Simon war nicht der letzte Versuch der Finsternis, Christi Reich ein anderes gegenüberzustellen. Mit ihm beginnt vielmehr eine ganze Reihe von Widersachern des Herrn, die Reihe der Häresien und Schismen. Aber so viele ihrer im Laufe der Jahrhunderte auch auftauchten, es erging ihnen nicht anders als der ersten. Alle kamen, wie Wolken kommen und gehen, indes Christi Kirche unzerstörbar, auf unvergäng= lichem Felsen thront. Tritt mit jedem Irrtumsstifter ein neuer Simon auf den Plan, dann mit ihm auch, weil bald besiegt, ein neuer Zeuge für die Wahrheit der Kirche. Wäre es denn nicht merkwürdig, daß gerade die Wahrheitskünder alle der Reihe nach untergehen und der Irrtum allein sich durchsetzen sollte? Aber sagt nicht das Sprichwort, daß „die Lügen nicht weit schreiten?"

Simon steht aber auch als warnendes Beispiel für alle da, die die Religion zum Geschäftsmittel und zur Dienerin ihrer Habsucht und Ehrsucht herabwürdigen. Auch ihnen allen ist das Wort gesprochen: „Dein Geld fahre samt dir ins Ver= derben." (Ap. 8, 20.)

124

4. Segen des Eifers.

„Ein Engel des Herrn aber sprach zu Philippus: Mach dich auf und geh gegen Süden auf die Straße, die von Jerusalem nach Gaza hinabführt; die ist öde." Da machte er sich auf und zog fort. Und siehe, da war ein Äthiopier, ein Kämmerer, ein Großer der äthiopischen Königin Kandace, der über alle ihre Schätze gesetzt war. Er war nach Jerusalem gekommen, um Gott anzubeten. Nun reiste er wieder heim. Er saß auf seinem Reisewagen und las den Propheten Isaias. Der Geist sprach zu Philippus: „Gehe hin und schließe dich diesem Wagen an." Philippus lief hinzu und hörte ihn den Propheten Isaias lesen. Er fragte: „Verstehst du wohl auch, was du liesest?" Er erwiderte: „Wie könnte ich es, wenn mich niemand unterweist?" Und er bat den Philippus aufzusteigen und sich zu ihm zu setzen. Die Stelle, die er las, war folgende: Wie ein Schaf ward er zur Schlachtbank geführt. Und wie ein Lamm vor seinem Scherer stumm ist, so tut er seinen Mund nicht auf. In der Erniedrigung war weggenommen sein Gericht; wer mag sein Geschlecht beschreiben? Denn weggenommen von der Erde wird sein Leben. (Is. 53, 7. 8.) Der Kämmerer wandte sich an Philippus: „Ich bitte dich, von wem sagt dieses der Prophet? Von sich selbst oder von einem anderen?" Philippus tat seinen Mund auf und, indem er von dieser Schriftstelle ausging, verkündete er ihm die frohe Botschaft von Jesus. Wie sie des Weges dahinzogen, kamen sie an ein Wasser. Der Kämmerer sprach: „Sieh, da ist Wasser, was hindert daß ich getauft werde?" Philippus aber sprach: „Wenn du von ganzem Herzen glaubst, so darf es geschehen." Er ant=

125

wortete: „Ich glaube, daß Jesus Christus der Sohn Gottes ist." Er ließ den Wagen halten. Beide stiegen hinab ins Wasser, Philippus und der Kämmerer, und er taufte ihn. Als sie aus dem Wasser heraufgestiegen waren, entrückte der Geist des Herrn den Philippus, und der Kämmerer sah ihn nicht mehr. Dann zog er auf seinem Wege fort mit Freuden. Philippus aber fand sich in Azot wieder. Er zog durch das Land und ver= kündete das Evangelium in allen Städten, bis er nach Cäsarea gelangte." (8, 26—40.)

Warum mag diese scheinbar doch so unbedeutende Reise= szene für ewige Zeiten im Buch der Bücher festgehalten sein? Was ist denn unwichtiger als die Wagenfahrt eines Reisenden und die daran sich schließende Taufe? Und doch hat uns die Begebenheit vieles zu erzählen.

Einmal zeigt sie uns, wie kein Schritt in unserem Leben Gottes Auge entgeht, und wie alles seiner liebevollen Leitung untersteht. „O Herr, du beobachtest und kennst mich, du weißt um mein Sitzen und mein Aufstehen. Du verstehst meine Ge= danken von ferne... und bist vertraut mit allen meinen Wegen." (Pf. 138, 1 ff.)

Dann auch: Wie so gerne Gott allen behilflich ist, die redlich sich um ihn bemühen. Sandte er doch sogar durch einen Engel dem forschenden Kämmerer den Philippus zu Hilfe.

Wie oft sehen wir das im täglichen Leben wiederholt! Wie oft bringt auch uns in großer Ratlosigkeit eine scheinbar zufällig mit uns zusammentreffende Person, eine unabsichtlich vernommene Predigt oder ein fast gedankenlos aufgeschlagenes Buch Antwort auf unsere Fragen, Trost in der Not und Licht

126

in nagenden Zweifeln! Das ist Gottes Hilfe. Ja, „Gut ist der Herr der Seele, die ihn suchet, der Seele, die auf ihn vertraut." (Klgl. 3, 25.)

Aber der Kämmerer war auch ein r e d l i ch e r Gottsucher. Ein Heide wohl noch, hatte er den weiten Weg von Äthiopien nach der Stadt des wahren Gottes nicht gescheut, hatte dann in Jerusalem am hohen Feste mit Andacht teilgenommen, hatte gebetet und geforscht und jetzt, unterwegs, ergeht er sich nicht in unnützen Gedanken, sondern sucht die auf dem heiligen Berge gewonnenen Eindrücke zu wahren und zu vertiefen — er versenkt sich in die Heilige Schrift, und wie mühsam quält er sich mit dem Verstehen derselben ab! Deshalb erfüllte sich an ihm das Wort: „Selig der Mann, der am Gesetze des Herrn seine Freude hat und Tag und Nacht über sein Gesetz nachsinnt. Denn er ist wie ein Baum, an Wasserbäche gepflanzt, der seine Frucht bringt zu seiner Zeit und dessen Blätter nicht verwelken und alles, was er tut, führt er glücklich aus. Nicht so die Gottlosen! Sie gleichen der Spreu, die der Wind verweht ... Im Gerichte werden sie nicht bestehen." (Pf. 1, 1 ff.)

Welche Mahnung für uns alle, eifrig die Religion zu pflegen! Insbesondere uns oft in die heiligen Schriften zu vertiefen, anstatt an seichtem und schwülem und zweifelhaftem Geschreibsel uns zu vergnügen. Aus heiligen Büchern spricht Gottes Geist zu uns. Da sieht sich die Seele erleuchtet, das Herz geläutert und zum Guten angeregt. Da auch stellt Gott mit seinen Gnaden sich ein. E i n e gute Lesung brachte dem Kämmerer einen solchen Segen; sie gab sogar seinem ganzen Leben eine höhere Wendung. War es nicht so bei manchen Heiligen, zum Beispiel bei dem bei Pampelona verwundeten

127

Offizier, dem späteren heiligen Ignatius, der Fall? Wir klagen über unsere Zerstreutheit und Unaufgelegtheit zum Guten, über den Schwarm glaubensloser und niedriger Gedanken und Stimmungen, der uns so oft befällt — ist nicht oft unsere Lesung schuld? Warum tauchen wir unseren Geist nicht in klare Gewässer anstatt in Sümpfe hinein?

Keine Zeit? — Aber sehen wir doch, wie der vielbeschäftigte Kämmerer Zeit fand: **die Stunden der Reise** nutzte er für seine Seele aus! Was treiben und lesen wir auf unseren Reisen? Und sonst in so vielen sogenannten **verlorenen Augenblicken?** Wie groß wäre der Gewinn für unsere Ewigkeit, machten wir es anders! Und könnten wir auch nur eben einen Blick in ein gutes Buch tun, und nur ein Körnlein erhaschen, einen guten Gedanken — ist aus einem Körnlein nicht oft ein Baum geworden?

„**Und siehe, ein Mann** ... war nach Jerusalem gekommen ..." — **Ein Mann!** Ein Mann aus Äthiopien — aus dem fernen Heidenland. Ein Kämmerer — ein Beamter! Ein Gewalthaber der Kandace, ein Beamter einer heidnischen Königin. „Der über alle ihre Schätze gesetzt war" — der Finanzminister. **Der** Mann kommt und betet an. Nichts hält ihn von seinem religiösen Eifer zurück. Wie beschämend für viele unserer Männer! Aber ward **der** Mann nicht vor allen anderen seines Landes reich belohnt? Fand er nicht den wahren Glauben, die Wiedergeburt in der Taufe, und setzte er nicht seinen Weg fort voll Freuden? —

Religion nichts für Männer! Aber ist nicht auch der Mann seinem Gotte verpflichtet? Bedarf nicht gerade auch der Mann mit seinen Zweifeln und Kämpfen der

128

Kraft aus der Höhe? Und soll der Mann einst in der Ewigkeit mit leeren Händen dastehen? Soll er sein wie die Spreu, die der Wind verweht oder wie der Baum, dessen Blätter nicht welken und der seine Frucht zu seiner Zeit bringt?

Die Heilige Schrift lesend, saß der Kämmerer in seinem Reisewagen — ist das nicht weiterhin ein Bild der gläubigen Menschheit überhaupt? Zieht diese nicht des Weges, stets das heiligste der Bücher in den Händen? Mit Recht, denn es ist in der Tat das h e i l i g ste der Bücher, weil unter Gottes Leitung und auf Gottes Auftrag hin geschrieben. Klar tut das Zeugnis der Kirche uns seine übernatürliche Eigenart kund; aber auch deren größter Gegner vermag nicht zu leugnen, daß dieses Buch eine ganze Ausnahmestellung unter allen Büchern der Weltliteratur einnimmt. Kein anderes Buch wird bei allen Völkern, von allen Klassen, zu allen Zeiten so gelesen wie dieses. Keines ist in so viele Sprachen übersetzt, so oft neu aufgelegt worden. Keins auch enthält so tiefe, so die Menschen verstehende, so die Seele berührende Wahrheiten, und vermag darum auch allen so vieles zu geben wie dieses. Allen ist es alles geworden, dem Kind und dem gereiften Mann, dem Gelehrten und Ungelehrten, dem Landmann und dem Krieger, der gebildeten Matrone und der armen Wäscherin, und das bei Europäern und Asiaten, den Bewohnern Amerikas und denen der Südsee. So aber alle Geister zu nähren, das ist noch nie einem Menschen, und wäre er auch der größte Weise oder Dichter, gelungen, das ist allein dem vorbehalten, der selbst alle Güter in sich birgt, Gott. Wie er durch sein Wesen für alle Geschöpfe die Idee, den Grund ihres Seins abgab, so durch sein Wort den Grund ihrer seelischen Weiterbildung. Die Wir=

kung entspricht stets der Ursache. Da das Buch der Bücher unerschöpflich und allumfassend ist, muß es von einem kommen, der ebenfalls unerschöpflich ist, das ist nur Gott. So ist also auch die Heilige Schrift das Spiegelbild Gottes. Sie ist ein Werk des Heiligen Geistes. Ähnlich wie dieser die Jungfrau in Nazareth überschattete, daß in ihr der Sohn Gottes Mensch ward, so auch überschattete er gleichsam die heiligen Schriftsteller, daß in ihnen das Buch Gottes Gestalt annahm und fehlerfrei das Licht der Welt erblickte. So gibt die Eigenart des Buches dem Zeugnis der Kirche durchaus recht.

Kein Wunder, daß die Heilige Schrift darum stets mit heiliger Ehrfurcht von allen Gläubigen des alten und neuen Bundes betrachtet wurde. Wie hat vor allem der Sohn Gottes sie in Ehren gehalten! Wie oft ertönt aus seinem Munde das Wort: „Die Schrift sagt." (Jo. 7, 42.) Wie oft ruft er den Juden zu: „Forschet in der Schrift." (Jo. 5, 39.) Und als der Satan ihn versucht, weiß er kein besseres Mittel, ihn abzuweisen, als wiederum das „Es steht geschrieben." — Die Schrift ist ihm also unfehlbare Wahrheit.

So auch faßten die Apostel, so die Kirche sie stets auf. Sie ist ihnen die unerschöpflichste und völlig irrtumslose Quelle der religiösen Erkenntnis und des frommen Lebens. Deshalb auch haben sie stets die Schrift so hoch gewertet. Nichts ist unwahrer als die Behauptung, die Kirche habe den Gläubigen die Bibel verboten. O nein, verboten hat sie nur, die von Irrlehrern verfaßten oder die nicht von ihr gutgeheißenen Ausgaben zu lesen, die Bibel selbst möchte sie in der Hand eines jeden Katholiken wissen. Sie macht sich durchaus das Wort

130

Pauli zu eigen: „Alle von Gott eingegebene Schrift ist nütz=
lich zur Belehrung, zur Zurechtweisung, zur Besserung, zur
Unterweisung in der Gerechtigkeit, damit der gottgeweihte
Mensch vollkommen werde, zu jedem Werke geschickt." (2. Tim. 3,
16.)

Die Bibel ist in der Tat das Buch der Bücher. Das Abc=
buch, aus dem wir die höhere Gotteswelt kennen, das Gesang=
buch, nach dem wir Gottes Lob singen, das Gesetzbuch, aus
dem wir Gottes Weisungen schöpfen, das Trostbuch, aus dem wir
Gottes Fügungen erklären lernen. Möge es darum noch eins
werden: das Reisehandbuch, das, wie es bei dem
Kämmerer der Fall war, während unserer ganzen Erdenfahrt
nie aus unseren Händen weicht.

Aber ein Umstand bleibt noch zu beachten: dem lesenden
Kämmerer sandte Gott den erklärenden Kirchen=
lehrer zu Hilfe. Warum? Der Mann fand sich allein nicht
zurecht. „Verstehst du wohl, was du liesest?" fragte Philippus?
„Wie kann ich es, wenn niemand mich an=
leitet!" war die Antwort. — Eine nur zu berechtigte Ant=
wort; denn braucht es zum Verständnis unserer Dichter schon
Lehrer, um wie viel mehr zur Erschließung der heiligen Bücher,
die so viele dunkle und tiefe Wahrheiten enthalten, so viele
verschiedene Menschen, Zeiten und Gebräuche uns schildern
wie kein anderes Buch der Weltliteratur. Was bei eigener,
völlig unabhängiger Forschung aus der Bibellesung wird, sehen
wir zu deutlich in der Geschichte der Sekten. Die einen leugnen
die Gottheit Christi und die anderen nehmen sie an. Die einen
halten an der jungfräulichen Geburt und Auferstehung und
Himmelfahrt Christi fest, die anderen stempeln sie zum Märchen.

9*

Die einen taufen die Kinder, die anderen erklären das als Trug. Die einen sehen in der Eucharistie nur eine Kraft Christi oder ein Sinnbild, die anderen eine wirkliche Gegenwart. So viel Köpfe, so viel Sinne, und all das, auch das Widersprechendste, soll Gott in seinem Buch niedergelegt haben? Ist das möglich?

Und wenn nicht — wer enthüllt denn den wahren Sinn? Mußte Gott da der bibellesenden Welt nicht auch einen zweiten Philippus senden? Er tat es i n d e m k i r c h = l i c h e n L e h r a m t! Dieses ist die erste Glaubensquelle und G l a u b e n s r e g e l. Nicht legte Christus seine Lehre in einem Buch nieder, sondern er übertrug sie den Zwölfen und sprach zu diesen: „Gehet hin und lehret!" Diesen wurde dann auch die Schrift unterstellt. Ihnen und ihren Nachfolgern ist es dann auch zu verdanken, daß, indes alle anderen christlichen Gemeinschaften an Zerfahrenheit und erschreckender Zersplitterung kranken, die Kirche stets eines einheitlichen, reich gegliederten und unvergänglichen Lehrgebäudes sich rühmen durfte. Darum aber ist es unser aller Pflicht, nur die Ausgaben der Bibel zu benutzen, die die Kirche gutheißt, nur den Sinn der einzelnen Stellen anzunehmen, den sie festgelegt hat. „Wer euch hört, hört mich, und wer euch verachtet, verachtet mich."

Philippus sollte dem Kämmerer aber nicht nur Verständnis der Schrift, er sollte ihm auch das Heil bringen: i n d e r T a u f e. Nicht also genügt zur Wiedergeburt, wie manche Neuerer wähnen, etwa eine aus der Lesung der Heiligen Schrift gewonnene fromme Stimmung. Wer bei Gott Gnade finden will, muß sie vielmehr durch A n s c h l u ß a n d i e K i r c h e

132

und ihre Sakramente sich verschaffen. „Wer da glaubt und sich taufen läßt, der wird gerettet werden."

Aber die Sakramente allein bewirken (bei Erwachsenen) die Rechtfertigung noch nicht. „Siehe, da ist Wasser," sprach der Kämmerer, „was hindert, daß ich getauft werde?" Philippus aber sprach: „Wenn du von ganzem Herzen glaubst, so kann es geschehen." Die Sakramente setzen also eine innere Umwandlung des Herzens, eine Abwendung von der Sünde und eine gläubige Hinwendung zu Gott voraus. Nichts falscher also als die Behauptung, die Kirche begnüge sich mit äußerlichen Vorgängen, mit magischen Mitteln, indes die Sekten die innere Läuterung pflegen — nein, gerade die Kirche fordert zunächst die völlige innere Um= kehr, erst dann hält sie ihre Heilmittel für wirksam.

Wie demütig läßt sich der Kämmerer belehren und geht er auf alle Forderungen ein! Deshalb aber ward ihm auch so reiche Gnade und ein solcher Herzensfriede zuteil. Wie oft aber bäumt sich heute unsinniger Stolz gegen die Entscheidungen und Gebräuche der Kirche auf! Und doch hat Gott nun einmal an sie seine Gnaden geknüpft. Demütig fügt sich auch der Geistvollste und sonst Mächtigste seinem Arzt, kindlich folgsam nimmt er alle ihm verordneten Maß= nahmen an, und in geistlichen Nöten sich dem Arzte zu fügen wäre unwürdig? Zumal wo Gott selbst der Arzt ist? Ein sehr ernstes Gotteswort sagt, daß „Gott dem Hochmütigen widersteht, dem Demütigen aber seine Gnade gibt". Möge jeder daraus ersehen, was ihm zum Heile ist.

133

5. Verborgenes Wirken.

(Ap. 8, 39—40.)

„Als sie aber aus dem Wasser heraufgestiegen waren, entrückte der Geist des Herrn den Philippus, und der Kämmerer sah ihn nicht mehr. Er setzte aber seinen Weg fort voll Freuden. Philippus aber ward in Azot gefunden. Und er zog durch das Land und verkündete das Evangelium allen Städten, bis er nach Cäsarea kam." (Ap. 8, 39 ff.)

Azotus war eine alte Philisterstadt am Mittelländischen Meer. Durch alle Städte und Weiler des Küstenstriches, wohl auch durch Gaza, Lydda, Joppe, zog von da aus der eifrige Bote des Herrn.

Er „fand sich wieder" in Azot. Gottes Geist hatte ihn wunderbarerweise dorthin verpflanzt. Vorhin hatte Gottes Fügung ihn nach Samaria geführt, dann ihn auf die Land= straße von Jerusalem nach Gaza zur Bekehrung des Kämmerers geleitet, jetzt entrückt er ihn in das Küstenland, um nun auch dieser Gegend die Gnade anzubieten.

Wie Gott sich doch um die Seelen bemüht! Kein noch so versteckter Winkel der Erde, keine noch so verborgene Seele entgeht seiner liebevollen Obsorge. Wie die Sonne auf ihrem Rundgang durch die Welt weder das verlassene Edelweiß auf einsamer Höhe, noch das kleinste Kräutlein am Boden des schattigen Hochwaldes, noch die verborgenste Alge im Meeres= innern vergißt, sondern sie alle mit ihrem Licht belebt und zum Wachstum anregt, so macht Gott es mit den Menschen= kindern. Das Reich Gottes kommt zu uns, und wie wunder= bar sind die Wege, auf denen es uns naht. Meistens wird es uns durch Personen, dann durch Bücher, bald durch merk=

134

Augustin Wibbelt

Seine Botschaft wird heute überall gehört, seine Freuden=
bücher überall gelesen, in Hütte und Palast, bei arm und reich,
bei Gebildeten und Ungebildeten, bei jung und alt. In allen
Gauen des deutschen Vaterlandes und noch weit darüber hinaus
haben sie begeisterte Anhänger und treue Freunde gefunden,
deren Zahl sich noch ständig vermehrt. So hat Wibbelt nicht
zuletzt auch hervorragenden Anteil an dem Wiederaufbau un=
seres heißgeliebten Vaterlandes, welcher letzten Endes nicht durch
geschickte Finanz= und Wirtschaftspolitik, nicht durch raffinierte
diplomatische Kniffe, nicht durch wohldurchdachte Parlaments=
reden und soziale Anklagerufe irgendwelcher im bolschewistischen
Taumel befangener Literaten erreicht werden kann, sondern
einzig und allein durch eine Gesundung und Kräftigung unseres
am Materialismus krankenden Volkskörpers, wozu aber
vor allem eine Medizin notwendig ist, die
den schönen Name Freude
führt.

VIER QUELLEN VERLAG / LEIPZIG

Franz von Assisi

Sonnengesang

Eingeleitet und erklärt von P. Wendelin Meyer O.F.M.

2. Auflage. Gebunden M. 4.50

Das Buch erscheint zur rechten Stunde. Das 700jährige Jubiläum des dritten
Franziskusordens lenkt die Augen der Welt wieder auf den liebenswürdigen
Heiligen von Assisi. Hier wird er lebendig, hier singt er seinen Sonnengesang,
ein Lied voll Gottesminne und Naturfreude. Nach einer gut orientierenden Ein-
führung in Geschichte und Charakter des Liedes bietet der Verfasser in 11 Ab-
schnitten eine dem innigen, minniglichen Geiste des Heiligen entsprechende Entfaltung der Strophen. Für alle Freunde des heiligen Franz, für alle Freudesucher
und Naturfreunde, wie Hochländer, Quickborner, Neudeutschlandgruppen usw., be-
deutet die Schrift eine lyrisch-religiöse, programmartige
Wiedergabe ihrer Ideen.

✳

Hermann Preindl

Jacopone da Todi

Kartoniert M. 2.60

Wer kennt ihn? Wer hat mehr vernommen, als daß er wahrscheinlich der Schöpfer
der berühmten Hymne „Stabat mater" ist? Und er ist doch einer der gar nicht
sehr zahlreichen elementaren Lyriker der Weltliteratur. Seine Lauden sind mit
dem Sonnengesang des hl. Franz die ersten reinen lyrischen Erlebnisdichtungen
in italienischer Sprache, von einer Tiefe, Leidenschaft und Absolutheit der lyrischen Stimmung, wie sie selten mehr erreicht, kaum
je überboten worden ist.

VIER QUELLEN VERLAG / LEIPZIG

würdige Lebensumstände zuteil. Gedankenlos nehmen wir oft all das entgegen, aber sollten wir nicht viel mehr uns daran erinnern, daß Gott von Ewigkeit her jene Helfer für uns bereitete, daß er jene Personen für uns berief, wie für jene Stätten den Philippus? daß er jenes Buch eingab, das Zustandekommen jener Umstände herbeiführte? Wenn kein Haar von unserem Haupte fällt ohne seinen Willen, sollten dann jene viel wertvolleren Seelenstimmungen uns ohne ihn zuteil werden? Muß nicht aber diese immerwährende Sorge Gottes uns zum dankbaren und vertrauensvollen Aufblick nach oben bewegen, und uns mit neuem Lebensmut und freudigem Vorwärtsstreben erfüllen, da wir doch wissen, daß einer mit uns wirkt, der Ewige, Allgütige, dem noch mehr an unserer seelischen Fortentwicklung liegt als uns selber?

Nachdem er das ganze Land bereist hatte, kam der Glaubensbote nach Cäsarea, das von Herodes an Stelle eines Kastells herrlich erbaut, mit einem Hafen versehen, zur Residenz der römischen Landpfleger erhoben worden war. Daselbst schlug er seinen ständigen Wohnsitz (21, 8) auf und missionierte weiter die Umgegend. Was er in der folgenden Zeit dort wirkte, hat kein Griffel aufgezeichnet; daß es aber vieles war, verrät eine spätere gelegentliche Bemerkung des heiligen Schriftstellers: „Am andern Tag aber reisten wir ab und kamen nach Cäsarea. Dort traten wir in das Haus des Evangelisten Philippus, der einer von den sieben war, und blieben bei ihm. Dieser hatte vier Töchter, welche Jungfrauen waren, und weissagten." (Ap. 21, 8. 9.) Glücklicher Vater, der, selbst zum Glauben bekehrt, es verstand, seine ganze Familie dem Herrn zu gewinnen, nicht nur eben zu gewinnen, sondern sie

135

auch für das höchste Ideal, das der Entsagung und Jung=
fräulichkeit zu begeistern! Wie konnte es anders sein, da er
zu den sieben auserwählten Diakonen gehörte und Busen=
freund eines Stephanus gewesen war. Wie mag dieses eine
christliche Haus wohl zum Segensquell, zum Licht= und Feuer=
herd für die ganze Stadt geworden sein! Ein Vorläufer war
es der später entstehenden Klöster. —

Der Schleier der Verborgenheit verhüllt des Philippus
spätere Taten — so ist es ja vielfach in der Kirche Gottes.
Einiger Wirken erhebt der Heilige Geist auf den Leuchter,
damit es zur Nachfolge anrege. Die meiste Arbeit am Reiche
Gottes vollzieht sich aber in der Stille.

So war es auch mit den anderen Zeitgenossen des
Evangelisten, von denen die Schrift erzählt: „Diejenigen nun,
welche sich zerstreut hatten, zogen umher und verkündeten die
frohe Botschaft vom Reiche Gottes." (8, 4.) Oder mit noch
anderen, von denen es heißt: „Und Saulus drang in die
Häuser und schleppte M ä n n e r u n d F r a u e n ins Ge=
fängnis." (8, 3.)

Wer sind diese eifrigen Künder und Künderinnen Christi?
Wer jene treuen Männer und Frauen, die damals im Kerker
schmachtend für Christus litten? Berichtet sind uns ihre Taten,
vorenthalten ist uns ihr Name. Wackere Seelen, deren rechte
Hand nicht wußte, was die linke tat!

Wie viel still verborgenes Arbeiten am Reiche Gottes teilt
heute ihr Los? Auffallende Taten werden verkündet, von
den Mühen so vieler in einsamer Landpfarrei, in Familie und
Schule, im Verein und in der Laienhilfe, am Krankenbett
und in abgeschiedener Klosterzelle schweigt die Welt. Und doch

136

141

ist dieses Wirken oft um so segensvoller, je mehr es sich demütig und selbstlos in Dunkel begräbt.

Vergessen sind die Namen jener eifrigen Seelen im Buch der Geschichte, nicht aber im Buch des Lebens. Da strahlen sie in um so helleren Lettern, je mehr sie hier das Vergessen umgab. „Verborgen ist euer Leben mit Christus in Gott! Wenn Christus, euer Leben, erscheinen wird, werdet auch ihr mit ihm offenbar werden in Herrlichkeit." (Kol. 3, 3 f.)

Im Verborgenen vollzieht sich dein Mühen und Ringen! Unbeachtet, unbelohnt von der Mitwelt! Vertraue! „Der Vater, der ins Verborgene sieht, der wird es dir vergelten." (Mt. 6, 4.)

137

II. Unerwartete Früchte.
(9, 1—43.)
1. Vom Pharisäer zum Apostel.
(9, 1—19.)

Ungefähr zwei Jahre waren so allmählich seit Christi Tod dahingegangen; für die junge Kirche Jahre voll hoher Freude, aber auch voller Drangsal und Gefahr. Wichtige Änderungen begannen sich inzwischen in der paläftinensischen Welt zu vollziehen. Pilatus ward abgesetzt und nach Gallien verbannt, wo er ruhmlos endete. Auch Kaiphas wurde durch den Statthalter Vitellius von Syrien seines Amtes enthoben. Zuguterletzt schlug ebenfalls für Herodes die rächende Stunde. Wegen ehelicher Zwistigkeiten war dessen erste Gattin, die Tochter des Araberkönigs Aretas, zum Vater zurückgeflohen. Dieser, darob in Zorn entbrannt, sann auf Vergeltung, doch schien damals die Zeitlage hierzu nicht günstig. Im Jahre 36 nach Christus brachen nun aber am Euphrat Unruhen aus, die den Römer zwangen, seine Truppen dorthin zu werfen. Den Augenblick benutzte der auf der Lauer liegende Wüstenkönig, um mit seinem Heer sich auf Herodes zu stürzen. Bei Gamala kam es zum Kampf, und Herodes wurde völlig geschlagen.

Schlimmer sollte es aber noch für diesen werden. Sein Schwager Agrippa, der Bruder der Herodias, hatte vom Kaiser Caligula die Tetrachie des Philippus samt dem Königs=

138

titel erhalten und bemühte sich durch recht prunkvolles Auf=
treten seine neue Würde zur Geltung zu bringen. Das aber
stachelte den Neid der Herodias auf.

Daß sie und ihr Gatte bei den glänzenden Hoffesten hinter
dem Bruder und der Schwägerin zurückstehen sollten, das ließ
die Ehrgeizige nicht schlafen. Unermüdlich quälte sie ihren
Gatten mit dem Ansinnen, nun auch nach Rom zu reisen,
um die königliche Würde zu erlangen, und Herodes, kurzsichtig
genug, ließ sich bereden. — Zu seinem Unglück, denn Neider
klagten ihn beim Kaiser einer Verschwörung an, und da er
sich nicht gänzlich reinzuwaschen vermochte, verfiel auch er
dem kaiserlichen Zorn, wurde sofort seines Reiches beraubt und
nach Lyon in Gallien verbannt. Er, der dem König der Juden
das Spottkleid bereitet hatte, wurde nun selbst zum Gespött,
und alles verdankte er dem Weib, dem zuliebe er die erste
Gattin verstoßen hatte.

Innerhalb weniger Jahre waren also alle die vom gött=
lichen Gericht ereilt, die im Gericht des Gottessohnes die
Hauptrolle gespielt hatten: die Hohenpriester, der kaiserliche
Statthalter und der jüdische Fürst. So bewahrheitet sich auch
da wieder das Wort, daß, worin der Mensch gesündigt hat,
er auch gestraft wird.

Bergab.

Zu der Zeit, wo in Jerusalem sich diese Vorgänge ab=
spielten, saß im fernen Kleinasien, im enggassigen Judenviertel,
der am Fuße des Taurusgebirges gelegenen Stadt Tarsus, ein
junger Zeltmacher an seinem Webstuhl. Die Arbeit wollte
nicht recht vonstatten gehen, denn zu viele Kämpfe wogten

139

in der stürmischen Brust des jungen Mannes, zu viele Zweifel
nagten auch an seinem Geist. Ideal gesinnt und hochstrebend
wie er war, hatte er sich nur eines zu seinem Lebensziel ge=
setzt: sich selbst zu vervollkommnen, und was ihm die Umwelt
dazu an Mitteln bot: die religiösen Anregungen des Vater=
hauses, die Unterweisungen und gottesdienstlichen Feiern in
der Synagoge, den belebenden Verkehr mit Gleichgesinnten
im Judenviertel, hatte er redlich ausgenutzt. Damit nicht zu=
frieden, war er in Jerusalem gewesen, um dort aus dem
ersten Quell die Gesetzesfrömmigkeit zu schöpfen. Selbst Phari=
säer aus pharisäischem Geschlecht, war er als solcher all seinen
Altersgenossen vorausgeeilt. Und doch wollte der so heiß er=
sehnte Herzensfriede noch immer nicht kommen, da zwischen
Begehren und Erfüllen noch immer eine tiefe Kluft gähnte.
Jetzt wieder wurde es gar arg. Die Unruhen mehrten sich so
stark, daß der jugendliche Ringer endlich aufstand, das Webe=
gerät beiseite legte und, Gesundung suchend, abermals den
Weg nach Jerusalem antrat.

Dort angelangt, findet er die Stadt in großer Bewegung.
Hoch gehen die Wogen, hatte damals ja gerade der Kampf
zwischen den Hohepriestern und der Christengemeinde Orkans=
stärke erlangt. Saulus vernahm von dem Widerstand der
Galiläer, von ihrer unermüdlichen Werbearbeit trotz aller Ver=
bote — er ist entrüstet. Er wohnt den Redekämpfen des
Stephanus bei — und kocht! Freudig folgt er dem Volks=
haufen, der den Streiter Christi zum Marterplatz schleppt, be=
reitwillig bewahrt er die Kleider der Henker, und mit Genug=
tuung begrüßt er jeden Stein, der auf das Schlachtopfer
pharisäischen Hasses niederfährt.

140

Anderer Wut ist mit dem verrauchenden Leben des Blut=
zeugen gesättigt; die seine lodert jetzt nur noch heller auf.
Der Tiger, der einmal Blut geleckt — verlangt nach mehr.
„Saulus aber verwüstete die Kirche. Er
brang in die Häuser ein, schleppte Männer
und Frauen heraus und überlieferte sie
ins Gefängnis." (8, 3.)

Damit nicht genug. Er vernimmt, daß flüchtende Christen
sich nach Damaskus begeben haben. Also dahin. „Saulus,
gegen die Jünger des Herrn noch Drohung
und Mord schnaubend ging zum Hohenpriester
und erbat sich von ihm Briefe an die Syna=
gogen von Damaskus, um alle Anhänger
dieser Lehre, die er etwa fände, Männer und
Frauen, gebunden nach Jerusalem zu führen.
(9, 1 f.)

Welche Wut spricht nicht aus den Worten: Saulus „noch
Drohung und Mord schnaubend", gleichsam noch erhitzt und
keuchend von der ersten Christenjagd, schon weitere Beute be=
gehrend. „Drohung und Mord schnaubend — also
nach dem Grausamsten lüstern; „Männer und Frauen" —
also auf nichts, auch nicht auf das schwache Geschlecht Rück=
sicht nehmend, „daß er sie gebunden nach Jeru=
salem führe" — also die Rache bis aufs äußerste treibend.
Armer Saulus — ein echtes Werkzeug der Unterwelt!

Wie tragisch ist es, einen Mann von so viel religiösem und
idealem Sinn in solche Verwirrungen verstrickt zu sehen!
Und alles das war die Folge des falschen Eifers!

Der falsche Eifer vergreift sich zunächst im Gegen=

141

ſt a n d. Saulus verwüſtete die K i r ch e G o
dabei noch ein Gott wohlgefälliges Werk
a l l e s M a ß" ſodann verfolgte er die Kirch(
Eifer geht ruhig, gemeſſen voran, der falſch(
mit Drohung, mit Feſſeln, mit Vernichtung

Saulus „D r o h u n g u n d M o r d
Wahrer Eifer iſt von Liebe getragen, der
jener ſucht zu retten; dieſer ſich zu rächen, ;
ſtören. Falſcher Eifer gleicht dem brauſen(
herabſtürzenden Bergbach. Schäumend übe(
bricht Felſen und Wege; Zerſtörung bezei(
Der wahre Eifer ſchreitet gemeſſen in ſicheren
in der Ebene gleich daher. Er trägt Laſt(
und bewäſſert Fluren und Wieſen.

Wie kam der ſonſt ſo Hochbegabte zu die
Teils ging ſie aus anerzogenen Vorurteilen h
ihm ſtets das Chriſtentum als Wahn hingeſte(
er das ohne Nachprüfung ſo an. Teils war
im Spiel. Er gehörte der Phariſäerſekte an,
dieſe bekämpft hatte, war Grund genug, ihn ſ(
Überlegung, zu haſſen. Schließlich war di
Gemütsart mit ſchuld; Saulus war Choleri(
ſich oft zu leicht entflammen, verlieren die (
und ſtürzen ſich ſofort mit ganzer Glut auf (
Feind.

Gewiß lehrreich für alle, die zum Eiferer, |
politiſcher und wiſſenſchaftlicher Hinſicht ſich
„Wenn aber b i t t e r e r Eifer und Parte(
Herzen iſt, ſo rühmt euch nicht und lügt nicht

142

heit, denn diese Weisheit kommt nicht von oben, sondern ist eine irdische, selbstische, teuflische. Die Weisheit aber, welche von oben kommt, ist lauter, friedfertig, bescheiden, voll Erbarmen, nicht parteiisch!" (Jak. 3, 14 ff.)

Eine Schickfalsstunde.

Die Empfehlungsbriefe sind bald ausgestellt. Mit einer größeren Reisegesellschaft bricht Saulus von Jerusalem auf. In sechs Tagemärschen hat er bereits Peräa durcheilt, die Pässe des Gebirges überschritten und befindet sich nun bald in der Wüste von Damaskus, dort, wohin einst Gottes Geheiß den großen Elias gerufen hatte, um Hasael zum König von Aram, Jehu zum König von Israel, und Elisäus zum Propheten zu salben[1]). (3. Kn. 19, 15.) Größeres sollte sich jetzt vollziehen! Sollte doch der Verfolger des Herrn jetzt selbst zu einem seiner größten Propheten umgewandelt und sollte durch ihn Christus, der Verfolgte, vor der ganzen Welt zum König erhoben werden.

Auch die Wüste ist bald durchquert, die Gegend wird fruchtbarer. Da tauchen, am Horizont von grünenden Gefilden und Palmen umgeben, die gewaltigen Umfassungsmauern und Türme von Damaskus, einer der volkreichsten Städte Syriens, auf, die, ein Paradies in der Wüste, das Auge des Orients genannt wurde.

Die Pulse des nahenden Pharisäers schlagen heftiger. Die Nähe des Reiseziels beschleunigt den Schritt. Nahe ist er an die Stadt herangerückt; da, während er nichts ahnend einherschreitet, trifft ihn das ewig Merkwürdige, das seinem Leben

---

[1]) Felten S. 185.

eine ganze Wendung geben sollte. Ein grelles Licht umleuch
ihn, so grell, daß es den Glanz der Sonne überstrahlt und
und seine Begleiter zu Boden wirft. (Ap. 9, 3; 26, 13.) ¿
gleich wird eine von leuchtender Majestät umflossene Ges
sichtbar, die da rügend spricht: „Saulus, Saulus, warum v
folgst du mich?" (9, 4.) Erschüttert und zaghaft wagt der (
troffene die Frage: „Herr, wer bist du?" Und die Gestalt a
wortete: „Ich bin Jesus, den du verfolgst!"

Da kracht es im Innern des Verfolgers. Das war zuvi
Dieser Jesus von Nazareth sollte also doch noch leben? Die
Verhaßte sollte also doch, wie die Galiläer es lehrte
als Gottes Sohn zur Rechten des Vaters sitzen? Sollte b
der Messias der Welt sein, der auch von ihm Anerkenni
fordrete? Aufbäumen will sich noch einmal der ganze St
und Starrsinn des Pharisäers, aber die Erscheinung hält
weiter gefangen und spricht: „Hart ist es dir, gegen den Sta
auszuschlagen!" Ja, er fühlt es. Wie das Öchslein am Pf
suchte er den Stachel des Antreibers abzuwehren, aber um
tiefer verwundend drang dieser ein. Lange hatte der Kan
gedauert, der alte Irrwahn sich gegen das neue Erkenn
der Trotz gegen die mahnende Gnade gestemmt: jetzt end
gibt sich der Hartnäckige gefangen. Nun aber voll und ga
Er, der voll des eigenwilligen Stolzes gekommen, stellt
jetzt, gebrochen, zitternd und staunend mit der demütig
Frage: „Herr, was willst du, das ich tun soll?" diesem g
anheim.

Selten erfuhr ein Menschenleben eine solche völlige U
wandlung, wie es hier geschah. Worin bestand das Wesentli
derselben? Bestand es in der Bekehrung vom Judentum z

144

Christentum? Oder in der vom Pharisäer zum Apostel? Auch darin, aber die Wendung ging noch tiefer.

Religiös war Saulus bisher immer gewesen, aber all sein Tun und Wirken krankte an einem grundlegenden Fehler: es stand zu sehr im Dienste des Eigenwillens und war noch zu viel von eitlem Selbstvertrauen getragen. Fest überzeugt, daß er in allem die richtige Anschauung habe, dachte Saulus wenig daran, Gott zuerst um Rat zu fragen, sondern richtete sein ganzes Leben mehr nach dem Drange und dem natürlichen Empfinden seines Herzens ein. Auch in der Religion. So war er denn, wie überhaupt die Pharisäer, dazu gekommen, in der Meinung, Gott zu suchen, Gott zu verfolgen und Gottes Werke zu zerstören.

Nicht minder groß war der zweite Fehler: das überspannte Selbstvertrauen. Gerechtfertigt vor Gott, ja sittlich vollkommen wollte Saulus werden, aber er gedachte das aus eigener Kraft, mit Zuhilfenahme des alten Gesetzes, ohne jede Anlehnung an die Gnade Christi, erreichen zu können.

Sollte eine tiefgreifende Umwandlung zu höherer Vollkommenheit erfolgen, mußten also zu allererst die beiden Hauptstützen des alten selbstischen Menschen — Selbstsucht und Selbstvertrauen — gebrochen werden, mußte an Stelle des: „Was scheint mir gut? — das: „Was willst du, o Herr, das ich tun soll?" treten, und das Pochen auf die ausreichende Selbsthilfe der Überzeugung von der eigenen Ohnmacht weichen. Das alles geschah in jener großen Stunde.

Fast jeder von uns braucht, soll er tief religiös werden, eine ähnliche Wiedergeburt wie Saulus. Es mag sein, daß es einige hochbegnadigte Seelen gibt, die infolge besonderer Geistesfüh-

rung, wie die Blume der aufgehenden Sonne, gleich von Kind=
heit an sich ungeteilt Gott zuwenden. Bei den meisten aber, auch
wenn sie religiös erzogen sind, bleibt das Leben nur halb auf Gott
eingestellt. Sie beten wohl zu Gott, nehmen auch am Gottes=
dienst teil, suchen aber vorwiegend immer das, was i h n e n
s e l b s t z u s a g t. Die Eigenliebe beherrscht noch zu viel ihr
Leben, auch in den religiösen Übungen, nicht so sehr die Gottes=
liebe. Ist diese auch vorhanden, wird sie doch von jener über=
wältigt und, wie der eintretende Nebenfluß, vom Hauptstrom
in dessen Richtung mitgerissen. Mehr soll G o t t i h n e n
dienen, ihnen das Leben glücklich gestalten, als daß s i e wirk=
lich G o t t dienen.

Bei den n i c h t r e l i g i ö s E r z o g e n e n und w e l t =
l i c h G e s i n n t e n verläuft die ganze Lebensrichtung noch
ordnungswidriger. Diese denken überhaupt nicht daran, nach
Gottes Wünschen ihr Leben einzurichten, sondern folgen in
allem nur ihren Trieben und Ansichten, auch wenn sie Gottes
Gesetzen widerstreiten.

Mit zu viel Recht läßt sich auf die meisten Menschen das
Wort anwenden: „Dies Volk ehrt mich mit den L i p p e n ,
aber s e i n H e r z ist fern von mir." (Mt. 15, 8.) Dies zeigt
sich dann in großen Lockungen, wo der Mensch Gott untreu
wird und sich dem teuflischen Erdengut zuwendet; oder in
großen Prüfungen, wo er mit Gott zu hadern beginnt. Der
rein natürliche Mensch ist noch zu v o l l v o n s i c h. Sich zu
hoch einschätzend, sich zu wichtig nehmend, sucht er sich in allem
ganz zur Geltung zu bringen. Irgendwelche Unterordnung ver=
schmäht er. Einschränkungen entrüsten, Widerstände knicken ihn.
Hochmut ist die versteckte Wurzel all dieser Erscheinungen.

146

Nichts Großes aber kann Gott mit diesem eigenwilligen, sich selbst vertrauenden, ungebrochenen natürlichen Menschen anfangen, denn alle Gaben würden an seinem Stolz abfließen, wie das Regenwasser an hohen, steilen Felsen, oder wenn sie doch in ihm Platz griffen, nur der Steigerung selbstbewußten Hochgefühls dienen. So war es ja bei Saulus und den Pharisäern der Fall. All ihr Beten und Fasten und Eifern hatte nur ihre Selbstgerechtigkeit und ihren Eigenwillen genährt und dem Reich Gottes, in das nur solche einzutreten vermögen, die wie die Kinder geworden sind, das Tor verschlossen.

Will Gott aus einem Menschen etwas Großes machen, so ist es darum sein erstes, diesen Eigenwillen und Hochmut zu brechen. Leer vor sich selbst muß der Mensch werden, damit Gott in ihn einziehen kann; sich selber muß er sterben, damit Gott in ihm zu leben beginne. Der hohe, stolze Berg im Innern muß schwinden und einer tiefen Mulde Platz machen, denn in den Talmulden der Demut sammeln sich die Wasser der Gnade, die am Berg des Stolzes abflossen.

Leer von sich, ganz demütig muß sein, wer immer einen geistigen Neubau des Lebens erhofft. Überzeugt von seiner Geringfügigkeit und Nichtigkeit, muß er sich aller Gaben Gottes, selbst des Daseins für unwürdig erachten, darf er nicht Großes für sich beanspruchen und soll er nur eins verlangen, daß Gottes Wille an ihm und durch ihn und in ihm geschehe. Ist er soweit gediehen, dann mag Gott sein Werk beginnen und ihn mit Gnaden erfüllen.

Bei Saulus vollzog sich diese Umwandlung vor Damaskus' Toren. Leer an Gott, voll von sich, sank er in den Staub,

10*

147

leer von sich und voll von Gott, erhob er sich wieder von dem Sturze. Andere führt Gottes Weisheit auf anderen Wege zu dieser Wiedergeburt.

Die einen auf dem der allmählichen Erleuchtung. Ein treues religiöses Leben führend, lernen diese nach und nach nun mehr einsehen, wie die Eigenliebe sie bislang noch leitete, und langsam, aber sicher entwinden sie sich deren Fesseln, bis endlich alle Fasern des Herzens Gott zugewandt sind.

Bei anderen erfolgt die Wiedergeburt fast plötzlich. Bei einer Predigt, geistlichen Lesung, bei Missionen oder Exerzitien geht es ihnen blitzartig auf, wie wenig ihr bisheriger Lebensweg auf Gott hin gerichtet war. Nun lenken sie von den Seitenpfaden auf den Hauptweg ein.

Wieder andere löst Gott durch wiederholte Schicksalsschläge von ihrem eigenen Ich los; bald diese Anhänglichkeit, bald jene mit starker Hand zerschneidend. Bei allen aber, die er weiterzuführen gedenkt, läßt Gott nicht nach, bis er sie, wenn auch erst nach jahrelangen inneren und äußeren Prüfungen, ihres selbstwilligen Ichs entkleidet hat, bis sie endlich, Saulus gleich, gebrochen und zermürbt, sich ihm auf Gnade und Ungnade ergeben. Und sonderbar: was ihnen so heilsam ist, die Leiden, Skrupeln, Trockenheit, Versuchungen, Finsternisse, erscheint ihnen als Hemmung, deshalb lehnen sie mit Ungestüm sich dagegen auf und rufen tränend zu Gott um deren Beseitigung. Sie sehen nicht, daß der vermeintliche Rückschritt ein Fortschritt ist, wird doch durch all das Leid das größte Hindernis des höheren Lebens, der Berg des Eigenwillens abgetragen. Deshalb erhört Gott ihr Flehen nicht, bis auch sie sich selber aufgegeben und ganz auf Gott geworfen haben.

148

Kein Katholik

darf in unferer ernften und fchweren Zeit voll Widerfpruch und Gegen=
fatz, voll Kampf und grundftürzender Ideen das richtige Augenmaß
für fein Ziel verlieren. In folch verworrener Zeit, wo fo viele Berater
fich zum Wort beim Neubau der Welt melden, ift es gewiß am
Platze, daß vor allem jener zu Wort kommt, der als Schöpfer und
Lenker der Welt am beften verfteht, was der Welt zum Heile dient:
Gott. Was Gott aber über die Ordnung der Welt denkt, hat er aus=
gefprochen in der Offenbarung. Dort legte er feine tiefften Gedanken
über Einzelleben, Familie, Staats= und Völkerleben dar.

Von diefem Gedanken ausgehend, erfcheinen in unferem Verlag die

Betrachtungen
über die
Heilige Schrift

herausgegeben
von
P. Otto Cohausz S. J.

Solche Bibellefungen gibt es heute im katholifchen Lager nicht; die Sammlung
entfpricht deshalb einem Bedürfnis und kommt dem Verlangen der Päpfte ent=
gegen, die die Heilige Schrift in den Händen eines jeden
Gläubigen zu fehen wünfchen.

VIER QUELLEN VERLAG / LEIPZIG

Band I

Bilder

aus der

Urkirche

Eine gemeinverständliche Darbietung
der Apostelgeschichte

von

P. Otto Cohausz S. J.

2. Auflage. Gebunden M. 5.—

Leider ist diese vielen zu wenig bekannt. Vertraut ist man mit Einzelheiten aus dem Alten Testament, vertrauter mit den Evangelien, auch kennt man noch die Ereignisse bis zur Sendung des Heiligen Geistes, aber was nach dem ersten Pfingstfest sich abspielte, wie die junge Kirche wuchs und erstarkte, wie sie litt und stritt — das ist den Durchschnittsgläubigen oft so gut wie unbekannt. — Leider! Denn zunächst ist die Apostelgeschichte ja die notwendige Ergänzung der Evangelien. Hier der Aufriß, dort der Ausbau; hier die Verheißung, dort die Erfüllung. — Wem müßte sodann nicht daran liegen, seine Familiengeschichte bis zu ihren ersten Anfängen zurückzuverfolgen, des Wirkens und Mühens der Stammväter und Stammütter liebevoll zu gedenken? Nun — diese wird uns Christen in der Apostelgeschichte ja geboten. Mit wieviel Schweiß, Not und Sorge, Gefahr und Leid sehen wir da gerade erworben, was uns Nachgeborenen als süßes Erbe so mühelos in den Schoß fiel! — Um so mehr muß sich aber gerade in der jetzigen Zeit unsere Aufmerksamkeit den Werdejahren der Kirche zuwenden, da diese heute gerade nicht nur zum Gegenstand lebhafter Kämpfe geworden sind, sondern auch mehr als je wieder als Prüfstein echter Christlichkeit herangezogen werden. Wir Katholiken fürchten solche Untersuchungen nicht. Je eingehender vielmehr sie geführt werden, um so
klarer wird die Wahrheit unseres Besitztums erstrahlen.

VIER QUELLEN VERLAG / LEIPZIG

Band II

Blätter

aus dem

Lebensbuche Sauls

Ein Spiegelbild unserer Tage

von

P. Otto Cohausz S. J.

2. Auflage. Gebunden M. 4.50

Das Buch der Bücher bleibt immer neu. Überraschend ist es, wie viele Vergleichungspunkte Sauls Zeit mit der unsrigen bietet. Hier wie dort Staatsumwälzung, Parteikampf, Eroberungs- und Machtpolitik, Flüchtlingsnot, Entwaffnungs-, Gesetzes-, Erziehungs- und Verfassungsfragen. Alle arbeitet der Verfasser heraus und beleuchtet sie mit dem Licht des Glaubens. So wuchs ein Buch heran, das in den Wirrnissen der Zeit manchen zum sichern Leitstern dienen, das an Altes anlehnend zu den modernsten Büchern zählen dürfte.

✳

VIER QUELLEN VERLAG / LEIPZIG

Im Februar 1925 erscheint:

NEU!   **NEU!**

Band III

Der erlöste Mensch

Eine Erklärung des Römerbriefes

von

P. Otto Cohausz S. J.

Gebunden M. 4.—

Hier geht es nicht um Einzeldinge, sondern um das Ganze des durch Christus gebrachten Neuen, um die Zentralfragen: Sündenzustand und Gerechtigkeit, Satansknechtschaft und Erlösung, Gesetz und Glaube, natürliche Ohnmacht und Gnade, Auserwählung und Vorherbestimmung — all diese Streitpunkte, die das neue Christentum aufgepflügt und aufgewühlt hatte, kommen hier zur Sprache. Das ewig alte und immer neue Ächzen und Stöhnen der Menschenseele nach Erlösung und ihre Erlösung in Christus Jesus bildet den einen Grundgedanken, der den ganzen Brief durchzieht. Darum hat er auch gerade unserer Zeit, die in neuer Unerlöstheit abermals dumpf zum Himmel schreit, so vieles zu sagen. Was seine Wichtigkeit erhöht, ist der Umstand, daß er zum Anlaß ward, das protestantische Christentum vom katholischen zu scheiden. Beide, Protestanten und Katholiken, betrachten ihn als die magna carta ihres Rechtfertigungsglaubens und suchen durch ihn den Beweis ihrer Alleinberechtigung zu erbringen, Grund genug, ihm heute wieder erhöhte Aufmerksamkeit zuzuwenden.

Band IV und V in Vorbereitung

Jeder Band des Unternehmens wird in sich abgeschlossen und einzeln zu haben sein

Da jährlich nur zwei bis drei Bände erscheinen sollen, so
ist jedem die Anschaffung der ganzen Sammlung ermöglicht

VIER QUELLEN VERLAG / LEIPZIG

Damit ist der Anfang der Heiligkeit gemacht, die neue Geburt vollzogen, die Geburt aus dem Geiste. Nunmehr ist nur Gott der Mittelpunkt ihres Lebens; sein Wunsch und Wille die Richtschnur, der Kompaß all ihrer Fahrten, sowohl in der Wahl des Berufes wie auch in allen einzelnen Betätigungen desselben. Ihr Erdenleben ist ihnen jetzt nicht mehr ein Spiel, auch nicht mehr ein einträgliches Geschäft, sondern das, was es wirklich sein soll, ein rauchendes Opfer, Gott dargebracht, und im Feuer der Gottesliebe verzehrt.

Das alles hatte Saulus vor Damaskus erlebt. Von dieser Erfahrung getroffen, wird er nun nicht müde, sie allen mitzuteilen. Laut beginnt er die Welt aus dem Schlafe aufzurütteln, zu mahnen, in dem neuen Licht als Kind des Lichtes zu wandeln und diese Neueinstellung des Lebens in der Richtung auf Gott zu versuchen. „Darum beschwöre ich euch Brüder, um der Barmherzigkeit Gottes willen, daß ihr eure Leiber (euer Leben im Erdenleibe) als ein lebendiges, heiliges, Gott wohlgefälliges Opfer darbringt, so daß euer G o t t e s = d i e n s t g e i s t i g sei. Und werdet nicht dieser Welt gleichförmig, sondern w a n d e l t e u c h u m d u r c h d i e E r = n e u e r u n g e u r e s G e i s t e s , i n d e m i h r p r ü f e t , w a s d e r W i l l e G o t t e s , w a s g u t , w o h l g e f ä l l i g u n d v o l l k o m m e n s e i ." (Röm. 12, 1 ff.)

Er selbst sollte, wie kaum ein anderer, diese Umwandlung erleben, um für sie die ganze Welt zu gewinnen. Er ist darum der eigentliche A p o s t e l d e r g e i s t i g e n W i e d e r = g e b u r t g e w o r d e n , der erste der christlichen Mystiker, die ja auch auf diesem Grund ihren ganzen Lebensbau aufführten. —

149

Während diese Änderungen in dem Christushasser sich voll=
zogen, standen die Männer, welche mit ihm reisten, sprachlos
da. „Sie hörten zwar die Stimme, sahen aber niemanden."
(9, 7.) Wie doch dieselben Ursachen verschieden auf die Seelen
einwirken! Saulus wandelte die Erscheinung um, die Be=
gleiter nicht. Geht es nicht heute gerade so bei Predigten, Er=
eignissen, geistlichen Lesungen? Läßt, was uns tief ergreift,
nicht andere oft kalt, und umgekehrt? Ist es uns nicht oft ein
Rätsel, daß andere kühl ablehnen, was uns in religiöser Hin=
sicht so sehr begeisterte? Woher der Unterschied? Einmal,
weil Gott den anderen Männern doch nicht das Tiefste der
Erscheinung erschloß. Sie hören wohl die Stimme, sehen aber
nicht den auferstandenen Heiland, von dem sie ausging. Gott
verteilt seine Gaben wie er will. Mit Saulus hatte er Größeres
vor als mit jenen; deshalb stattete er ihn reichlicher aus. Beugen
wir, weniger reich bedacht als andere, uns demütig unter
Gottes Hand, stets bewußt, daß die Gabe noch immer das
Anrecht übersteigt. Wandte Gott uns Größeres zu als anderen,
so bleiben wir erst recht klein und dankbar, wissend, daß alles
nur freies Geschenk des Höchsten und um so schneller zu ver=
lieren ist, als Eitelkeit und Selbstüberhebung es ihren eigent=
lichen Zwecken entfremden.

Öfters aber ist an dem verschiedenen Erfolg derselben
Gnade die verschiedene Aufnahmefähigkeit des
Herzens schuld. Unter Dornen gedeiht das Weizenkorn
nicht, und in geschlossene Zisternen dringt kein Regen ein.
Wo das Herz von Gott abgewandt ist, findet Gottes
Wort keinen Nährboden. „Ihr hört Gottes Wort nicht, weil
ihr nicht aus Gott seid" (Jo. 8, 47) sprach Christus zu den

150

Juden — eine neue Mahnung, stets das Herz auf Gott ge=
richtet zu halten!

Gute Führung.

Wo der Mensch soweit gekommen, daß er sich ganz Gott
übergibt, da übernimmt dieser nun auch die Leitung desselben,
und sicher geht es jetzt auf dem Wege der Vervollkommnung
voran. Aber tiefweise bleiben auch da stets Gottes Maßnahmen.
Ungestüm, wie er war, hätte der Bekehrte jetzt am liebsten
sofort die Wahrheit in ihrer ganzen Fülle erfaßt, aber: „Stehe
auf," sprach der Herr, „und gehe in die Stadt, da wird
dir gesagt werden, was du tun sollst." (9, 6.) Die
demütige Stimmung soll noch erst gefestigt, das beschämende
Gefühl des Unvermögens noch gesteigert, die zehrende Un=
geduld zum ruhigen Abwarten umgestimmt, mit anderen
Worten die heißblütige Natur weiter gebändigt werden. Ist
ja nur der ein vielversprechender Jünger des Herrn, der sich
ruhig den stillfließenden Wellen der Gnade anschmiegt, nicht
der durch Sturm und Ungestüm ihrem Wirken zuvorzukommen
sucht und es damit stört.

Saulus stand von der Erde auf, aber als er die Augen
auftat, sah er nichts. „Sie nahmen ihn also bei der
Hand und führten ihn nach Damaskus." (9, 8.)
Wie völlig sah sich der Verfolger doch von dem Verfolgten
überwunden! Wie beschämend dieser Einzug in die Stadt!
In Ketten gedachte der Eiferer die Schäflein Christi aus der
Stadt zum Opferaltar herauszuführen und hilflos, mit ver=
schleierten Augen, wurde er nun von fremder Hand selbst zu
Christi Herde in die Stadt eingeführt. Auch da bewahrheitet

151

sich wieder das heilige Wort: „Was toben die Völker und sinnen eitles die Heiden: der Herr lacht ihrer und zerschlägt ihre Pläne." (Pf. 2, 1.)

Durch das Tor getreten, gelangten die Wanderer in die berühmte „gerade" Straße; so genannt, weil sie in gerader Linie die Stadt in zwei Hälften zerschnitt. Sie war sehr breit und durch korinthische Säulen in einen Hauptweg für Wagen und Reiter und zwei Seitenwege für Fußgänger geteilt. Diese nun durchschritten sie bis ungefähr zum Westtor und kehrten da in das Haus eines gewissen Judas ein. „Daselbst blieb Saulus drei Tage, ohne zu sehen, und er aß und trank nicht." (9, 9.)

Immer nach großen seelischen Erschütterungen suchen wir ja die Einsamkeit auf, um bei verschlossenen Vorhängen das Gewonnene zu verarbeiten und über uns klar zu werden. Und wie Vieles war hier zur stillen Verarbeitung gegeben! Selbst der leibliche Hunger wurde überwogen von dem seelischen, der hier erwacht war.

Während Saulus seinen dreitägigen Exerzitien oblag, spielte sich, nicht fern von ihm, in einem Seitengäßchen, eine andere wunderbare Begebenheit ab. Dort wohnte in einem Hause, an dessen Stätte sich heute eine Kapelle befindet, ein treuer Jünger des Herrn, Ananias geheißen. Schon der Name war ein Programm, denn Ananias heißt: „Jahwe ist gnädig." Ja, durch diesen Mann wollte Gott sich dem ringenden Saulus gnädig erweisen.

Ananias befand sich einsam in seinem Gemach. Stille war's um ihn herum, und in der Stille redet Gott zu seinen Erwählten. Plötzlich fühlt der Jünger Christi eine tiefe innere

152

Bewegung, und in einem Gesicht steht vor ihm der Herr und spricht: „Ananias!" Er antwortet: „Sieh, Herr, hier bin ich." Wie ganz anders war hier der Eintritt Gottes in die Seele geartet als bei Saulus. Saulus' Seele war voll von sich, deshalb konnte Gott nur in Sturmesgewalt sich Eingang verschaffen; in des Ananias Seele herrschte feierliche Stille und Ruhe, deshalb ward dort schon ein leises Wehen Gottes vernehmbar. Biegen und brechen mußte Gott erst den halsstarrigen Saulus, um ihn sich dienstbar zu machen; Ananias' Wille aber glich dem Zünglein an der Wage, das nur auf einen Anstoß wartet, um sich sofort nach der gewünschten Seite zu neigen. Welch schöne, gottvertraute, bereitwillige Seele deckt uns der ganze Vorgang in Ananias auf! Solche Seelen braucht Gott, solche auch erhebt er zu immer größerer Gnade.

Und der Herr sprach zu ihm: „Steh auf und gehe in die Straße, die man die ‚Gerade‘ heißt und frage im Haus des Judas nach einem Manne, namens Saulus aus Tarsus, denn siehe, er betet."

Sonst stets zu allem bereit, will dem Jünger jedoch dieses mal der Auftrag bedenklich erscheinen. Zu Saulus von Tarsus soll er sich begeben? Aber war dieser denn nicht der Wolf, der Jerusalems Gemeinde verwüstete? Und sahen nicht die Gläubigen von Damaskus wie vor Schreck zusammengekauerte Schäflein in diesen Tagen gerade seinem Erscheinen entgegen? Ananias antwortete: „Herr, ich habe von vielen Seiten gehört von diesem Mann, wie viel Böses er deinen Heiligen zu Jerusalem zugefügt hat. Auch hier hat er Vollmacht von den Hohenpriestern, alle, die deinen Namen anrufen, in Ketten zu legen." (9, 13, 14.) — Doch der Herr beruhigte ihn und

153

sprach: „Geh nur hin! Denn dieser ist mir ein auserwähltes
Werkzeug, meinen Namen vor Heiden und Könige und Kinder
Israels zu bringen. Ich will ihm zeigen, wie viel er um meines
Namens willen leiden muß." (9, 15. 16.)

Nun erhebt sich Ananias ohne Zögern, durchschreitet die
Gasse und die gerade Straße und betritt das Haus des Judas.
Er findet Saulus in seiner Kammer betend, tritt auf ihn zu,
legt ihm die Hände auf und spricht: „Bruder Saulus! Der
Herr Jesus, der dir auf dem Wege, auf dem du herkamst, erschienen ist, hat mich zu dir gesandt, damit du sehend und voll
des Heiligen Geistes werdest." (9, 17.)

Auf d e n Vorgang war auch Saulus vorbereitet, hatte Gott
ihm denselben doch vorher im Gesichte gezeigt. (9, 12.) Wie
Schuppen fiel es ihm jetzt von den Augen, er erhielt das Gesicht wieder und stand auf. Mit der äußeren vollzog sich nun
aber auch die innere Heilung. Am Herzen des älteren Jüngers,
der ja selbst ein Bekehrter war, konnte der junge Pharisäer
sich seiner letzten Seelenschmerzen entledigen, da seine inneren
Leiden ausweinen und seine letzten Zweifel verscheuchen.

Weise hatte Gott, der es liebt, Menschen durch Menschen
zu führen, Saulus an Ananias gewiesen. Kein Mensch wird, zumal in schweren Seelennöten, mit sich allein fertig. Am wenigsten war das hier möglich, hatte doch der junge Pharisäer den
früheren Boden unter den Füßen verloren und einen neuen
noch nicht ganz gefunden. Da kam der ältere Diener des
Herrn zur rechten Zeit. Er, der selbst den Weg vom Judentum
zum Christentum gegangen war, kannte aus eigener Erfahrung
dessen Schluchten, Abwege und Gefahren. Bei Ananias fand
der Neubekehrte darum Verständnis in all seinem Ringen.

154

Dessen Herzen konnte er all seine Stürme und Irrungen an=
vertrauen. Er tat es, und die von Christi Stachel geschaffenen
Wunden bluteten sich aus, die letzten Zweifel schwanden. Die
Taufe krönte das Werk. Der Sturm schwieg. Es war Friede.
„Er nahm Speise, kam wieder zu sich und hielt sich bei den
Jüngern, die zu Damaskus waren, einige Tage auf." (Ap. 9,
19.) —

Mit Sauli Bekehrung hatte Christus ein größeres Wunder
gewirkt als während seines Lebens, denn d e n Mann um=
zubilden war schwieriger als Wasser in Wein verwandeln oder
als Tote zu erwecken. Von diesem Wunder aber sollte die
ganze Umwelt, ja die Nachwelt zehren. „Dieser ist mir ein
auserwähltes Gefäß, meinen Namen vor die Heiden, Könige,
und Kinder Israels zu tragen." (Ap. 9, 15.) Wunderbar waren
und sind noch immer die Wege des Höchsten!

Warum berief Gott gerade den Saulus zu seinem aus=
erlesenen Werkzeug? Mehrere sind der Gründe. Einmal galt
es, der kranken Welt an einem auffallenden Beispiel den Weg
zur Gesundung zu zeigen. Alle ernsten Geister der Vorzeit
begriffen den jammervollen Zustand der gefallenen Adams=
kinder, sie alle erstrebten sittliche Läuterung, aber sie griffen
fast alle zu unzureichenden Mitteln. Sie vertrauten noch zu sehr
der eigenen Kraft und rein natürlichen Dingen, wo das Heil
doch nur durch Christi Erlösung und Gnade und restlose Hin=
gabe an Gottes Absichten kommt. Genau so hatte es ja Saulus
gemacht. Wie kein anderer hatte er gerungen, wie kein anderer
aber auch eingesehen, daß nur in Christus Rettung zu finden
ist. Deshalb rückte Gott diesen Mann gerade ins helle Tages=
licht, um in ihm der ringenden Welt ihr Bild vor Augen zu

führen und zugleich den Ausweg aus ihrem Irrgarten zu zeigen.

An a l l e erging aber die Forderung der Wiedergeburt in Christus, nicht nur an die Juden, sondern auch an die H e i = b e n. Deshalb war es wiederum von Gott wohlbedacht, daß er neben den Fischern von Galiläa noch einen Mann zum Apostel erkor, der nicht nur in allen jüdischen Heiligungs= mitteln sich versucht hatte, sondern auch, weil i n m i t t e n d e r H e i d e n w e l t a u f g e w a c h f e n, auch mit d e r e n ohnmächtigem Streben vertraut war.

Noch ein Drittes war zu tun! Wiedergeboren sollten alle durch Christi Gnade werden, aber waren da nicht zu viele, die ob ihrer großen Sündenschuld v e r z a g e n mußten, Christi Gnade zu finden. Da nun kam Saulus als Tröster. Selbst schuldig geworden und lange der Gnade widerstrebend, war er doch noch zur Gnade, und das nicht nur, sondern noch zur höchsten Heiligkeit berufen. Er sollte es an seiner Person der Welt klarlegen, daß Christus niemanden, der ihn begehrt, leer ausgehen läßt, daß er sich vielmehr gerade an die Kranken und Ringenden mit Vorliebe wendet. Paulus soll allen Mut machen. Und wie tut er es! Eindringlich ruft er es allen zu: „Zuverlässig ist das Wort und aller Beherzigung wert, daß Christus Jesus in diese Welt gekommen, d i e S ü n d e r z u r e t t e n, u n t e r d e n e n i ch d e r e r f t e b i n. A b e r d a r u m h a b e i ch B a r m h e r z i g k e i t e r l a n g t, d a = m i t a n m i r, a l s d e m e r f t e n, C h r i f t u s f e i n e G r o ß m u t z e i g e z u r B e l e h r u n g f ü r d i e, w e l ch e a n i h n g l a u b e n w e r d e n z u m e w i g e n L e b e n!" (1. Tim. 1, 15 ff.)

156

Wer, der Chriſtus gleich bei Beginn ſeines Reiches ſolche Barmherzigkeit ausüben ſieht, wollte da noch verzagen? Wer noch daran zweifeln, daß das Chriſtentum die Religion der Aufrichtung aller Geſtrauchelten iſt, daß alſo auch er bei ihm Heilung finde?

Auch gibt es keine, noch ſoweit fortgeſchrittene innere Zer=ſetzung, die vergebens auf Geneſung hoffen müßte. Chriſti Gnade überwindet alle Hemmniſſe. War denn am Anfang der Welt, meint Paulus, etwas anderes als ein dunkles Nichts vorhanden? Und zauberte nicht Gottes Allmachtswort aus demſelben das ſtrahlende Licht des Sternenhimmels hervor? Und vollzog ſich in ihm nicht etwas ganz Ähnliches? Pech=ſchwarzes Irrtums= und Sündendunkel umlagerte doch auch ſeine Seele, aber, als Gottes Gnade in ihn hineingerufen, ſtieg auch aus ihm das ſtrahlende Licht der Heiligkeit empor. „Denn Gott, welcher befahl, daß aus „Finſternis Licht erglänze", erleuchtete auch unſere Herzen, daß das Licht der Erkenntnis Gottes ſtrahlend ſich erhob." (2. Kor. 4, 6.)

Wohl iſt der Menſch der Abgrund der Ohnmacht, Gott aber der der Allmacht, und gerade am erſten zeigt Gottes Kraft ſich am ſchönſten. Anſtatt wegen der Sünde zu verzagen, ſollte darum der Menſch dieſerhalb gerade noch hoffen — vor=ausgeſetzt, daß er ſie herzlich bereut — weil an der Armherzig=keit die Barmherzigkeit ſich am liebſten entzündet. —

Wiedergeboren war Saulus in Damaskus, aber glauben wir nicht, daß nun alle Innenſtürme plötzlich zum Schweigen gebracht worden ſeien. Vor Damaskus war Saulus nur auf den rechten Weg geſtellt, aber auf dieſem gab es noch viele Schlachten zu ſchlagen und manche Armſeligkeiten zu beweinen.

157

„Ich will ihm zeigen, wie viel er für meinen Namen leiden
muß." (Ap. 8, 16.) Das galt nicht nur von äußeren Verfolgungen, sondern auch von inneren Schwierigkeiten. Noch
nach Jahren muß der Apostel sich beklagen, daß das Wollen
ihm nahliege, daß er aber das Vollbringen des Guten nicht
finde, daß er dem inneren Menschen nach sich am Gesetze
Gottes erfreue, daß er aber ein anderes Gesetz in seinen Gliedern
fühle, das dem Gesetze des Geistes wiederstrebe, ein Wider-
streit, der ihm im Alter noch den Ruf entringt: „Ich unglück-
seliger Mensch, wer wird mich erlösen vom Leibe dieses Todes?"
(Röm. 7.)

Ein Ringender bleibt Paulus, wie wir, bis zum Tode!
Nichts Menschliches ist ihm fremd. Darum ist er uns so nahe.
Aber nie gibt er den Kampf auf, nie verliert er den Mut,
sondern immer wieder hält ihn der Gedanke: „Ich kann alles
in dem, der mich stärkt!" aufrecht. Anderseits stets voll tiefer
Demut, sieht er sich doch immer als den Geringsten der
Apostel an, als eine Fehlgeburt, der nicht würdig ist,
Apostel genannt zu werden. Dabei aber zieht er sich
doch nicht, wie falsche Demut es tut, von allem Wirken zurück, sondern strebt und schafft nach Gottes Plänen weiter,
und so ward aus dem Verfolger einer der rührigsten Apostel,
aus dem Widersacher der große Heilige, der gestehen konnte:
„Ich habe mehr gearbeitet als sie alle, aber nicht ich, sondern
die Gnade Gottes mit mir." (1. Kor. 15, 10.)

Nie schrieb er, was er gewonnen, sich selber zu, sondern
stets blieb er sich alles dessen, was er besaß, als einer un-
verdienten Gnade bewußt, und nie wird er müde, dankbar
jener Stunde vor Damaskus Toren zu gedenken, in der er

158

vom Tode zum Leben erstand. „Dank sage ich … Jesus Christus, unserem Herrn, daß er mich für treu erachtete und in das Amt einsetzte, der ich zuvor ein Lästerer und Verfolger und Bedrücker war; aber ich habe Gottes Barmherzigkeit erlangt." (1. Tim. 1, 12. 13.)

2. Mißglückter Anlauf.
(9, 20—21.)

Als Wüterich gegen die Kirche, voll von sich selbst, war Paulus in Damaskus niedergesunken; voll von Gott, leer von sich, war er wieder erstanden und durch Ananias des Reiches Christi teilhaftig geworden. Mehrere Tage noch hielt er sich bei den Jüngern auf, sich zu festigen und noch tiefer in den neuen Glauben einzudringen. Aber damit begnügte sich dieser tatkräftige Mann nicht.

Es gibt Naturen, die den Landseen gleichen. Sie bewahren ihren Gehalt für sich und bewässern höchstens die Blumen und Wiesen an ihrem unmittelbaren Gestade. Es gibt aber auch Naturen, die den Gletschern ähneln. Unter dem Gluthauch der Sonne erwärmt, drängt es sie, ihren Gehalt in zahllosen Rinnsalen in die Tiefe zu ergießen und alle Felder und Wiesen zu befruchten. Zu diesen gehörte Paulus.

Selbst erleuchtet, muß er andere erleuchten, selbst bekehrt, andere bekehren, selbst vom Feuer der Christusliebe erfaßt, andere in gleicher Glut entzünden. „Und alsbald predigte er in den Synagogen Christus, daß dieser der Sohn Gottes sei." (Ap. 9, 20.)

Ein Beispiel für uns, auch anderen von dem Guten mitzuteilen, das uns beschieden worden ist. Seien wir nicht karger als die Natur. Die Sonne teilt ihre Strahlen anderen aus, die Bäche bewässern die Umgebung, die Reben schenken ihre Trauben, die Rosen ihren Duft; alle Geschöpfe, die Gutes empfangen, müssen andere daran teilnehmen lassen — sollte der Mensch nun allein inmitten dieser mitteilsamen Schöpfung herzlos dastehen und seine Güter für sich zurückbehalten? Zumal seine wertvollsten Güter: Glaubenslicht und Eifersglut? Der Wege zum Gutestun stehen ja viele offen. Die Lilie erfreut schon durch ihr bloßes Erscheinen, die Rose durch ihren Duft, die Lerche durch ihren Gesang, die Linde durch ihren Schatten, die Rebe durch ihre saftige Frucht. So ist es im Leben der Menschen. Die einen ziehen schon durch ihr Erscheinen zum Guten empor, andere durch den zarten, gläubigfrommen Hauch, der aus all ihren Worten und Taten spricht, wieder andere durch den Schutz, den sie Bedrängten und Gefährdeten gewähren, noch andere durch ihre Geistesfrüchte, die sie anderen darreichen. Viele sind die Mittel, die hier zu Gebote stehen. Wo ein Wille, da ist auch ein Weg!

Viel Mut brauchte es gewiß von seiten Pauli, so plötzlich seinen Glauben und seine Umkehr vor seinen Standesgenossen zu bekennen; heißt es ja: „Alle, die ihn hörten, staunten und sprachen: Ist das nicht dergleiche, der in Jerusalem die verfolgte, welche diesen Namen anriefen? Ist er nicht auch hierher gekommen, um sie gefesselt zu den Hohenpriestern zu führen?" (Ap. 9, 21.) Manche hätten ihre Lebensänderung scheu mit dem Schleier der Verborgenheit umhüllt, nicht so unser neuer Apostel. Menschenfurcht ist ihm unbekannt. Wie er sich früher nicht scheute, gegen

160

Chriſtus aufzutreten, ſo bangt er jetzt noch viel weniger, ihn öffentlich zu bekennen. Ein ganzer Mann!

Dieſes mutige Auftreten war nicht ohne Erfolg! „Es ſtaunten aber alle", und manche wurden gewiß zum Nachdenken angeregt. Viele Bekehrungen ſcheinen aber nicht erfolgt zu ſein. Es blieb beim Staunen, dem unerquicklichſten Ertrag einer Predigt.

Wie ſo mancher Neubekehrte, mochte wohl auch Paulus geglaubt haben, es genüge, ſeine neue Überzeugung aus= zuſprechen, um auch ſofort andere dafür zu gewinnen. Er= fahren mußte er aber bald, daß ſein Werdegang nicht derjenige aller ſei und darum bei anderen, deren Herz weniger durch die Gnade erweicht war, wirkungslos verhallte, was in ihm ſo ſchnell die Umkehr bewirkte. Er lernte einſehen, daß, wo nicht Gott und eigene Mitwirkung den Boden bereiteten, die Arbeit des beſten geiſtlichen Säemanns vergebens iſt. Fühlen mochte er wohl auch, daß ſein Können zur Erleuchtung der Welt noch nicht ausreiche. Deshalb brach er nach einigen Tagen ſeine erſte Tätigkeit in Damaskus ab, verließ für lange Zeit die Stadt und kehrte erſt nach Jahren dahin zurück, um nun die Predigt mit neuem Eifer wieder aufzunehmen.

In der Apoſtelgeſchichte wird dieſe Unterbrechung kurz, aber doch genügend deutlich angedeutet. Erſt iſt dort nämlich von einem k u r z e n Aufenthalt die Rede. Vers 9, 19 heißt es: „Er hielt ſich ... e i n i g e Tage auf."
Dann aber im Vers 9, 23 wird eine l ä n g e r e Anweſenheit erwähnt: „Als v i e l e T a g e verfloſſen waren."

Zwiſchen Vers 21—22 liegt alſo ein längerer Zeitraum. Aus anderen Schriften wiſſen wir, daß er ungefähr drei Jahre betrug

und in der arabischen Wüste zugebracht wurde: „Als es aber
dem, der mich durch seine Gnade berufen hat, gefiel, seinen
Sohn mir zu offenbaren . . ., zog ich nach Arabien und kehrte
dann wieder nach Damaskus zurück." (Gal. 1, 15. 17.)

Unter Arabien kann ein Zweifaches verstanden werden:
entweder die östlich an Damaskus angrenzende arabische
Wüste oder auch das im Süden Palästinas befindliche Arabien,
das Land mit dem Heiligen Berge Horeb, an dem Moses und
Elias ihre großen Gnadenstunden feierten. Vermutlich war es
hier, wo der neue Sendling des Herrn seine Tage verbrachte.

Warum floh er in die Einsamkeit? Zunächst wohl wollte
er sich nach den erschütternden Ereignissen noch gründlicher
sammeln, dann wohl auch für seine Vergehen büßen und
schließlich sich tiefer in die neue Religion und in Gott ver=
senken. Ruhe und Sammlung tun ja jeder Seele zeitweilig
not. Haben doch auch die Bäume ihren Winter, in denen sie
das äußere Wachstum einstellen, sich gleichsam in sich zurück=
ziehen, dafür aber um so mehr neue innere Kraft aufspeichern,
die im Frühling dann wieder um so frischere Knospen, Blüten
und Früchte treibt.

So auch haben alle großen Seelen sich ihren Winter ge=
schaffen. Paulus war also der erste christliche Einsiedler. Er
eröffnete den Reigen derer, die so zahlreich den Weg zur Wüste
nahmen. Seinem Beispiele folgte später ein anderer Paulus,
der zum „Vater der Einsiedler" werden sollte, dann der drei=
undzwanzigjährige Antonius, der in tiefabgeschiedener Felsen=
höhle an einem sprudelnden Quell und blühenden Datteln
fast ein Jahrhundert in Gebet und Buße verlebte. Weiter
Pachomius, Basilius, Gregorius, Chrysostomus und andere.

162

In späteren Jahrhunderten gewahrte man sodann in der Höhle von Subiaco den heiligen Benedikt, in den Alverner Bergen den heiligen Franz von Assisi, in der Grotte von Manresa den heiligen Ignatius. Große, gottliebende Seele fühlten stets den Zug zur Einsamkeit und heiliger Stille. Dort feierten sie ihren Winter, um später um so kräftiger ihre Zweige ausbreiten und ihre Früchte der Welt darbieten zu können.

Auch allen anderen sind solche stille Winterzeiten nur zu empfehlen, Zeiten, in denen wir uns vom äußeren Lärm in unser Inneres zurückziehen, unser Leben überdenken, uns in Gott vertiefen. Solche Zeiten sind die täglichen Betrachtungen und geistlichen Lesungen, sind die Besuche beim Allerheiligsten, sind die Sonn= und Festtage, sind die Exerzitien, sind die von vielen geübten monatlichen Vorbereitungen auf den Tod. Gerade in unserer Zeit des Hastens und Jagens sollten wir uns mehr solche Ruhezeiten gönnen. Reicher Seelenertrag für uns und andere würde die Mühe lohnen. In der Einsamkeit bei Gott werden wir ruhiger, klarer, reiner, liebevoller, sanfter, selbstloser und für alles Gute empfänglicher. Das sehen wir auch an Paulus.

3. Ein neuer Versuch.
(9, 22—25.)

Längere Zeit hatte der Apostel in Arabien geweilt, dann kehrte er nach Damaskus zurück, mit ganz anderer Kraft wie das erstemal jetzt für Christus wirkend. „Saulus aber trat nur um so freimütiger auf und brachte die Juden in Damaskus außer Fassung durch den Nachweis, daß dieser der Christus sei." (Ap. 9, 22.) Er bewies, „daß dieser Christus sei".

11

Früher hatte er das einfach aus seiner Erfahrung heraus b e - h a u p t e t , nun es in langem Studium aber auch aus den heiligen Schriften zu b e w e i s e n gelernt, so daß die Juden sich nicht mehr zu helfen wußten.

Guter Wille und Eifer, wie manche gottliebende Seelen sie haben, genügen zum Bekehren anderer nicht immer. Zum guten Willen muß eine gründliche Kenntnis kommen. Daher ist es auch gerade jetzt so notwendig, sich in religiösen Fragen immer weiter zu bilden.

Die Juden gerieten in Verwirrung, aber sie b e k e h r t e n s i c h n i c h t . Immer dieselbe Halsstarrigkeit. Sie hören, aber prüfen das Vernommene nicht, sondern weisen es sofort entrüstet ab. Wer aber nicht hören w i l l , wird auch durch die besten Beweise nicht für die Wahrheit gewonnen. D i e e r s t e B e d i n g u n g z u r W a h r h e i t i s t d a s w a h r e V e r - l a n g e n n a c h W a h r h e i t ! Viele behaupten, daß sie die Wahrheit suchen, aber in Wirklichkeit suchen sie nur a n d e r W a h r h e i t v o r b e i z u k o m m e n . Sie hören gar nicht auf das, was man ihnen sagt, prüfen gar nicht die Gründe, die man vorbringt, lassen die Wahrheit nicht auf sich wirken, sondern, während man redet, überlegen sie schon, w a s s i e g e g e n d a s G e s a g t e v o r b r i n g e n k ö n n e n . So kommen sie niemals zum Licht.

Wenn heute so viele der wahren Kirche fernbleiben, so ist das zum großen Teil auf d i e s e Ursache zurückzuführen. Alles Katholische gilt ihnen von vornherein als widersinnig. Darum weisen sie jede Prüfung desselben s o f o r t ab. Es ist, als fühlten sie unwillkürlich heraus, daß eine unbefangene Untersuchung mit einer Umkehr enden würde, und davor scheuen sie zurück.

164

„Nach einiger Zeit faßten die Juden den Entschluß, ihn zu töten." (Ap. 9, 23.) Wiederum die alten Waffen. Wo sie den Apostel nicht mit Wahrheits= gründen widerlegen konnten, griffen sie zu Gewalt= mitteln. Der beste Beweis, wie schwach ihre Stellung war.

„Sie hielten Rat, ihn zu töten." Nicht Liebe zur Sache Gottes war es also, das sie trieb, sondern blinder Haß gegen die Person des Apostels. Daß dieser, früher der erste Vorkämpfer gegen das Christentum, nun für das= selbe so erfolgreich eine Lanze einlegte, und dadurch doch manchem die Augen öffnete, das schürte ihre Wut zur hellen Flamme an.

Um des Predigers habhaft zu werden, hatten sie wohl zu= nächst Häschern aufgetragen, ihn auf der Straße abzufangen oder ihn bei der nächsten Zusammenkunft zu überrumpeln. Aber gute Seelen setzten den Diener Christi von dem Plan in Kenntnis. „Doch ihr Anschlag wurde dem Saulus bekannt." (Ap. 9, 24.) Er erschien nicht mehr in der Öffentlichkeit; deshalb besetzten seine Feinde nun die Ausgänge der Stadt und durchsuchten die Wohnungen der Christen. „Sie bewachten indes Tag und Nacht die Tore, damit sie ihn töten könnten." (Ap. 9, 24.)

Paulus floh von einem Versteck in das andere. Aber das Kesseltreiben wurde bald zu arg; kein Raum war mehr sicher. Da ersannen die Freunde Abhilfe. Dunkle, vielleicht stürmische Nacht umhüllte Stadt und Land. Die Torwachen waren ver= schärft. Da öffnete sich in einem Hause, das in die Stadtmauer eingebaut war, ein Fenster; ein Korb wird sichtbar, der an

165

einem langen Seile in die Tiefe gleitet. Unten angekommen, stößt er an den Steinen auf. Ein Augenblick des bangen Wartens, ob nicht der droben wachthabende Soldat durch das Geräusch aufmerksam geworden sei. Alles bleibt ruhig. Da entsteigt dem Behälter ein Mann — Paulus, und wandert eilends in die dunkle Nacht hinaus. „A b e r d i e J ü n g e r n a h m e n i h n u n d l i e ß e n i h n b e i N a c h t i n e i n e m K o r b e ü b e r d i e M a u e r h i n a b." (Ap. 9, 25.)

Als Flüchtling nimmt der Apostel Abschied von seinem ersten Wirkungskreis, als echter Jünger dessen, der eben in der Krippe erschienen, auch sofort zu fliehen sich genötigt sah.

Wo Verfolgung, da aber auch Liebe. Treue Seelen brachten ihren Apostel in Sicherheit. Genau wie später, wo gute Männer und Frauen, oft mit Lebensgefahr, verfolgte Seelenhirten in ihren Häusern und Scheunen beherbergten oder ihnen in Höhlen und Gefängnissen geistige und leibliche Nahrung zutrugen. Herrliches Band der Liebe und Treue, das Hirt und Herde so innig miteinander verknüpft!

A b e r w a r u m f l o h d e n n P a u l u s? Wäre es nicht mutiger gewesen zu bleiben und den Märtyrertod zu erleiden? An Mut fehlte es dem Choleriker gewiß nicht. Auch nicht an Opfergeist! Es scheint auch, daß er zu bleiben und allen Schrecken die Stirn zu bieten gedachte, denn es heißt: „Da nahmen ihn die J ü n g e r bei Nacht und ließen ihn über die Mauer hinab." Von d i e s e n scheint also der Apostel zur Flucht förmlich gedrängt worden zu sein. Ihnen galt es wohl unklug, einer kleinen Judensippe jetzt den Mann zu opfern, der noch so vieles für Christi Sache zu leisten vermochte. Lockte die Tapferkeit zum Bleiben, so riet die Klugheit zur Flucht.

166

Auch für uns eine Mahnung! Es gibt Draufgängernaturen, die immer glauben, mit rücksichtsloser Schärfe für die gute Sache eintreten zu müssen. Recht gut ist gewiß deren Glaubens= und Opfermut, aber daß hin und wieder doch ein Ausweichen besser sein kann, zeigt der Vorgang in Damaskus.

4. Zur heiligen Stadt.
(9, 26—31.)

Als Paulus glücklich dem Korbe entstiegen war, wanderte er hurtig in die dunkle Nacht hinaus. Der aufgehende Morgen sah ihn bereits weit von Damaskus' Toren auf dem Wege nach Jerusalem.

Welche Gedanken mochten ihn wohl beseelen? Vor drei Jahren war er denselben Weg gekommen. Welche Ver= änderungen waren doch in dieser Zeit mit ihm vor sich ge= gangen? Damals kam er als Verfolger, jetzt als Verfolgter! Und doch, so schwer sein Los auch war, nicht genug konnte er dem Herrn danken für das Licht, das ihm geworden.

Was trieb ihn gerade nach J e r u s a l e m? „Hierauf, drei Jahre später, kam ich nach Jerusalem, u m P e t r u s z u s e h e n, und blieb bei ihm fünfzehn Tage." (Gal. 1, 18.) Zu natürlich war es, daß er, der so einzigartig erwählte Apostel, Verbindung mit den übrigen Aposteln suchte. Daß er aber gerade kam, um mit P e t r u s sich in Beziehung zu setzen, zeugt wieder für dessen Vormachtstellung in der kirchlichen Vereinigung. Nur wenn Paulus von P e t r u s beglaubigt worden war, schenkten ihm die Gläubigen Vertrauen, ein Zeichen, daß sie in Petrus das Oberhaupt aller erblickten.

Sodann aber drängten gewiß auch tiefinnerliche Gründe

167

den Neubekehrten zur heiligen Stadt. Als Haſſer Chriſti von dort gekommen, war er jetzt eines Beſſeren belehrt: der Gekreuzigte war Gottes eingeborener Sohn, da konnte er doch nicht umhin, nun zurückzukehren, um all die heiligen Stätten, wo dieſer geweilt hatte, ſühnend und ſtaunend zu verehren.

Dank- und Bußlieder zugleich mochte er wohl anſtimmen, als er die Stadt vor ſich ſah. Mit heiliger Erregung trat er jetzt durch dasſelbe Tor, das er vor drei Jahren wutſchnaubend verlaſſen hatte. Mit heiliger Ehrfurcht ſtieg er ſodann zu all den Stätten hinauf, an denen ſein Herr ſo vieles gelitten: zum Ölgarten, zur Geißelſäule, zum Richtplatz, zur Kreuzesſtraße und ſchließlich zur Schädelſtätte und Grabeshöhle.

Wie oft mag er wohl auf Golgatha geweilt, die Stelle, in der das Holz der Schmach ſtand, mit ſeinen Tränen genetzt, die ganze Liebestat des Gottesſohnes heiß erwogen haben. Da wohl auch war es, wo ein Gedanke, der das ganze Leitmotiv ſeines Lebens wurde, ihn beſonders packte, der Gedanke: „Er hat mich geliebt und ſich für mich dahingegeben.“ (Gal. 2, 20.) Ob der fromme Pilger ſodann nicht auch am Grab des Stephanus kniete und dieſen innig um Vergebung für ſeine damalige Beihilfe zum Tode bat? Wie ſonderbar doch oft das Menſchenleben ſich wendet! Saulus bei Stephanus Martertod, Paulus kniend an Stephanus Grab! Damals ein Wüterich, jetzt ein Weinender. Ob nicht Stephanus noch aus der Gruft heraus ſeinen Arm liebevoll um die Schultern des jungen Büßers legte, ſeine Tränen trocknete und ihm von ſeinem Geiſt einhauchte? Ja, der Herr macht alles gut. Was Tod ſcheint, birgt Leben!

168

uno angſtliche Zurückhaltung malte ſich auf allen Geſichtern, als ſie den neu Eintretenden erkannten. „Als er nach Jeru= ſalem gekommen war, ſuchte er ſich den Jüngern anzuſchließen. Aber alle fürchteten ſich vor ihm; denn ſie konnten nicht glauben, daß er ein Jünger ſei." (Ap. 9, 26.)

Verſtändlich war ohne Zweifel dieſe Furcht, denn zu ſehr hatte der Tarſusſohn doch gegen die Chriſten gewütet, zu ſehr auch als tief eingefleiſchter Phariſäer ſich ſtets erwieſen, und wenn auch Gerüchte von deſſen Sinnesänderung nach Jeruſalem gedrungen waren, ſo waren dieſe doch immer zu dunkel ge= blieben, als daß man daraufhin dem früheren Wüterich volles Vertrauen hätte entgegenbringen können.

Eine ſchmerzliche Enttäuſchung für Paulus! Von den früheren Standesgenoſſen, den Phariſäern, verſtoßen und ver= folgt, ſah er ſich von den neuen, den Chriſten mit Kälte und Mißtrauen behandelt. Eine recht verdemütigende und ſchwere Glaubensprobe, wie Konvertiten ſie hin und wieder in ähn= licher Weiſe erleben. Aber er beſtand ſie herrlich. Überdenkend, daß er als geiſtliche „Fehlgeburt" doch gar nicht würdig ſei, in die heilige Gemeinſchaft einzutreten, harrte er als Bettler in Geduld an ihren verſchloſſenen Toren.

Endlich kam ihm Hilfe. Ein in der Gemeinde Jeruſalems gut bekannter Chriſt, Barnabas, wie Paulus ein Sohn der Diaſpora, mit ihm von früher her bekannt, vielleicht ſein Mit= ſchüler unter Gamaliel, „nahm ſich ſeiner an, führte ihn zu den

169

Aposteln und erzählte ihnen, wie er auf dem Wege den Herrn gesehen, daß dieser mit ihm geredet und wie er in Damaskus freimütig im Namen Jesu geprediget habe." (Ap. 9, 27.)

Wie schön diese Tat des edlen Mannes, der, wo alle richten und fürchten, liebevoll prüft und die Kluft überbrückt. Was wäre ohne des Barnabas milde und gütige Tat wohl aus dem neuen Apostel geworden? Wäre er nicht vielleicht für immer zu einem Schattenleben verurteilt und die Kirche einer ihrer besten Kräfte beraubt worden? Selig alle, die es wie Barnabas verstehen, im allgemeinen Mißtrauen sich ihre Selbständigkeit zu wahren, beargwöhnter und zurückgesetzter Seelen sich zu erbarmen, sie aufzurichten und ihre Kräfte zum Wohl der Kirche und Menschheit zu entfalten!

Nun waren alle Vorurteile geschwunden. Ein herzlicher Verkehr setzte ein. „Und er ging mit ihnen in Jerusalem ein und aus." (Ap. 9, 28.)

Doch bald wollte Paulus selber den Ernst seiner Bekehrung dartun. Wie überall, begann er auch hier mit Feuereifer seinen neuen Glauben zu verkünden. „Er predigte freimütig im Namen des Herrn. Er redete mit den Heiden und stritt mit den griechisch redenden Juden." (Ap. 9, 28. 29.)

Das zeugte gewiß von Mut. Daß aber er, der früher ihre beste Kraft gewesen war, nun gegen sie Front machte, mußte die Gegner erbittern. Worin jemand gesündigt, wird er bestraft. Der Haß, den Saulus einst geschürt, traf ihn jetzt selber. „Diese aber suchten ihn zu töten!" (Ap. 9, 29.)

Wahrlich, leicht wurde dem Apostel die neue Religion und das neue Amt nicht gemacht. Wohin er den Fuß setzte, brach

170

die Verfolgung aus. Unwillkürlich fühlte die Hölle heraus, welche Gefahr ihr in diesem Manne drohte. Daher ihr wütendes Toben!

Wie Paulus, ergeht es unserer Kirche, ergeht es vielen, die ein ernstes, höheres Leben beginnen. Anstatt daß uns das entmutigt, muß es uns erfreuen, denn es bezeugt, daß wir uns auf dem rechten Wege befinden. „Alle, die fromm leben wollen in Christus Jesus, werden Verfolgung leiden." (2. Tim. 3, 12.)

Wie in Damaskus, wurden aber auch hier die Mordpläne den Christen bekannt. Man riet dem Apostel zur Flucht. Aber zu schwer mochte es dem tatkräftigen Manne wohl erscheinen, abermals seine Wirksamkeit einzustellen. Zu sehr hatte er sich doch darauf gefreut, gerade hier, an der Stätte seiner früheren Schuld, nun Christum predigen zu können. Und um auf diesem steinigen Boden etwas zu erreichen, schien doch auch er gerade der rechte Mann zu sein. Und jetzt weichen? Zweifel und Unklarheit bestürmen seine Seele. In der Bedrängnis stieg er nun eines Tages zum Tempel hinauf, um dort Gott seine Not zu klagen und von ihm Rat zu erbitten.

Während des Gebetes wurde er nun im Geiste entrückt. Er sah den Herrn, der zu ihm sprach: „Eile, und verlaß geschwind Jerusalem, denn dein Zeugnis über mich werden sie nicht annehmen." (Ap. 22, 18.)

Sein Zeugnis nicht annehmen? Das wollte ihm nicht einleuchten, denn als gewesener Pharisäer hielt er sich gerade für die Bekehrung der Pharisäerstadt wie geschaffen, und bescheiden wagte er darum die Einrede: „Herr sie wissen es ja selbst, daß ich es war, der deine Gläu-

171

bigen ins Gefängnis werfen und in den Syna=
gogen geißeln ließ. Und als das Blut deines
Zeugen Stephanus vergoſſen wurde, ſtand
ich dabei, willigte ein und verwahrte die
Kleider ſeiner Mörder." (Ap. 22, 19. 20.) Aber
Gott blieb feſt. „Er aber ſprach zu mir: „Gehe, denn ich will
dich in die Ferne zu den Heiden ſenden."' (Ap. 22, 21.)

Nun fügte ſich der treue Diener demütig. Von den Brüdern
geleitet, begab er ſich zur Hafenſtadt und fuhr zu Schiff in
ſeine Heimat. „Da die Brüder dies erfuhren, geleiteten ſie
ihn nach Cäſarea und ſandten ihn nach Tarſus." (Ap. 9, 30.)

Daß er recht daran getan, ſo entſchieden ſeine eigene Ein=
ſicht dem Willen Gottes und dem Rate erleuchteter Brüder
zu opfern, zeigte ſich bald. Während durch ſeine längere An=
weſenheit neue Verfolgungen die Gemeinde in Jeruſalem be=
droht haben würden, „hatte jetzt die Kirche Frieden in ganz
Judäa, Galiläa und Samaria. Sie feſtigte ſich, wandelte in
der Furcht des Herrn und ward erfüllt mit dem Troſte des
Heiligen Geiſtes." (Ap. 9, 31.) Paulus ſelbſt aber erhielt in
kurzer Zeit ein weit ſegensreicheres Arbeitsfeld zugewieſen,
als Jeruſalem jemals für ihn geweſen wäre. In Jeruſalem
verſtummte ſeine Stimme, aber in Aſien ſollte ſie mit Löwen=
gewalt bald wieder ertönen. Wieder ein Beweis, wie Gottes
Weisheit alles lieblich ordnet. Hier verleidet ſie uns bisweilen
alles Wirken, verſchließt ſie uns alle Türen; wir ſeufzen und
fürchten und ſehen nicht, daß Gott nur eines bezweckt, uns end=
lich an die rechte Tür zu führen, die uns ein weites Feld der
Wirkſamkeit öffnet. Laſſen wir uns darum ganz von ſeinem
Willen leiten!

5. Liebe — des Glaubens schönste Frucht.

(9, 31—43.)

Mit Paulus war der Stein des Anstoßes entfernt, und da außerdem damals gerade manche Aufregung in der politischen Welt die Judenschaft in Spannung hielt, brach für die Kirche im ganzen Heiligen Land eine Zeit des Friedens an. „Die Kirche hatte nun Frieden in ganz Judäa, Galiläa und Samaria. Sie festigte sich, wandelte in der Furcht des Herrn und ward erfüllt mit dem Troste des Heiligen Geistes." (Ap. 9, 31.) Diese Ruhepause benützte Petrus, um alle Gemeinden „zu besuchen". (Ap. 9, 32.) Nicht um einen freundschaftlichen nur, sondern um einen a m t l i ch e n Besuch handelt es sich hier offenbar. Auch ist von der Kirche in Judäa, Galiläa, Samaria die Rede, nicht von den Kirchen: ein Beweis, daß alle Gemeinden zu einem einheitlichen Ganzen zusammengeschlossen waren. Daß aber P e t r u s gerade dieser amtlichen Beaufsichtigung oblag, beweist wieder deutlich seine Stellung als Oberhaupt der ganzen Gemeinschaft. Seine Reise war also die erste päpstliche Visitationsreise der Welt.

Über Judäa und Samaria hinausgehend, suchte Petrus auch das vom Diakon Philippus bearbeitete und teilweise für Christus gewonnene Küstengebiet auf und kam bis nach L y d d a , einem blühenden Flecken, nicht sehr weit vom Mittelländischen Meer. Dort nun sollte seine ganze Macht als Christusträger sich zeigen. „Hier fand er einen Mann mit Namen Äneas. Dieser war gelähmt und lag seit acht Jahren zu Bette. Petrus sprach zu ihm: Äneas, der Herr Jesus Christus macht dich gesund. Steh auf und richte dir selbst dein Bett! Sogleich

173

stand er auf!" (Ap. 9, 33—34.) Da der Gelähmte im Stadt=
bild Lyddas eine bekannte Persönlichkeit war, erregte natür=
lich seine Heilung gewaltiges Aufsehen; nicht nur in der Stadt
selbst, sondern auch in der Umgegend, und wurde vielen An=
laß zum Glauben. „Alle Bewohner von Lydda und Saron
sahen ihn und bekehrten sich zum Herrn." (Ap. 9, 35.) —

Noch war Petrus mit der Unterweisung der Neugläubigen
beschäftigt, da riefen Boten ihn nach dem vier Stunden ent=
fernten Joppe, dem heutigen Jaffa. Diese Jerusalem am
nächsten liegende Hafenstadt spielte bekanntlich nicht nur in
den Kreuzzügen eine Rolle, sondern wird auch heute noch
von den Jerusalempilgern gern als Anlegeplatz benutzt. Wegen
einer Frau nahm man dort seine Hilfe in Anspruch, aber
wegen einer Frau, die seine Hilfe in reichem Maße verdiente.
„In Joppe lebte eine Jüngerin namens Tabitha, das heißt
‚Gazelle‘. Sie tat viel Gutes und spendete reichliche Almosen."
(Ap. 9, 36.)

Tabitha gehörte zu jenen edlen Frauengestalten, an denen
das Christentum zu allen Zeiten so reich war. Eben
dem Glauben gewonnen und von Christi Liebe gerührt, wird
sie selbst ganz Gottes= und Nächstenliebe. Unverehelicht scheint
sie gewesen zu sein, denn von Kindern und Verwandten lesen
wir nichts. Fremde umgaben ihr Todesbett. Von irdischer
Liebe und Sorge losgelöst, wandte sie ihr ganzes Herz dem
Göttlichen zu. Sie war voll guter Werke, voll des Gebetes
und der Tugenden. Besondere Freude bereitete ihr das Wohl=
tun. Begütert scheint sie gewesen zu sein, denn es heißt, daß
sie viele Almosen spendete. Anstatt zu Putz und Nichtigkeiten,
wie Weltdamen, ihr Besitztum zu verwenden, teilte sie es

174

also unter die Armen aus und erkaufte sich damit das Himmelreich.

Aber nicht nur ihr Geld schenkte sie den Bedürftigen des Herrn, sondern auch ihre K r ä f t e. Sie benützte ihre freie Zeit, um den Witwen und Waisen Kleider zu verfertigen. So entwickelte sie sich ganz zur ersten barmherzigen Schwester in der neuen Christenheit.

Ein schönes Vorbild für alle, besonders für alle Alleinstehenden, ihr Leben und ihre Gaben für Arme und Notleidende oder sonst im Dienste der guten Sache zu verwenden. Nicht allen ist es gegeben, Gelder zu spenden, aber könnte man nicht seine Fähigkeiten der leidenden Mitwelt oder der Sache Christi widmen, seine Organisationskraft, seine Feder, seine Stimme, seine Lehrgabe und Kenntnisse?

Der S e g e n dieser Liebestätigkeit blieb nicht aus. Still und ungesehen von der großen Welt hatte Tabitha ihre Werke der Barmherzigkeit gespendet, beim Scheiden aber sollte goldener Glanz ihre Größe offenbaren.

Tabitha erkrankte und rang bald mit dem Tode. Man kann sich denken, mit welchem Schmerz ihre Pflegebefohlenen diese Nachricht vernahmen. Wie oft wohl mochten die Armen und Waisen und Witwen im Hause der Kranken vorsprechen und sich bangend nach dem Befinden derselben erkundigen. Wie oft wohl mit trüben Mienen zurückkehren, hatten sie anstatt guter Nachrichten nur von immer ernster werdender Verschlimmerung vernommen. Und wer beschreibt das Herzeleid, als es nun gar hieß, die treue Dienerin des Herrn sei verschieden. Ungezählte eilten zum Sterbezimmer, bedeckten mit zahllosen Küssen die welkgewordenen Hände, die ihnen so viele Wohl-

175

taten gespendet hatten, netzten mit zahllosen Tränen die sterb=
liche Hülle derer, die ihnen eine so sorgsame Mutter gewesen
war. Sie betrachteten die geschlossenen Augen, den ver=
stummten Mund — wie? — sollten diese sich nie mehr öffnen,
nie mehr so lieb und gut zu ihnen reden? Der Gedanke durch=
schnitt ihnen das Herz! Nein, Tabitha kann nicht für immer
geschieden sein — so sprach's in ihrem Innern. Treue Liebe
wagt immer noch, Unmögliches zu hoffen.

In der Not erinnerte man sich, daß in der nahen Stadt
Lydda Petrus, der Gesandte Christi, weile, daß er dort vor
einiger Zeit einen Lahmen geheilt habe. Ein Hoffnungs=
schimmer leuchtet — ja Petrus muß herbeigeschafft werden.
„Da aber Lydda nahe bei Joppe ist, sandten die Jünger auf
die Kunde, daß Petrus dort sei, zwei Männer zu ihm mit der
Bitte: ‚Säume nicht, zu uns zu kommen.‘ Petrus machte sich
auf und ging mit ihnen." (Ap. 9, 38. 39.)

Mit Ungeduld harrte man seiner Ankunft. Da er jetzt
erschien, war die Freude groß. „Als er angekommen war,
führten sie ihn in das Obergemach. Alle Witwen stellten sich
um ihn her. Sie weinten und zeigten ihm die Unter= und
Oberkleider, welche Tabitha ihnen gemacht hatte." (Ap.
9, 39.)

Wie ergreifend, alle diese Armen an der Bahre ihrer Wohl=
täterin stehen zu sehen und deren Güte in lauten Worten dem
Petrus preisen zu hören. Möchten auch alle, die einst an
unserer Bahre knieen, nur Gutes von uns berichten können!
Möchten wir ihnen allen, ob Eltern, Geschwister oder Kinder
und Pflegebefohlenen, nur den einen Schmerz bereitet haben,
daß wir von ihnen schieden!

176

Wie so ganz anders war doch das Bild der mildtätigen, gott=
innigen Tabitha als das so mancher gottlosen, ausschweifenden,
Dame der damaligen großen Welt! — Denkmäler setzt man
den Großen der Welt, die schönsten Denkmäler setzte sich
Tabitha: in den Witwen und Waisen. Andere hinterlassen
Truhen von Gold und Silber, Tabitha teilte ihre Gaben aus,
aber Besseres erntete sie dafür ein: Herzen voll dankbarer
Liebe und treuen Gedenkens. —

Edel war Tabitha, edel aber auch ihre Pflege=
befohlenen. Bei ihnen bewahrheitete sich das Wort, daß
Undank der Welt Lohn ist, nicht, im Gegenteil: nicht nur der
empfangenen Wohltaten gedachten sie in rührender Weise,
sondern mehr noch der Wohltäterin. Ihr galten die
reichlichen Tränen, ihr auch die Gebete und Bemühungen nach
dem Tode. Möchten doch auch wir so unserer lebenden und
verstorbenen Wohltäter gedenken! Tun wir es?

Möchten aber auch wir nach dem Tod solche Beter und
Beterinnen, solche Anwälte unserer Seele finden! Nicht in
den „lachenden Erben" dürfen wir sie so sehr erhoffen, als
vielmehr in Bedrängten und Leidenden, denen wir uns gütig
erwiesen.

Von der Trauer der guten Seelen tief gerührt, beschloß
Petrus seine ganze Macht zu versuchen. „Petrus hieß
alle hinausgehen, kniete nieder und betete."
(Ap. 9, 40.) Er betete — denn wo der Tod sein Szepter
schwingt, fühlt Menschenkraft zur Ohnmacht sich verurteilt. Da
vermag nur Gottes Wort noch zu helfen, und dessen Hilfe er=
fleht das Gebet.

Er kniete nieder. — Wo heiße Wünsche die Brust

faft fprengen möchten, finkt von felbft der Sterbliche in den
Staub.

„Dann wandte er fich zu dem Leichnam und
fprach: Tabitha, fteh auf! Da öffnete fie die
Augen, fah Petrus an und richtete fich auf.
Er gab ihr die Hand und half ihr auf. Dann
rief er die Heiligen (die in der Taufe Geheiligten)
und die Witwen herein und ftellte fie lebend
vor." (Ap. 9, 40. 41.)

Welches Staunen mochte da wohl alle draußen Harrenden
befallen, als Petrus, die Tür des Gemaches öffnend, ihnen
Tabitha lebend zuführte! Welch' ein Umringen, Händedrücken,
ein Jubel! Schnell verbreitete fich die Kunde, und von allen
Seiten kamen Neugierige und Freunde, die Wiedererftandene
zu fehen. Offenkundig war das Wunder; fo konnte es nicht
ausbleiben, daß viele fich zum Herrn bekehrten. „Dies
wurde in ganz Joppe bekannt, und viele
glaubten an den Herrn." (Ap. 9, 42.)

Die günftige Stimmung ausnützend, fchlug Petrus für die
nächfte Zeit feinen Wohnfitz in Joppe auf und predigte Chriftum.
„Er blieb noch geraume Zeit bei einem gewiffen Simon,
einem Gerber." (Ap. 9, 43.)

Doch Tabithas Gefchichte gibt noch manches zu erwägen.
Nach ihrem Tod begann man für fie zu beten, und die
Gebete bewirkten ihre Errettung aus den Banden der Unterwelt. Ift es nicht ähnlich mit dem Gebet für die Seelen im
Reinigungsort? Werden nicht auch fie durch Fürbitten dem
wahren, dem ewigen Leben gewonnen? Ift es da nicht nötig,
der Seelen unferer Teuren zu gedenken und uns durch Werke

178

der Barmherzigkeit Herzen zu schaffen, die dereinst auch unserer Seele betend zu Hilfe eilen? Aber nur durch Petrus sollte der verstorbenen Tabitha das Heil werden! Versinnbildet das wiederum nicht die Macht der Kirche, die auch im Reinigungsort noch zu binden und zu lösen vermag, und zwar durch den in Ablässen gewährten Nachlaß der zeitlichen Sündenstrafen? Wenden wir all diese Heilsmittel genügend an?

In stiller Verborgenheit hatte Tabitha ihre barmherzige Liebe ausgeübt, aber an ihrer Bahre treten alle Witwen und Waisen auf und zeigen Petrus die Gewänder, die Tabitha ihnen verfertigt hatte. Wird es nicht so sein am jüngsten Tag? Dann, wenn Christus in den Wolken erscheint? Werden dann nicht, wenn unsere Sünden uns anklagen, andere, denen wir Gutes erwiesen, hervortreten und uns zu Verteidigern werden? Kennen wir nicht des Heilands Wort: „Kommet, ihr Gesegneten, denn ich war hungrig und ihr habt mich gespeist; ich war durstig, und ihr habt mich getränkt, ich war nackt, und ihr habt mich bekleidet . . . Was ihr einem dieser, der geringsten meiner Brüder getan, das habt ihr mir getan!" (Mt. 25, 34 ff.)

Tabitha stehe auf! Dieser Weckruf gilt aber auch unserer Zeit mehr als je! Tabitha — das ist ja die verkörperte Liebe und Guttätigkeit. Noch immer ist sie unter uns in stillen Vereinen, an den Krankenbetten, in Waisenhäusern und Altersheimen tätig, aber in der weiten großen Welt erstarb sie immer mehr und an ihrer Statt zogen Kälte, Haß, Klassenkampf ein!

Tabitha — du edle versöhnende Liebe, sieh, wie so viele Witwen und Waisen, so viel Hungernde, Sieche, Bedrückte weinend und hoffend deine Bahre umstehen. Tabitha, du alte christliche Liebe, steh wieder auf, verkläre in Güte die Welt, die der Haß mit Blut und Wunden besäte!

Aber w e r vermag Tabitha zu wecken? Nicht seichtes Gerede von Menschlichkeit und Völkerverbrüderung, sondern allein Petrus, die wahre Kirche des Herrn, die alleinige Erweckerin toter Seelen, die Spenderin der Liebe.

„Wenn jemand die Güter dieser Welt hat, seinen Bruder notleiden sieht und sein Herz vor ihm verschließt, wie kann in dem die Liebe Gottes bleiben? . . . Lasset uns nicht mit Worten noch mit der Zunge lieben, sondern in Tat und Wahrheit." (1. Jo. 3, 17 f.)

III. Die Völker kommen.
(10, 1—11, 30.)
1. Ein Mann nach dem Herzen Gottes.
(10, 1—8.)

Noch war Petrus in Joppe beschäftigt, als man schon wieder anderswo seine Hilfe benötigte. Diesesmal in einer römischen Garnison= und Hafenstadt. „In Cäsarea lebte ein Mann mit Namen Kornelius, Hauptmann in der sogenannten italischen Kohorte. Er war samt seinem ganzen Hause fromm und gottesfürchtig, gab dem Volke viel Almosen und betete immerdar zu Gott." (Ap. 10, 1. 2.)

Eine prächtige Gestalt, dieser Kornelius. In Italien ge= boren, im Heidentum aufgewachsen, ins Soldatenleben ver= setzt, dabei zum Hauptmann aufgestiegen, hatte er sich doch einen reinen Sinn und religiösen Geist bewahrt, was um so mehr zu bewundern ist, da ja auch damals die Garnisonen gerade von dem zügellosen Geist jener Zeit verseucht waren. Schon lange mochte der Offizier mit religiösen Fragen sich be= faßt, schon lange nach tieferer Gotteserkenntnis gerungen haben — da führte ihn ein gütiges Geschick nach Palästina. Hier in der stark mit Juden durchsetzten Hafenstadt Cäsarea zunächst, dann auch auf seinen militärischen Zügen durch das Land, lernte er die Religion der Juden aus nächster Nähe kennen und gewann sie lieb. Bald leuchtet ihm die Wahrheit des einen

von Israel angebeteten Gottes ein, und charaktervoll und
männlich, zog er aus der Erkenntnis die Folgerungen. „E r
w a r f r o m m u n d g o t t e s f ü r d) t i g . . . u n d b e=
t e t e z u G o t t i m m e r d a r." (Ap. 10, 2.)

Nicht gehörte er also zu jenen, die in etwas höhere Stellung
aufgerückt, nun meinen, durch religiöse Gleichgültigkeit oder
sogar durch Unglauben ihre „Überlegenheit" zeigen zu müssen;
er macht aus seiner religiösen Überzeugung kein Hehl,
mögen auch alle Kameraden den Stab über ihn brechen. Er
will den Spottnamen des „Frommen" gerne erdulden. Und
fromm war er von ganzem Herzen. Denn nicht auf einige
Äußerlichkeiten beschränkt sich seine Religiösität, sondern er war
g o t t e s f ü r d) t i g , das heißt die Furcht und Ehrerbietung
vor Gott beseelte sein ganzes Leben. Deshalb suchte er auch
redlich viel Gutes für den Herrn zu tun und sich dessen Wohl=
gefallen immer mehr zu erwerben.

Bei aller soldatischen Pflichtstrenge besaß er sodann ein
g u t e s H e r z. Andere Römer sahen als die Herren ge=
bieterisch und hochmütig auf die Bewohner des Landes herab
und behandelten sie mit herrischer Schärfe. Kornelius aber
zeigte sich allen gütig, menschenfreundlich und herablassend.
Noch mehr: „e r s p e n d e t e d e m V o l k e v i e l e A l=
m o s e n". (10, 2.) Und anstatt, wie viele seiner Kameraden,
in Spiel und Tand seine freie Zeit zu verbringen, suchte er
seine liebste Erholung bei Gott. „E r b e t e t e z u G o t t
i m m e r d a r."

Dabei war er ein ausgezeichneter F a m i l i e n= und
H a u s v a t e r. Allen, der Gattin, den Kindern, den Mägden,
Sklaven und Burschen mußte er seinen sittenreinen, frommen

182

Geist mitzuteilen. „Er war fromm und gottesfürchtig mit seinem g a n z e n H a u f e." (10, 2.) Deshalb waren auch alle ihm mit ganzer Seele zugetan, und konnten seine Boten später dem Petrus über ihn mitteilen, daß er auch beim ganzen Volk der Juden ein gutes Zeugnis habe. (Ap. 10, 22.)

Eins nur quälte ihn immer noch. So manche Erleuchtung ihm auch geworden, so wollte seine tiefdringende Seele doch immer noch nicht ganz zur Ruhe kommen. Er sah, daß zur völligen Läuterung des Inneren und zur vollen Vereinigung mit Gott ihm noch manches fehle. Wer einmal von Gott recht erfaßt ist, der gibt sich mit dem Erreichten ja selten zufrieden. Viele Gebete und viele Almosen opferte er dem Herrn deshalb auf, um höhere Gnade zu erlangen. Nicht ohne Erfolg. Als er eines Nachmittags nach beendetem Morgendienst und Mittagsmahl wiederum frommen Betrachtungen sich widmete, „sah er in einem Gesichte deutlich einen Engel Gottes zu sich hereintreten, der ihn anredete: ‚Kornelius!‘ Er sah ihn an und fragte erschrocken: Was ist Herr? Der antwortete ihm: ‚Deine Gebete und deine Almosen sind emporgestiegen zu Gott, so daß er deiner gedenkt. Sende nun Männer nach Joppe und laß einen gewissen Simon holen, der den Beinamen Petrus führt.'" (Ap. 10, 3—5.)

Wie gut ist doch Gott immer den Seelen, die ihn ernstlich suchen! Wohl läßt er sie eine Zeitlang ringen, wohl sie dunkle Nächte durchleben und Wüsteneien durchschreiten, dann aber um so reicher seine Gnade über sie leuchten.

Einen E n g e l sendet der Herr hernieder! Mehr als wir ahnen, sind wir den Einflüssen sowohl der guten wie der bösen

183

Geister ausgesetzt. Berücksichtigen wir das genügend in unserem Leben und Beten?

„Deine Gebete und deine Almosen sind emporgestiegen zum Andenken vor Gott." Oft will es uns scheinen, als würden unsere Werke und Gebete droben nicht beachtet, denn kein Widerhall läßt sich aus der Höhe vernehmen, kein Bote meldet uns Gottes Dank. Und doch: nichts Gutes, das hienieden geschieht, kein noch so verborgener Seufzer, kein sieghafter Kampf, keine Anmutung der Geduld, Demut oder der Liebe entzieht sich der Aufmerksamkeit und Gegenliebe des Höchsten. Läßt er nicht sofort sein Wohlgefallen merken, so geschieht es, um uns in der Demut zu erhalten und um unser Verdienst zu mehren. Er macht es wie gute Eltern, die, anstatt ihren Kindern schon gleich den Lohn auszuzahlen, für sie unbemerkt Einlagen auf der Sparkasse machen und ihnen später mit einem Schlage die ganze Summe übermitteln. Um so größer ist dann die Freude, je weniger sie geahnt wurde. —

Stillen wollte Gott das religiöse Verlangen des frommen Hauptmanns, aber er wollte es nicht unmittelbar stillen, sondern er wies ihn an Petrus, an den Papst, an die Kirche. — Viele begehren heute eine „persönliche Religion", sie wollen, wie sie sagen, ohne ein Mittelding zu Gott gelangen, wollen ihn unmittelbar erleben, ihn nach eigenem Ermessen erleben und sehen nicht, daß sie Wahngebilden dabei zum Opfer fallen. Der ordnungsgemäße Weg zu Gott führt durch die Kirche. Dem Petrus sind die Schlüssel zum Gottesreich gegeben, und allen, welche böswillig die Kirche nicht hören, ist gesagt, daß sie sein sollen wie ein

184

Heide und öffentlicher Sünder. „Sende, spricht darum der Herr zu Kornelius, Männer nach Petrus . . . Er wird dir sagen, was du tun sollst." Einiges Licht gibt Gott der Seele unmittelbar, weitere Leitung aber will er uns durch Menschen zuteil werden lassen. Wie wichtig also, solche Hinweise Gottes auf diese menschlichen Helfer sofort zu beachten!

Wie treu tat das Kornelius! Petrus war ihm unbekannt. Daß er bei einem Gerber wohnte, war auch für den Hauptmann nicht gerade vielversprechend, und doch folgte er sofort dem ihm geworbenen Rate.

Andere hätten nun wohl die Sendung möglichst geheim gehalten, besonders vor ihren Kameraden. Kornelius aber kennt solche Scheu nicht. Offen weiht er zwei seiner Knechte und einen Soldaten seiner Truppe in seine religiösen Pläne ein. „Als der Engel, der mit ihm geredet, weggegangen war, rief er zwei seiner Diener und einen gottesfürchtigen Soldaten von denen, die bei ihm Dienst hatten. Diesen erzählte er alles und sandte sie nach Joppe." (Ap. 10, 7. 8.) In allem erwies er sich also als ein ganzer Mann, stark und fest, tapfer und pflichttreu, gerecht und fromm, menschenfreundlich und gütig, gottesfürchtig und vor den Menschen nicht bangend, deshalb fand er Gnade bei Gott.

2. Eine gnadenreiche Gebetsstunde.
(10, 9—23.)

Einen Tag waren die Abgesandten des Hauptmanns schon an der Küste entlang gewandert und näherten sich Joppe. Da wurde Petrus wunderbar auf ihre Ankunft vorbereitet. Um

185

die sechste Stunde, also um die Mittagszeit, als man noch mit der Zurichtung der Mahlzeit beschäftigt war, stieg Petrus auf das Dach hinauf, um zu beten. — Wiederum ein Antrieb für uns, die sogenannten verlorenen Augenblicke, Augenblicke des Wartens, der Pause, in denen es nichts Besonderes zu tun gibt, gut auszunutzen, sei es durch ein kurzes Ausruhen in Gott, sei es durch eine kurze Nachprüfung des verflossenen und durch gute Neueinstellung des noch verbleibenden Teiles des Tages. Petrus benutzte die verlorenen Augenblicke vor der Mahlzeit, der Kämmerer von Äthiopien die der Reise. Aufmerksamen Seelen stehen solche Zeiten leicht zu Gebote. Manche haben die Gewohnheit, beim Stundenschlag sich zu sammeln. Sehr heilsam: fließen doch die Stunden wie Wellen dahin und erinnern jeden an die letzte, die einmal heranrauschen und uns mit ins Meer der Ewigkeit hinabführen wird.

Petrus betet um die s e c h s t e S t u n d e (zwölf Uhr), der Hauptmann um die neunte (drei Uhr), andere um die dritte (neun Uhr morgens). Das waren die Gebetszeiten der Juden, die von den ersten Christen um so lieber eingehalten wurden, als für sie diese Zeiten Gedenkzeiten großer Er= eignisse waren. Um die dritte Stunde senkte sich der Heilige Geist hernieder, um die sechste ward der Erlöser am Kreuz er= höht und um die neunte neigte er unter der Verfinsterung der Sonne sein Haupt im Tode. Später, im Lärm der Welt mehr vergessen, blieb in den Klöstern und Kathedralkirchen das Stundengebet treu gewahrt, und dem katholischen Priester ist es ja heute noch heilige Pflicht. Gewiß ein schöner Gebrauch.

Zum Beten stieg Petrus z u m D a c h e h i n a u f. Dort droben, in der weltentrückten Stille mit der entzückenden Aus=

186

ſicht auf das friedliche blaue Meer, öffnete ſich der Geiſt eher den überirdiſchen Gedanken und Einwirkungen. — Gott findet, wer das Geräuſch der Welt flieht.

Während des Gebetes ward der Apoſtel plötzlich im Geiſte entrückt. „Er ſah den Himmel offen und ein Gefäß herab= kommen wie ein großes Leintuch, das an den vier Enden vom Himmel auf die Erde herabgelaſſen wurde. Darin waren vier= füßige und kriechende Tiere der Erde und Vögel des Himmels aller Art. Eine Stimme rief ihm zu: Steh auf, Petrus, ſchlachte und iß! Petrus erwiderte: Nein, Herr, noch nie habe ich Ge= meines oder Unreines gegeſſen. Zum zweitenmal rief ihm die Stimme zu: Was Gott für rein erklärt hat, ſollſt du nicht unrein nennen. Dies geſchah dreimal. Plötzlich wurde das Gefäß wieder in den Himmel emporgehoben." (Ap. 10, 11 bis 16.)

Was ſollte die Erſcheinung beſagen? Zugemutet wurde zu= nächſt dem Petrus, von Tieren zu eſſen, die den Juden als unrein galten. Auf ſein Sträuben wurde ihm erwidert, daß die nur durch das altteſtamentliche Geſetz beſtimmte, damals in weiſer Abſicht beſtimmte Scheidung in „reine und unreine" Speiſen jetzt durch den höheren Willen Gottes aufgehoben ſei. „Was Gott gereinigt hat, nenne du nicht gemein." Aber auf die S p e i ſ e n beſchränkten ſich die Unreinheitsanſichten des Judentums nicht, ſie dehnten ſich auch auf gewiſſe L e b e n s = v e r h ä l t n i ſ ſ e , B e r u f e u n d P e r ſ o n e n aus. Als unrein galt auch jeder Unbeſchnittene, beſonders der Heide, deſſen Verkehr darum auch aufs ſtrengſte gemieden wurde. Aber auch dieſe Schranken ſollten fallen. K o r n e l i u s , d e r H e i d e , w a r t e t e ſ c h o n a u f d e n B e ſ u c h

Petri. Wäre diesem aber keine Aufklärung zuteil geworden, hätte er vielleicht eine Einkehr bei dem Hauptmann für unvereinbar mit seinem Gewissen gehalten, um so mehr, als sein Wort: „Das sei fern Herr, denn niemals habe ich etwas gegessen, was gemein und unrein ist" (10, 14), seine große Strenge in diesem Punkte erkennen läßt. Dem aber wollte Gott durch die Erscheinung vorbeugen.

„Petrus war noch bei sich im Zweifel, was das Gesicht, das er gesehen, bedeutete. Siehe, da hatten die Boten des Kornelius das Haus des Simon erfragt und standen jetzt am Tore. Sie riefen und fragten an, ob Simon, mit dem Beinamen Petrus, da zu Gaste sei. Während Petrus über das Gesicht nachsann, sprach der Geist zu ihm: Siehe, drei Männer suchen dich. Wohlan, steh auf, steig hinab und geh mit ihnen ohne Bedenken; denn ich habe sie gesandt." (Ap. 10, 17—20.)

Teilweise nur wurde dem Apostel die seiner harrende Aufgabe enthüllt, das Weitere sollte ihm allmählich werden. So liebt es Gott ja oft, seinen Dienern nur die nächstliegende Wegstrecke zu enthüllen, um so ihren Gehorsam zu prüfen, ihr Vertrauen blinder und dadurch heldenmütiger zu gestalten. Petrus aber war ein Gehorsamer und sich Gottes Führung blind Anvertrauender. Obschon „Unreines" zu genießen bis dahin gegen seine innerste Überzeugung gewesen war, ist er jetzt, wo Gott gesprochen, sofort bereit, seine Ansicht zu opfern. „Petrus ging hinab zu den Männern und sprach: Seht, ich bin es, den ihr sucht, was ist der Grund, warum ihr gekommen seid? Sie sprachen: Der Hauptmann Kornelius, ein gerechter und gottesfürchtiger Mann, der in gutem Rufe steht beim ganzen Judenvolk, er erhielt Weisung durch einen heiligen

188

Engel, dich in sein Haus holen zu lassen und dich zu hören. Da führte er sie hinein und beherbergte sie. Am folgenden Tage machte er sich auf und reiste mit ihnen; einige der Brüder aus Joppe begleiteten sie." (10, 21—23.)

3. Treues Gottfuchen.
(10, 24—34.)

Rüstig wanderte die Reisegesellschaft am Gestade des Meeres einher. Nach einem Tage war Cäsarea erreicht. Man durchschritt das Tor, die nächstgelegenen Straßen mit ihrem Menschengewühl und kam zum Hause des Hauptmanns. „Kornelius erwartete sie und hatte seine Verwandten und nächsten Freunde zusammengerufen. Als Petrus eintrat, kam ihm Kornelius entgegen, fiel vor ihm nieder und huldigte ihm. Petrus hob ihn auf mit den Worten: Steh auf, auch ich bin ein Mensch! und mit ihm redend, trat er ein. Er fand da viele versammelt." (Ap. 10, 24—27.)

Welch' edle Gesinnung tritt hier wieder zutage! Kornelius hat Verwandte und Freunde zu sich eingeladen und harrt voll Sehnsucht des Dieners Gottes, teils wohl, um den Empfang ehrenvoller zu gestalten, teils auch, um jene an den kommenden Gnadenstunden teilnehmen zu lassen. Nie aus seiner Religiosität Hehl machend, versäumt er keine Gelegenheit, auch andere zu dem Licht zu führen, das ihm aufgegangen war.

Wie rührend sodann der Empfang. Kornelius kannte den Petrus nicht. Von einem „gewissen Simon" hatte der Engel Gottes gesprochen. Er mochte sich wohl einen Gelehrten oder einen Rabbi darunter vorstellen. Vielleicht hatte er sich auch eine

189

hohe Meinung von Gestalt und Aussehen des Verheißenen im Geiste gebildet. Nun trat dieser durch die Tür des Hauses. Kein Weltweiser, kein Gesetzeslehrer, sondern ein einfacher, wissenschaftlich nicht gebildeter Mann, ein Fischer im schlichten Gewand! Gleitet nicht etwas wie Enttäuschung über die Züge des Offiziers? Macht nicht die frohe Erwartung einer gewissen Kälte, der geplante herzliche Empfang einer kühlen Förmlichkeit Platz? So wäre es wohl bei anderen der Fall gewesen. Kornelius aber sieht in dem Wanderer den G e s a n d t e n G.o t t e s und von Ehrfurcht durchdrungen fällt er dem Diener des Herrn zu Füßen und verehrt ihn. Er, der Hauptmann, den Fischer! In seiner Demut kam er, der Gottbegehrende, sich doch arm und unwürdig vor im Gegensatz zu dem so reich beschenkten Diener des Höchsten. Und mochte er auch an irdischem Rang dem Manne von Galiläa überlegen sein, so viel wußte der Neubekehrte doch schon, daß die allein entscheidende Rangordnung bei Gott die der Gnade ist. Da aber war der Fischer ihm überlegen und das erkannte er in kindlicher Bescheidenheit an. Diese Demut aber mußte Gott mit neuen Gnaden lohnen.

„Petrus hob ihn auf, und mit ihm r e . b e n d , ging er hinein." (10, 26 f.) Gottesfreunde brauchen ja nie lange, miteinander bekannt zu werden. Ein Blick, einige Äußerungen genügen für sie, sich eins zu fühlen.

Da den Heiden die Abschließung der Juden ihnen gegenüber bekannt war, glaubt Petrus, um nicht in den Verdacht der Treulosigkeit gegenüber seinen Grundsätzen zu kommen und dadurch seinem Ansehen als Gottesmann zu schaden, sich rechtfertigen zu müssen. „Er sprach zu ihnen: Ihr wißt, daß es einem

190

Juden nicht erlaubt ist, sich einem Fremden anzuschließen und sich ihm zu nahen. Mir aber hat Gott gezeigt, keinen Menschen gemein oder unrein zu nennen. Darum bin ich ohne Bedenken gekommen, als man mich holte. So frage ich denn: Aus welchem Grunde ließt ihr mich rufen?" (Ap. 10, 28. 29.) Kornelius erzählt nun das ihm gewordene Gesicht und schließt: „So sandte ich denn sogleich zu dir und du hast wohl getan, daß du gekommen bist. Nun stehen wir alle vor dir, alles zu hören, was dir vom Herrn ist aufgetragen worden." (Ap. 10, 33.)

Ergreifend der Glaubensgeist, der wieder aus diesen Worten spricht. Nur ein einfacher Mann steht vor ihm und doch sieht Kornelius in ihm den Mann, den Gott ihm gesandt hat, durch den Gott zu ihm zu reden gedenkt, und mit gehobenem Herzen und in feierlicher Stille harrt er mit seinem ganzen Hause der Aufträge, die Gott ihm zu geben sinnt. — Ein Vorbild der Gesinnung, mit welcher jede Gemeinde zu dem Prediger auf der Kanzel aufschauen sollte, nicht den Menschen betrachtend, nicht seine Ausdrucksweise beurteilend, sondern auf Gott blickend, der durch seinen Diener himmlische Gaben zu senden gedenkt. Dann auch würden so manche Auswüchse wie ungesundes Schwärmen für eine bestimmte Person, Haschen nach persönlichen Genüssen, einseitige Auswahl bestimmter Redner und andere schwinden. Wohl mag ja die Art des einen Predigers einem mehr geben als die des anderen, da ist eine Auswahl in geordneten Grenzen nicht zu verwehren, da ist ja die Sache ausschlaggebend; wo aber das Herz sich an die Person hängt, wo der Erfolg nicht Bereicherung mit Gnade, sondern

191

nur neue Bewunderung und neuer Genuß an der Person und dem Können des Predigers ist, da wird Gottes Werk zu menschlichen Zwecken herabgewürdigt. Stets, wo der Prediger auf der Kanzel erscheint, sollte die Stimmung aller die des Kornelius sein. „Nun stehen wir alle vor dir, alles zu hören, was dir vom Herrn ist aufgetragen worden." (10, 33.)

Kornelius hatte seine Bitte um Belehrung ausgesprochen und schwieg. Feierliches Schweigen, wie einst in der Bethlehems=nacht, wo Gottes menschgewordenes Wort erschien. Auch hier sollte es abermals sich kundtun.

4. Wahres Familienglück.
(10, 34—11, 18.)

Da tat Petrus seinen Mund auf und sprach: „Nun weiß ich gewiß, daß Gott nicht auf die Person sieht, sondern aus jedem Volke ist ihm angenehm, wer ihn fürchtet und Ge=rechtigkeit übt." (Ap. 10, 34. 35.) Was will Petrus damit sagen? Will er damit dem religiösen Indifferentismus, der da sagt: „Alle Religionen sind gleich gut", das Wort reden? O nein, er verweist ja gleich darauf den Heiden an die christ=liche Religion. Kornelius ist ja auch durch den Engel Gottes ausdrücklich an Petrus, das Oberhaupt der katho=lischen Kirche gewiesen. Wären alle Religionen gleich gut, dann hätte Gott den Hauptmann mit Petrus und dessen Kirche nicht zu behelligen brauchen. Daß er es aber tat, be=zeugt, daß es in Gottes Augen nur eine berechtigte Religion gibt, die des Petrus.

Das „Gott genehm" will hier nicht sagen: Gott schon zur

Annahme in das e w i g e L e b e n g e n e h m , sondern: Gott
zur Aufnahme in d a s C h r i ſ t e n t u m genehm. Das war
hier ja die Frage, ob nur den J u d e n das Chriſtentum offen
ſtehe oder auch den Heiden, und ob der die chriſtliche Taufe
begehrende Heide deshalb ſich zuvor beſchneiden laſſen und
Jude werden müſſe, oder ob er ohne dieſen Umweg geraden=
wegs zum Chriſtentum gelangen könne. Wie alle Iſraeliten
der damaligen Zeit, lebte Petrus anfänglich der erſteren An=
ſicht, nun aber ward er belehrt, daß Gott bei Aufnahme in
die chriſtliche Kirche nicht auf die ä u ß e r e Perſönlichkeit ſehe,
ob ſie Jude oder Heide iſt, ſondern auf die G e ſ i n n u n g ,
ob ſie ihn, den einen wahren Gott, anerkenne und fürchte.

Die das Urchriſtentum ſo tief bewegende Frage nach dem
Verhältnis des alten moſaiſchen Geſetzes zum neuen, iſt alſo
nicht durch Paulus, wie manche es darſtellen, zuerſt beantwortet
worden, ſondern durch P e t r u s. Bezeichnend wiederum:
Alle großen Entſcheidungen überträgt Gott dem von ihm er=
nannten Oberhaupt der Kirche, dem erſten P a p ſt. Wohl gab
es ſpäter dieſerhalb noch einige Kämpfe, aber g r u n d =
ſ ä ß l i ch war hier die Sachlage entſchieden.

Mit ſeinem demütigen Verlangen war Kornelius weit auf
dem Weg des Heiles vorangerückt, aber zur vollen Begnadigung
bedurfte es noch des Anſchluſſes an den, der von ſich geſagt:
daß er das Leben ſei. — Deshalb beginnt Petrus nun ſofort
damit, den heilsbegierigen Anweſenden J e ſ u m C h r i ſ t u m
zu predigen. „Gott ſandte das Wort den Kindern Iſraels und
verkündete Frieden durch Jeſus Chriſtus. Dieſer iſt aller Herr.
Ihr wißt, was ſich zugetragen hat in ganz Judäa, angefangen
von Galiläa nach der Taufe, die Johannes predigte — wie

Gott ihn, Jesus von Nazareth, salbte mit heiligem Geiste und Kraft; wie er umherzog, Wohltaten spendend, und alle vom Teufel Überwältigten heilte. Denn Gott war mit ihm. Wir sind Zeugen von allem, was er getan im Lande der Juden und zu Jerusalem. Ihn haben sie getötet, indem sie ihn ans Kreuz hängten. Diesen erweckte Gott am dritten Tag und ließ ihn erscheinen, nicht dem ganzen Volk, sondern den von Gott vorher bestimmten Zeugen, uns, die wir mit ihm gegessen und getrunken haben nach seiner Auferstehung von den Toten. Er hat uns geboten, dem Volk zu predigen und zu bezeugen, daß er sei der von Gott bestimmte Richter über Lebendige und Tote. Für ihn legen Zeugnis ab alle Propheten, daß jeder, der an ihn glaubt, durch seinen Namen Vergebung der Sünden erlange." (Ap. 10, 36—43.)

„Ihr kennt die Begebenheit, welche sich durch ganz Judäa zugetragen hat." Das große Aufsehen, das Jesus Christus in ganz Palästina gemacht, die vielen wunderbaren Taten, die er vollführt, waren also dem Hauptmann bekannt. Wie konnte es anders sein: erzählte doch das ganze Land davon; befand sich der Hauptmann doch auch in der Residenz der Landpfleger, hatte er wohl auch schon unter Pilatus daselbst gestanden und war er — das dürfen wir mit Recht annehmen — als Begleiter der Landpfleger zu den Festen in Jerusalem gewesen. Vielleicht war es gerade die von Christus ausgehende Bewegung gewesen, die ihn zur Vertiefung seiner religiösen Anschauungen und zum Gottesglauben führte.

Was sagen zu dieser Rede Petri alle diejenigen, die Christi Leben und Taten leugnen? Wären letztere eine Erfindung, wie konnte denn ein Petrus zu einem Heiden, einem römischen

194

Hauptmann so reden? Hätte dieser nicht geantwortet: „Wie, du berufft dich auf einen gewissen Jesus, der zu unserer Zeit noch gelebt, Großtaten im ganzen Land ausgeführt haben und gekreuzigt sein soll — uns allen ist davon aber nichts bekannt. Auf solche Märchen hin soll ich dir, einem ungebildeten Fischer, glauben und meine altererbte Religion aufgeben? Da bleib mir ferne!"

Aber nein! Nichts von solchen Einwendungen. Im Gegenteil: auf diesen Hinweis hin beugt der Hauptmann sich demütig dem Evangelium.

Von Gott selbst wird er darin bestärkt. „Während Petrus noch redete, kam der Heilige Geist auf alle, welche das Wort hörten. Die Gläubigen aus der Beschneidung, die mit Petrus gekommen waren, staunten, daß auch über die Heiden die Gnade des Heiligen Geistes ausgegossen wurde. Denn sie hörten sie in fremden Sprachen reden und Gott lobpreisen. Da sprach Petrus: Kann nun noch jemand das Wasser der Taufe denen versagen, die den Heiligen-Geist empfangen haben wie wir? Und er befahl, sie zu taufen im Namen des Herrn Jesus Christus." (Ap. 10, 44—48.) —

Ein Doppeltes war mit dieser Geistessendung erreicht: einmal wurde den Worten Petri das göttliche Siegel aufgedrückt, für Kornelius und sein Haus eine Erhöhung des Sicherheitsgefühls; dann aber wurde sowohl dem Petrus als auch den anderen Judenchristen Gottes Wille betreffs der Aufnahme der Heiden in die Kirche klar kundgetan. Wer von Gott, genau wie jene, im Heiligen Geiste getauft war, der durfte auch die ergänzende Taufe im Wasser empfangen. Aber er m u ß t e sie auch empfangen. Petrus entbindet von der Taufe nicht. Von Anbeginn der Kirche an ist die Taufe das durchaus notwendige Mittel zur Rechtfertigung gewesen. Gewöhnlich erfolgte die Geistessendung erst n a ch der Taufe, hier ausnahmsweise v o r derselben, weil Gott die Würdigkeit der anwesenden Heilsbegierigen zur Taufe durch erstere dartun wollte. Der Weg zur Aussöhnung und Freundschaft mit Gott ist also hier gleich in den ersten Anfängen so vorgezeichnet, wie die wahre Kirche ihn stets vorgeschrieben hat: durch Christus zu Gott, durch Petrus, die Kirche, zu Christus, durch das Tor der Taufe zur Kirche.

Reiches Licht wirft die Bekehrung des Kornelius auf das W a l t e n d e r G n a d e. Ihn, den inmitten des heidnischen Aberwitzes Geborenen, verschlägt sie aus seinem Mutterlande Italien in die entlegene palästinensische Garnison. Dort, im Lande Jahwes, lehrt sie ihn durch die jüdische Umwelt zuerst den einen wahren Gott, dann Gottes Sohn, Jesus Christus und dessen Kirche kennen.

In ebenso schöner Weise zeigt sich aber auch an Kornelius die T r e u e g e g e n ü b e r d e r G n a d e. Sobald dieser sich aus der Irrtumsnacht zum Glauben an den einen wahren Gott durchgerungen, beginnt er diesem treu, ja mit erfreulichem Eifer zu dienen. Zur Belohnung hierfür auf Petrus hingewiesen, ruft er diesen herbei. Von Petrus über Christus belehrt, beugt er sich demütig dessen Joch. Die Wahrheit der Kirche sodann erkennend, schließt er sich mit seinem ganzen Hause sofort ihrer Gemeinschaft an. So wurde er das Muster eines wahren, ernsten Gottsuchers. Darum auch ein Gott-

196

finder. „Die Weisheit hat ihr Haus gebaut . . . ihren Tisch bereitet. Ihr Ruf ergeht . . . Wem es an Einsicht gebricht, zu dem spricht sie: Kommet und genießet von meiner Speise und trinkt von dem Wein, den ich gemischt habe . . . Denn wer mich findet, der findet das Leben und erlangt Wohlgefallen bei dem Herrn." (Spr. 9, 1 ff.; 8, 35.)

Wie schön leuchtet sodann in dem ganzen Vorgang G o t t e s B a r m h e r z i g k e i t wieder. Allerlei Erdengetier und Ge= würm enthielt das leinene Tuch, das Petrus sah, und doch wurde es mit dem ganzen Inhalt, nachdem dieser von Gott gereinigt war, in den Himmel aufgenommen. Ein treffendes Bild der göttlichen Barmherzigkeit. Täglich neigt sie sich zu uns her= nieder und kehrt mit ungezählten Seelen, die bislang der Sünde und Finsternis dienten, heim. Sünderinnen und Zöllner, Schächer und Kirchenverfolger, alle weiß sie, wo guter Wille vorhanden ist, zu reinigen und denen droben zu= zugesellen, die kein Staub berührte. Gott versteht schnell zu reinigen, was bis dahin unrein war. Niemand nenne darum noch gemein, was Gott gereinigt hat. Niemand aber auch verzage. Paulus steht droben neben Petrus, Magdalena neben Maria. Was unrein ist, nahe sich Gott und es wird auch durch ihn gereinigt werden. —

Manchen Tag blieb Petrus noch im Familienkreise des Hauptmanns; dann begab er sich nach Jerusalem zurück. Dort hatte sich eine nicht geringe Aufregung der Gemüter be= mächtigt. „Die Apostel und die Brüder in Judäa hörten, daß auch die Heiden das Wort Gottes angenommen haben. Als nun Petrus nach Jerusalem hinaufgekommen war, machten ihm die aus der Beschneidung Vorwürfe: Warum bist du zu

197

den Unbeschnittenen gegangen und haft mit ihnen gegessen?"
(Ap. 11, 1—3.)

Daß jenen die Tat Petri befremdlich erschien, ist gewiß zu
entschuldigen, daß sie aber sofort st r i t t e n und dem Apostel
V o r w ü r f e m a ch t e n, war verfehlt. Überall aber gibt
es solche Übereifrige, die das, was von ihren herkömmlichen
Ansichten abweicht, sofort als nicht recht, als unchristlich und
unkirchlich brandmarken. Gewiß ist der echte Geist vom falschen
streng zu scheiden, aber man hüte sich doch auch, den seinen als
den allein richtigen voreilig hinzustellen. P e t r u s hatte den
Geist Gottes, nicht seine Ankläger. Nicht nach dem eigenen
Empfinden, das nur zu oft mit Eigenliebe durchsetzt ist, sind
solche Fragen also zu entscheiden, sondern nur nach leidenschafts=
los und gründlich erwogenen Grundsätzen. Wem diese nicht
zu Gebote stehen, der tue wenigstens eins: er sei in seinem Urteil
zurückhaltend, damit er nicht dem Irrtum verfalle und die
Liebe verletze, wo er der Wahrheit und Gottverherrlichung zu
dienen gedenkt. Manche im öffentlichen Leben tätige ehren=
werte Laien und Priester haben schwer Unrecht leiden müssen,
weil man ihr Vorgehen, wie das des Petrus in seinen letzten
Absichten, nicht verstand.

Petrus seinerseits hatte nun allerdings auch nicht nach rein
persönlichem Ermessen, sondern auf ausdrückliche Anweisung
und Erleuchtung Gottes hin gehandelt. So war es ihm ein
leichtes, sich zu rechtfertigen. Eingehend erzählt er den Ver=
sammelten die ihm gewordene Erscheinung, und mit reinem
Schild geht er aus dem Kampfe hervor. Nun auch geben sich
die Erregten zufrieden, anstatt wie jene es machen, die in
ihrem Eigensinn auf keine Gründe hören, sondern immerfort

198

noch auf Gegengründe sinnen, um nur ja nicht von ihrer An=
sicht lassen und sich als Besiegte erklären zu müssen. „Als
sie dies gehört hatten, schwiegen sie, priesen
Gott und sprachen: ,Also auch den Heiden hat
Gott die Buße verliehen, die zum Leben
führt." (Ap. 11, 18.)

Sie schwiegen; ja mehr: sie priesen Gott, daß er auch den
Heiden Buße zum Leben verliehen. Das war wahrer Eifer,
für Gottes Sache! Wo Gottes Sache ihnen gefährdet
schien, da erlaubten sie sich Einwände; wo sie klargestellt wurde,
da gaben sie alle persönlichen Absichten auf. Und alle Eng=
herzigkeit! Andere gönnten, als echte Juden, den Heiden noch
immer die Gleichstellung mit ihnen selbst nicht. Diese aber,
nur das Heil der Seelen begehrend und nur durch Vorurteile
bisher von den Heiden abgehalten, ließen ihrer Freude vollen
Lauf, daß es ihnen vergönnt sei, nun auch allen Außenstehenden
das Leben vermitteln zu dürfen.

5. Zu Antiochien.
(11, 19—30.)

Die erste Bresche in die alten Vorurteile war gelegt;
bald sollte die ganze Absperrungsmauer zwischen Juden= und
Heidenwelt fallen.

Von den zur Zeit der Stephanusverfolgung Zersprengten
waren manche bis Phönizien und Zypern, andere sogar bis
Antiochia am Orontes vorgedrungen, überall wie wandelnde
Fackeln, das neue Licht verbreitend. In Antiochia harrte der
Schnitter eine besonders reiche Ernte.

Die Stadt war erst ungefähr dreihundert Jahre alt. Im

199

Jahre 332 vor Christus hatte Alexander der Große von Maze=
bonien den Thron bestiegen und sich bald auch Syrien unter=
worfen. Mit ihm drang das Griechentum in den Orient. Nach
seinem Tode spaltete sich das Riesenreich in zehn Teile, und
Syrien kam an Seleukus I., den Begründer der Seleuziden=
dynastie. Dieser gründete nun zur Verherrlichung seines Sieges
über seine Gegner die Stadt Antiochien und erhob sie zur
Residenz des Weltreiches. Ganz nach griechischem Muster ge=
baut, war sie mit schönen breiten Straßen ausgestattet, deren
eine, 6½ km lang, vier überdachte Säulenreihen aufwies. Die
herrlichen Häuser, Wasserleitungen, Statuen, Gartenanlagen
verliehen der Stadt ein prächtiges Aussehen. Von den ganzen
500 000 Einwohnern bestand die größere Oberschicht aus
Griechen, die untere aus einheimischen Syrern. Doch hatten
sich daselbst, als in einem Mittelpunkt des Weltverkehrs, auch
Angehörige anderer Völkerschaften angesiedelt. Unter diesen
waren die Juden recht zahlreich und mächtig.

Auch in dieser Stadt nun faßten flüchtige Christen aus
Jerusalem festen Fuß und machten, eifrig wie immer, auch
hier für ihren neuen Glauben Stimmung. Anfänglich wandten
sie sich ausschließlich an ihre Stammesbrüder, bald aber machten
sie sich auch an die Heiden heran. „Einige unter ihnen,
Männer aus Zypern und Zyrene, kamen nach
Antiochien und predigten dort auch den Hei=
den die frohe Botschaft vom Herrn Jesus."
(Ap. 11, 20.)

Der rege Großstadtverkehr sowie religiöses Verlangen,
hatten schon früher die Griechen den jüdischen Synagogen
nähergebracht. Zudem war all diesen mit Finsternis und Sünde

290

ringenden Heiden die Botschaft vom Erlöser Christus wirklich eine frohe Botschaft. Zu lange schon hatten sie sich ja nach Entsündigung gesehnt, zu oft in allen möglichen Geheimkulten Erlösung vergebens erstrebt. So konnte es nicht ausbleiben, daß mit Gottes Gnade den Kündern Christi manche reife Frucht in den Schoß fiel. „Die Hand des Herrn war mit ihnen, und eine große Zahl wurde gläubig und bekehrte sich zum Herrn." (Ap. 11, 21.)

Treffliche Arbeit für Christus war von diesen einfachen Auswanderern in der fernen Heidenwelt geleistet; eine ganze neue Gemeinde des Mannes von Golgatha war von ihnen gebildet worden; wiederum ein Erweis, was tiefgläubige Männer und Frauen auch aus dem Laienstande für Gottes Sache zu tun vermögen! — Da galt es nun aber, die viel= versprechenden Anfänge fachkundig auszubauen und die neue Kirche mit der Gesamtheit, zumal mit der kirchlichen Ober= leitung in Jerusalem, fester zu verknüpfen. „Die Kunde hiervon kam zu den Ohren der Kirche in Jeru= salem. Man sandte den Barnabas nach An= tiochien. Als dieser hinkam und die Gnade Gottes sah, freute er sich und ermahnte alle, bei dem Vorsatz ihres Herzens zu beharren im Herrn. Denn er war ein trefflicher Mann und voll Heiligen Geistes und Glaubens. Und eine große Zahl wurde für den Herrn gewonnen." (Ap. 11, 22—24.) — Nicht erst später hat sich also die straffe Organisation der Kirche herausgebildet, sondern von Anfang an ist das Apostelkollegium mit dem Papsttum an der Spitze der Kristallisationspunkt, der alle neugegründeten

201

Gemeinden an sich zieht und um den alle sich bereitwillig lagern.

Unermüdlich durchzog Barnabas die Stadt, aber bald wurde ihm der Arbeit zu viel. Er begehrte nach Hilfe, und da gedachte er des Paulus. Dieser, aufgewachsen in einer ähnlich wie Antiochien zusammengesetzten Stadt, mit dem Griechentum vertraut und griechisch redend, schien wie kein anderer geeignet, ihm zur Seite zu stehen. Aber Paulus hatte sich nach seinen Erlebnissen in Jerusalem still in seine Vaterstadt zurückgezogen. „Barnabas reiste nach Tarsus, um den Saulus aufzusuchen. Er fand ihn und brachte ihn nach Antiochien. Sie wirkten ein volles Jahr in der Kirche zusammen und unterrichteten eine große Zahl." (Ap. 11, 25. 26.) Eine verdoppelte Tätigkeit setzte also ein, und der Ertrag war groß. Bald bildete sich eine der blühendsten Christengemeinden heran. Nach Jerusalem wurde Antiochien der zweite Mittelpunkt des Urchristentums. Von hier ging die weitere Bekehrung der Heidenwelt aus. Jerusalem, Antiochien, Rom — das waren die drei Etappen der neuen Religion. Ersichtlich ist hier auch wieder, daß das Christentum in seinen Anfängen Stadtreligion war. Mit Vorliebe suchte es zu allererst sich der Großstädte zu bemächtigen. Hier, an den Sammelorten der Völker und ihren Kulturen, ist der Geist ja meist lebendiger und neuen Ideen zugänglicher als auf dem flachen Lande. Von hier aber auch, als Mittelpunkten des Verkehrs, dehnen sich neue Geistesrichtungen bald strahlenförmig über das Land aus, um so leichter, als dieses ja in allem auf die Großstädte als sein Vorbild schaut. Eine ernste

202

Mahnung für alle Großstadtbewohner, dieser erzieherischen Aufgabe durch tiefe Frömmigkeit und Sittenstrenge gerecht zu werden!

Nicht viele Einzelheiten werden uns aus dem ersten Gemeindeleben Antiochiens berichtet, aber wir können uns denken, wie es sich abspielte. Am Tage in ihren Berufsgeschäften über die ganze Stadt verteilt, suchten die Gläubiggewordenen, wo sich nur ein passender Anknüpfungspunkt bot, in der Werkstatt und auf dem Markt, im Geschäft und in der Schreibstube, Jesum Christum bekannt zu machen und dem Paulus und Barnabas Zuhörer unter den Heiden zu gewinnen. Am Abend begab man sich dann zu den Versammlungsräumen, lauschte hier den Unterweisungen der Apostel und nahm teil an der Feier des Brotbrechens.

So wenig uns aber auch von dem Kirchenleben der syrischen Hauptstadt überliefert worden ist, eines wurde uns doch bekannt: die Neugläubigen hoben sich durch ihre Frömmigkeit, Sittenstrenge und ganze Lebensart bald so sehr von allen anderen ab, daß man ihnen einen besonderen Namen beilegte, den Namen ihres Stifters. Bis dahin immer noch als eine jüdische Abart angesehen, wurden die Jünger zu Antiochien zum erstenmal „Christen" genannt, ein Name, der von da an den Anhängern des Gekreuzigten verblieb.

Daß dem Namen auch der echte Geist entsprach, bezeugt noch eine Begebenheit, die der Verfasser der Apostelgeschichte wie nebenher seiner Erzählung eingestreut hat. „In diesen Tagen kamen Propheten von Jerusalem nach Antiochien hinab. Einer von ihnen, namens Agabus, stand auf und weissagte durch den Geist, daß eine große Hungersnot über den ganzen

203

Erdkreis kommen werde, die dann auch unter Klaudius entstand. Die Jünger beschlossen, ein jeder solle nach seinem Vermögen den Brüdern in Judäa etwas zur Unterstützung senden. Das taten sie denn auch und schickten die Summe durch die Hand des Barnabas und Saulus an die Ältesten." (Ap. 11, 27—30.)

Wo Christus einzieht, ist stets die erbarmende Liebe im Gefolge. Nicht nur die Mitglieder der einzelnen Gemeinden unterstützen sich gegenseitig in der Not, sondern auch die Gemeinden untereinander. Indes die Juden sich streng von den Heiden absonderten und die Heiden sich untereinander kalt gegenüberstanden, trat mit dem Christentum ein alle Abgründe überbrückender, ein alle getrennten Völker zum Bruderbund wieder zusammenführender Geist zutage. „Ziehet aus den alten Menschen . . . und ziehet an den neuen . . . wo nicht Heide und Jude ist, nicht Barbar noch Skythe, nicht Sklave und Freier, sondern alles und in allen Christus." (Kol. 3, 9 ff.) Was die heutige Zeit vergebens erstrebt, einen alle einenden Völkerbund zu schaffen, hier ist es in die Wege geleitet, hier ist der einigende Grund gelegt: Christus Jesus und sein Evangelium. Von Anfang an war die Kirche — katholisch und allgemein.

Groß war die erbarmende und helfende Liebe, aber auch zugleich war sie von Klugheit geleitet. Denn das Gesammelte geben die Gläubigen nicht blindlings irgendeinem Beliebigen anheim, sondern sie schickten die Summe durch die Hand des Barnabas und Saulus an die Ältesten. (Ap. 11, 29. 30.)

204

Zu oft nur läuft ja gütiges Erbarmen Gefahr, von der Trägheit und dem Betrug ausgenutzt zu werden. Um nun dem vorzubeugen, legte die Gemeinde die gesammelten Gaben in die Hände der Vorsteher der Kirche. Auch die Caritas von heute möge sich unter den Schutz der kirchlichen Autorität flüchten. Da ist sie vor Ausbeutung und Abwegen gesichert!

205

IV. Neuer Schrecken.
(12, 1—25.)

1. Echt herodianisch.
(12, 1—3.)

Indes in Antiochien die Gemeinde Christi heranblühte, ballten sich über der Mutterkirche in Jerusalem wieder einmal drohende Wetterwolken zusammen. „Um jene Zeit legte der König Herodes Hand an einige aus der Kirche, um sie zu mißhandeln. Er ließ Jakobus, den Bruder des Johannes, mit dem Schwerte töten. Da er sah, daß dies den Juden gefiel, ließ er auch den Petrus ergreifen. Es waren die Tage der ungesäuerten Brote." (Ap. 12, 1—3.)

Von Herodes ging die neue Verfolgung aus. Wer war dieser? Was verleitete ihn zu diesem Schritt?

Herodes Agrippa I. war als Enkel des bethlehemitischen Kindermörders und Sohn des Aristobul 10 vor Christus geboren. Sein wechselvolles Leben gestaltete sich zu einem Roman. Im Schatten der von Mord und Gewalttat, von Ränkespiel und Ausschweifungen wie von drohenden Nachtgespenstern bevölkerten Hofburg des Großvaters seine Kinderjahre verlebend, dazu mit all den Erbleidenschaften des herodianischen Stammes belastet, ließ der junge Prinz schon bald viel Unheil

206

befürchten. Hart traf ihn auch der Tod des Vaters, den er, ein Knabe noch, als blutende, grausam hingemordete Leiche ins Haus getragen sah. Heitere Bilder umgaben ihn erst, als er, bald nach diesem düsteren Ereignis, mit seiner Mutter nach Rom übersiedelte. Hier wuchs er inmitten des kaiserlichen Hofes auf, erlernte mit großem Geschick alle höfischen und diplomatischen Künste, nicht minder aber auch alle Laster der üppigen Kaiserstadt. Bald der ärgsten Lebemenschen und Verschwender einer, hatte er schon schnell nach dem Tode der Mutter das ganze Vermögen durchgebracht. Bald darauf vom Hofe verbannt, verarmt und von Schulden erdrückt, sah er sich gezwungen, in sein Heimatland Idumäa zu flüchten. Dort quälten ihn Selbstmordgedanken, aber seine Gattin, Kypros, die in edler Treue ihm trotz aller Untreue in Not und Gefahr gefolgt war, wurde sein guter Engel. Sie sprach ihm neuen Lebensmut zu und bewahrte ihn vor dem völligen seelischen Zusammenbruch. — Wiederum ein Beispiel dafür, daß im Lebenskampf das Weib nicht selten mehr Tapferkeit besitzt als der Mann. Wo der Schlachtenlärm tobt, mag ja des Mannes Mut überwiegen, wo aber Niederlage und Leiden anstürmen, muß oft genug des Weibes Mut den Rückzug decken und die zermürbten und zersprengten Lebenskräfte zu neuem, siegreichem, Kampf gegen das Schicksal aufrufen.

Kypros verwandte sich für ihren Gatten bei dessen Schwester, der berüchtigten Herodias, und durch deren Vermittlung erhielt Agrippa von Herodes, dem Verspotter Christi, das gewiß recht bescheidene Amt eines Marktaufsehers in Tiberias. Doch auch das währte nicht lange. Der Lästerer Herodes war taktlos und herzlos genug, bei einem Gastmahl in Tyrus seinen

207

Schwager einen Bettler zu nennen und ihm die gewährten Geldunterstützungen öffentlich vorzuhalten. Darob erbost, floh Agrippa nach Alexandrien zu dem ihm von Rom her bekannten Statthalter Pomponius Flaccus. Aber auch da war seines Bleibens nicht. Immer in Geldnot, nahm er Bestechungs= gelder an. Entdeckt, mußte er weiter wandern. Von einem Freigelassenen seiner Mutter verschaffte er sich Geld, um sich nach Italien einzuschiffen. Im letzten Augenblick aber be= schlagnahmte ein Gläubiger das Schiff, um Agrippa zur Zahlung alter Schulden zu zwingen. Doch Agrippa ließ in der Nacht die Taue durchschneiden und langte nach manchen Querfahrten in Kapri beim Kaiser Tiberius an. Dieser nahm ihn anfangs wohlwollend auf, verwies ihn aber auf die Klage des Herennius Capito hin vom Hofe, bis er seine Schulden bezahlt habe.

Wiederum war es nun eine gute Frauenseele, die den Ge= strandeten rettete, Antonia, die alte Freundin seiner Mutter. Diese bezahlte seine Schulden und führte ihn ihrem Sohne, dem späteren Kaiser Cajus Caligula, als Freund zu. So schien eine neue Lebensmöglichkeit sich aufzutun, aber bald brachte Herodes sich selbst wieder um sein Glück. Im vertrauten Ge= spräch mit Cajus sprach er unverhohlen den Wunsch nach dem baldigen Ableben des alten Kaisers Tiberius aus. Das wurde durch einen anwesenden, ränkesüchtigen Freigelassenen dem Tiberius hinterbracht, und Agrippa wanderte in den Kerker. Sechs Monate schmachtete er dort. Da kam eines Morgens ein Freigelassener zu ihm und raunte ihm auf Hebräisch ein Wort ins Ohr, das sein Herz wieder freudig schlagen ließ. Es hieß: „Der Löwe ist tot!"

208

Sobald Tiberius bestattet war, befreite sein Nachfolger Caligula den Agrippa aus dem Verließ, vertauschte dessen eiserne mit einer ebenso schweren goldenen Kette, ernannte ihn zum Tetrarchen im früheren Gebiet des Philippus und verlieh ihm den Königstitel. So kam der vom Schwager verspottete Marktaufseher von Tiberias als König in sein Land zurück. Wie das nun die Eifersucht der Herodias weckte und den Wettbewerb ihres Gatten um eine gleiche Würde, damit aber zugleich seinen Untergang heraufbeschwor, wurde bereits früher erwähnt.

Als Klaudius Kaiser geworden, erhielt Agrippa zu seiner Tetrarchie noch andere Teile Palästinas und vereinigte bald das ganze Reich, das Herodes I. besessen hatte, in seiner Hand.

Schlau, wie er war, suchte er nun vor allem seine neue Herrschaft bei den Juden zu festigen. Deshalb gab er sich als echt gesetzestreuen Israeliten aus, brachte gleich nach seiner Erhöhung Dankopfer im Tempel dar, hängte dort die ihm von Caligula verliehene goldene Kette als Weihegeschenk auf, ließ keinen Tag ohne Opfer vorübergehen und stützte sich ganz auf die Pharisäerpartei.

Andere Karten zog der Falschspieler allerdings, sobald er sich außerhalb des frommen Landes befand, hervor. Dann nahm er an allen Genüssen des Heidentums teil, feierte Spiele im Theater, ließ den Juden verhaßte Bildsäulen aufstellen und sogar einmal ein Gladiatorenspiel nach Römerart aufführen, bei dem vierhundert der Unglücklichen sich gegenseitig hinschlachteten [1]).

Den christusfeindlichen Überlieferungen seines Hauses treu und wohl auch von seinen Hauptstützen, den Pharisäern, an

[1]) Zum Ganzen s. Felten, N. 3. 1 183 ff.

gestachelt, glaubte der Unglückliche nun zur Sicherung der Volks=
gunst kein besseres Mittel finden zu können als eine Christen=
verfolgung in die Wege zu leiten. „Um jene Zeit legte der
König Herodes Hand an einige aus der Kirche, um sie zu miß=
handeln. Er ließ den Jakobus, den Bruder des Johannes,
mit dem Schwerte töten." (Ap. 12, 1. 2.) Der hier genannte
Jakobus ist Jakobus der Ältere, einer der Zebedäer, wegen
seiner leicht entzündbaren Gemütsart von Christus der Donner=
sohn geheißen. Mit seinem Bruder Johannes am Gestade des
Galiläischen Meeres weilend, war er von dem vorübergehenden
Herrn zur Nachfolge berufen worden und hatte sofort Netze und
Vater verlassen. Immer war er einer der entschiedensten
Jünger gewesen. Etwa vierzehn Jahre weilte er nun im
Dienste des Herrn, und schon war er infolge seines eifrigen
Tugendstrebens für den Himmel reif. Gefleht hatte er einst,
zur Rechten des Erlösers in dessen Reich sitzen zu dürfen. Er=
füllt sollte die Bitte werden, aber in anderer Weise, als er es
damals vermutete. Als erster von allen Aposteln durfte er mit
seinem Herrn die Marterkrone teilen.

„Er tötete aber den Jakobus, den Bruder des
Johannes." Welch bitterer Schmerz mag den so edel und
zart fühlenden Johannes wohl ergriffen haben, als er von dem
so grausamen Tod seines Bruders vernahm! Innig hatten sie
beide ja von Kindheit an zusammengehalten, zusammen auch
die treue Gefolgschaft Jesu geteilt, nun war das Bruderband
so jäh durchschnitten. Warum mußte ihn, den Lieblingsjünger,
gerade dieser harte Schlag treffen? Warum hielt der Herr, an
dessen Brust er ruhen durfte, nicht über seinen Bruder ebenso=
gut die Hand wie über Petrus? Unerklärlich, wie es ähnliche

210

Vorgänge uns nur zu oft sind! Auch wir schlossen uns Gott an, feierten frohe Stunden in seiner Gemeinschaft und glaubten, ein ewiger schöner Freudentag werde uns nun in Gottes Freundschaft leuchten, und da kam das Harte: die Trauernacht voll bohrenden Herzeleides und sternlosen, bangen Dunkels, und Gott blieb fern. Ward Gott denn plötzlich zum Feind? War seine vorher so zart scheinende Liebe nur Täuschung? Zürnt der Höchste? O nein, er liebt mehr als zuvor. Aber seine Liebe begann zu erziehen. Die Seele liebte Gott, aber um ihn zu besitzen, um ihn zu sich herabzuziehen, um sich selbst zu beglücken. Gott aber will umgekehrt die Seele besitzen, sie zu sich heraufziehen. Darum beginnt er von dieser jetzt zu f o r d e r n , oft Hartes und Schweres zu fordern. Anfänglich will ihr das rätselhaft herzlos erscheinen, weinend sinkt sie in sich zusammen; allmählich aber beginnt sie Gott zu verstehen, legt ihr Wider= streben ab, überläßt sich ergeben dem Winzermesser des Herrn und bald, noch weiter gehend, erfaßt sie alles, was ihr lieb und teuer ist und bietet es selbst ihrem Gotte hochherzig dar. Nichts begehrt sie mehr von ihm, alles tut und leidet sie für ihn. Nicht s i c h z u b e g l ü c k e n , sondern i h n z u e h r e n und zu= friedenzustellen ist jetzt ihr einziges Verlangen. Geläutert, frei geworden von allem Geschaffenen, kehrt sie nun zu ihm zurück und er zu ihr. Das sind Gottes Wege bei der Erziehung liebender Seelen. Diesen verfolgte er auch bei seinen Aposteln.

Jakobus und Johannes hatten im Verein mit Petrus eine besondere Rolle in der Jüngerschaft Christi gespielt. Sie allein nahm der Herr mit nach Thabor, sie allein auch mit ins Innere des Gartens Gethsamene. Beides mit Vorbedacht, denn da Christus diesen Dreien zuerst vor allen anderen schwere Leidens=

aufgaben zugedacht hatte, suchte er sie durch Vorführung seiner eigenen Herrlichkeit und seines Leidenskampfes darauf vorzubereiten.

Jakobus starb als der erste der Apostel, Johannes, im hohen Alter, als der letzte. · Jener eröffnete die Reihe der Scheidenden, dieser schloß sie. —

Auch der dritte des heiligen Thaborbundes, Petrus, sollte, wie er sich einst mit den beiden Zebedäern gefreut, nun auch mit ihnen Leid teilen. „Er ließ Jakobus, den Bruder des Johannes, mit dem Schwerte töten. Da er sah, daß dies den Juden gefiel, ließ er auch den Petrus ergreifen." (Ap. 12, 2. 3.)

„Daß es den Juden gefiel." Bis dahin waren die Christenverfolgungen von den geistlichen Gegnern ausgegangen, jetzt eröffnete Herodes den langen Reigen der staatlichen Vergewaltiger der Kirche. Bisher waren Glaubensverschiedenheiten der treibende Grund des Kampfes gewesen, von jetzt an sollte Christenblut aber auch im Dienste schnödester selbsüchtiger Staatskunst fließen.

An Herodes zeigt sich deutlich, wohin Herrscher kommen, wenn sie, anstatt auf Recht und Gerechtigkeit zu schauen, nur nach der Volksgunst schielen. Steuerlosen Nachen, die von jeder Strömung mit fortgerissen werden, gleichen sie, sie, die doch als Steuermänner mit fester Hand das Staatsschiff auf gerader Bahn durch allen Wogenwechsel hindurchsteuern sollten.

Wie ungleich größer als der König Herodes zeigt sich da Petrus, der Papst! Unbeugsam hält er an Christi Wahrheit und Gesetz fest, und mögen Bande und Tod seiner harren. Teilt das Papsttum nicht immer noch diesen Geist?

212

2. Ich bin bei euch alle Tage.
(12, 4—17.)

Wiederum einmal zogen die Paschatage ins Land. Ganz Israel rüstete sich in gewohnter Weise zum Feste. Auch Christus gedachte die Tage feierlich zu begehen, aber auf eigene Weise.

Viele Christen schmachteten bereits in Banden, nur ihr Oberhaupt Petrus ging noch frei umher. Ernst, aber doch ruhig und gefaßt, übte er sein Amt aus. Da eines Tages, sei es auf der Straße, sei es in einem christlichen Abendgottesdienst oder im Vorraum des Tempels, sah er sich plötzlich von den Häschern des Königs umringt, gefesselt und abgeführt. Eingedenk der früheren Flucht aber traf man jetzt besondere Sicherheitsmaßnahmen. Nicht nur, daß man ihn in das sicherste Verließ führte, besondere Wächter vor seiner Zelle aufpflanzte, sondern selbst in derselben fesselte man ihn durch zwei Ketten noch an zwei Soldaten, um auch die letzte Möglichkeit des Entweichens abzuschneiden. „Er ließ ihn also festnehmen, ins Gefängnis werfen und durch eine vierfache Wache von je vier Soldaten bewachen. Nach Ostern wollte er ihn dem Volke vorführen. Petrus wurde nun im Gefängnis bewacht. Die Kirche aber betete ohne Unterlaß für ihn zu Gott." (Ap. 12, 4—5.)

Doch was vermag alle Erdenkunst gegen den, der trotz Stein und Wächter aus dem Grabe sich erhob?

Der letzte Tag der Festfeier war verrauscht. Die Nacht, nach deren Verlauf die Aburteilung und wohl auch die Hinrichtung erfolgen sollte, brach an. Mit Angst und Bangen sahen die Christen dem Kommenden entgegen. Von Menschen verlassen, wandten sie sich an den Ewigen. „Aber die Kirche

213

betete ohne Unterlaß für ihn zu Gott." (Ap. 12, 5.) Wie schön zeigt sich hier wieder das Sicheinsfühlen von Hirt und Herde in diesen gemeinsamen Gefahren! Welche Liebe zum geistlichen Oberhaupt, welcher Eifer für Gottes Sache spricht nicht aus dieser Tat!

Wo aber Gebete zum Himmel hinaufsteigen, da steigen Gottes Boten mit Gaben hernieder. „In der Nacht, bevor Herodes den Petrus vorführen wollte, schlief dieser zwischen zwei Soldaten mit zwei Ketten gefesselt. Soldaten vor den Türen bewachten das Gefängnis." (Ap. 12, 6.)

Die letzte Nacht Petri schien gekommen, die Nacht vor seiner Hinrichtung, und Petrus — s ch l i e f. Wie sorglos ist doch die Seele, die auf Gottes Vaterherz ihre Sorgen geworfen! Von Ungewittern umdonnert, selbst am Fuße des Blut= gerüstes vermag sie in Frieden zu schlummern.

„Siehe, ein Engel des Herrn trat hinzu, und Licht leuchtete in der Zelle. Er stieß den Petrus in die Seite, weckte ihn und sprach: Steh eilends auf! Die Ketten fielen von seinen Händen. Der Engel sprach zu ihm: Gürte dich, und ziehe deine Schuhe an! Er tat also. Der Engel gebot ihm weiter: Wirf deinen Mantel um und folge mir! Er ging hinaus, ihm nach. Noch wußte er nicht, daß es Wirklichkeit war, was durch den Engel geschah; vielmehr glaubte er, ein Gesicht zu sehen. Sie gingen nun an der ersten und zweiten Wache vorbei und kamen an das eiserne Tor, das in die Stadt führt. Dieses öffnete sich von selbst. Sie traten hinaus, gingen durch eine Gasse, und plötzlich verließ ihn der Engel." (Ap. 12, 7—10.)

Nur kurzsichtige oder hartnäckige Zweifler können solche Taten wie diese befremdlich finden. Wir Menschen sind über=

214

zeugt, den anderen Erdenwesen weit überlegene Geisteskräfte zu besitzen. Wir sprengen mit scharfsinnig erfundenen Werkzeugen Felsentore, wir versetzen unseresgleichen in künstlichen Schlaf, und da sollte es Geistern, die uns weit überragen, nicht möglich sein, Wächter in den Banden des Schlummers zu halten und Kerkerketten zu öffnen? Und wo wir Menschen fortwährend auf die übrige Schöpfung einwirken, den Ländern unsere Erzeugnisse aufdrängen, die Naturkraft in unseren Dienst zwingen, die Pflanzen nach unserem Gutdünken beschneiden und veredeln, die Tierwelt zu unserem Nutzen zähmen, sollte da nicht in ähnlicher Weise auch die höhere Geisterwelt in unsere Geschicke einzugreifen vermögen?

Hier geschah es in der Tat, wie so oft in der heiligen Geschichte! — Der rettende Engel erschien dem bedrängten Gefangenen! — Auf das Gebet der Gläubigen hin! Müßte das unsere Andacht zu den Schutzengeln nicht beleben?

Petrus, noch halb im Traum, wähnte anfänglich, wie in Joppe ein Gesicht zu sehen, aber als er draußen stand und die kühle Nachtluft ihn umwehte, da kam er zu sich, und zurückschauend auf das hinter ihm liegende Kerkergemäuer rief er aus: „Jetzt weiß ich wirklich, daß der Herr seinen Engel gesandt und mich errettet hat aus der Hand des Herodes und aller Erwartungen des Volkes der Juden." (Ap. 12, 11.)

Nun aber, wohin in der Nacht? Er besinnt sich, und durch die einsamen dunklen Straßen schreitend, biegt er in einen abgelegenen Stadtteil ab. Dort an der Stadtmauer lag das ihm wohlbekannte Haus der Maria, der Mutter des Markus. Petrus schreitet die Häuserreihe ab, macht vor dem Hoftor Halt und erhebt den Klopfer. Im Innern des einwärts ge-

215

legenen Wohnhauses wird es lebendig. Die Haustür öffnet sich, ein Licht wie von einer Fackel wird sichtbar; man vernimmt Schritte im Hof, und eine Frauenstimme erkundigt sich hinter dem noch verschlossenen Hoftor her nach dem Namen und Begehren des späten Besuchers. „Er klopfte an der Türe des Hoftores. Da kam eine Magd mit Namen Rhode heraus, um zu horchen." (Ap. 12, 13.)

Petrus gibt sich zu erkennen. Da durchzuckt es die Türhüterin. „Sie erkannte die Stimme des Petrus, vergaß aber vor Freude die Tür zu öffnen, lief vielmehr hinein und meldete: Petrus stehe vor dem Tore." (Ap. 12, 14.) Wie allerliebst ist das Gebaren der treuen Seele geschildert!

Im Innern des Hauses durchwachte man voll Bangen um Petrus die Nacht im Gebet. Der Anfang der nächtlichen Andachten, der Nachtwachten vor hohen Festen und der Sühnenächte, wie sie heute noch vor dem Allerheiligsten gefeiert werden.

Als nun Rhode heftig die Tür aufriß und vor Freude sich überstürzend meldete, Petrus stehe vor dem Tor, fuhren die Beter auf und meinten: „Du bist von Sinnen!" Allein sie versicherte, daß es so sei. Da sprachen jene: „Es ist sein Engel." So wenig noch wagten sie an eine Errettung ihres geliebten Oberhauptes zu denken. Doch horch, da hallten abermals heftige Klänge vom Außentor her durch die Nacht. „Petrus aber fuhr fort zu klopfen." (12, 16.) Die Freude der Rhode war ihm ja ganz recht, aber das lange Draußenstehen behagte dem ungestümen Manne doch nicht. So mag er zuletzt wohl recht kräftig den Klopfer in Bewegung gesetzt haben.

216

Wie wahrheitsgetreu ist doch die ganze Schilderung! Wie fügt sie sich so ganz dem aus dem Evangelium bekannten Charakterbild Petri ein!

Endlich machte sich nun die ganze Gemeinschaft auf, begab sich in den Hof, öffnete vorsichtig das Tor und herein trat — Petrus. Ein jubelnder Aufschrei! Die Größe der Freude ließ die Gefahr, in der man doch immer noch sich befand, vergessen. Von Aushorchern war man ja stets umgeben. Wie leicht konnten da die Feinde der Christen durch den nächtlichen Lärm aufmerksam gemacht werden. Petrus gebot darum Ruhe. „Er winkte ihnen mit der Hand, sie sollen schweigen. Dann erzählte er ihnen, wie der Herr ihn aus dem Gefängnis befreit habe. Er fügte hinzu: Meldet dies dem Jakobus und den Brüdern. Dann machte er sich auf und zog an einen anderen Ort." (Ap. 12, 17.)

Der hier erwähnte Jakobus ist Jakobus der Jüngere, damals Hauptvorsteher der Kirche Jerusalems. Er zeichnete sich während des ganzen Lebens durch Bußstrenge, Gesetzestreue und Gebetseifer aus. Deshalb war er auch bei den Juden hochgeachtet und mit dem Beinamen „der Gerechte" beehrt. Aber der Hohepriester Ananus, ein Sohn des aus Jesu Todesgeschichte nur zu gut bekannten Annas, machte in seinem Christenhasse auch vor diesem Ehrenmanne nicht Halt, sondern ließ ihn ums Jahr 62 nach Christus umbringen, wurde dafür aber bald selbst seines Amtes entsetzt.

Daß Petrus sich von Jerusalem zurückzog, ist verständlich. Nach der Flucht wäre bei seinem weiteren Verweilen in der Stadt die Verfolgung eine nur noch heftigere geworden. Auf

217

eine zweite wunderbare Errettung zu hoffen, hieß hier aber Gott versuchen? So wollte er spurlos verschwinden. Aber Eile tat not, denn bei Ablösung der Wache konnte sein Fehlen im Kerker zu leicht entdeckt und ein Streifzug nach ihm durch alle Straßen und auch in die bekannten Christenhäuser hinein unternommen werden. Deshalb kehrte der Verfolgte, um die Gemeinde aus ihrer bangen Ungewißheit zu befreien, im Vorübereilen eben in das bekannte Haus ein, berichtete hastig von seinem Erlebnis und eilte dann auf geradem Weg durch das Tor in die dunkle Nacht hinaus.

Der „andere Ort", an den Petrus floh, war wohl kein anderer als Rom[1]). So diente also auch diese Verfolgung wiederum zum Segen der Kirche. Unverletzt ging der Papst aus allen Nachstellungen hervor, und das Reich Gottes, das man zu vernichten gedachte, dehnte nur um so mehr sich aus. Von Jerusalem wanderte es nach Antiochien, von Antiochien nach Rom.

Recht bescheiden gestaltete sich der Eintritt des Christentums in jene Stadt, die später sein Weltmittelpunkt werden sollte. Niemand, der um jene Zeit den einfachen Mann von Galiläa in den Trubel der Weltstadt einziehen sah, ahnte wohl, daß dieser Flüchtling als Eroberer und Herrscher gekommen sei. Und doch war es so. Das römische Kaisertum machte dem Papsttum Platz. Die Stelle der Herrscherpaläste nahm bald die ragende Kuppel des Petrusdomes ein: die in Stein gehauene Bestätigung des Christuswortes: „Du bist Petrus, und auf diesen Felsen will ich meine Kirche bauen, und die Pforten der Hölle werden sie nicht überwältigen!" (Mt. 16, 18.)

___

[1]) Felten, Apostelg., S. 240 ff.

218

Von Engelshand geführt, war Petrus unter dem Schutze der Nacht entwichen. Als beim aufgehenden Morgen die im Kerker schlafenden Soldaten erwachten, faßte sie der Schreck. Noch trugen sie die Ketten, mit denen der Gefangene an sie gefesselt war, an ihren Gliedern, aber der Gefangene selbst war geschwunden. Sie klopfen an die Kerkertür, teilen den dort stehenden Wächtern die Kunde mit — neuer Schrecken! Der Gefängnisvorsteher wird benachrichtigt, die ganze Wachmannschaft zur Rede gestellt, Türen und Schlösser werden untersucht, das Außentor geprüft, alle erweisen sich als unversehrt. Ratlos stand man da. „Als es Tag wurde, entstand nicht geringe Aufregung bei den Soldaten, was wohl aus Petrus geworden sei." (Ap. 12, 18.)

Größer noch wurde die Bestürzung, als nun auch noch von Herodes der Befehl anlangte, Petrus vorzuführen. Nun ließ sich das Geschehene nicht länger verheimlichen. Der leidenschaftliche König geriet in Wut und kühlte diese kurzentschlossen an den Gefängnisaufsehern. „Herodes ließ nach ihm suchen, fand ihn aber nicht. Er verhörte die Wächter und ließ sie zur Hinrichtung abführen." (Ap. 12, 19.) Ganz der Herodes! Sahen wir ihn früher schmeichlerisch und charakterlos, so jetzt vorschnell hart und grausam. Petrus ist entflohen. Natürlich sind nur die Wächter schuld. Daß noch eine andere Rettungsmöglichkeit vorhanden war, zumal ein Wunder, daran denkt er nicht. An Wunder glaubt er nicht. So vergreift er sich an den

219

unschuldigen Wächtern und läßt sie seinen ganzen Zorn fühlen.

Wunderbare Dinge gibt es nicht — das steht auch heute noch bei allen Ungläubigen fest. Was sie nicht sehen können, was sie nicht hören können, was sie nicht beobachten können, das ist für sie nicht vorhanden. Es muß alles rein natürlich erklärt werden. Aber setzt man da nicht schon voraus, was noch zu beweisen ist, nämlich, daß es n u r r e i n n a t ü r l i c h e V o r g ä n g e g i b t? Woher weiß man das aber? Man stellt von vornherein ein Schema auf, und was sich darin nicht unterbringen läßt, lehnt man einfachhin als nicht vorhanden oder nicht möglich ab. Ist das voraussetzungslos? Alles zurückführen wollen auf Sehen, auf Tasten und Erfahren — heißt das nicht ebenso weise handeln, als wenn ein Mathematiker sich anmaßt, mit Zirkel und Lineal die ganze Welt in alle Bestandteile zu zerlegen oder als wenn ein Chemiker fordert, aller Lebenserscheinungen in seinem Glasbehälter habhaft werden zu können? Das Tiefste des Lebens, das Seelische, wird von beiden nicht erfaßt. Haben darum beide das Recht, dieses zu leugnen? Handeln nun nicht alle, die das Übernatürliche ablehnen, weil sie es mit i h r e n Beobachtungsmitteln nicht fassen, nicht ebenso unweise, wie jene?

Der Mißgriff des unglücklichen Königs sollte alle vor Oberflächlichkeit und Vorschnelligkeit im Urteil warnen. Nicht nur in der Wissenschaft, sondern auch im täglichen Leben, zumal da, wo es sich um Vergehen handelt. Wie manche gingen den Wächtern gleich an ungerechtem Verdacht körperlich oder doch seelisch zugrunde! —

Doch das unschuldig vergossene Blut schrie wie stets um

220

Rache. Auch den gekrönten Mörder sollte bald die Strafe treffen. Von Judäa kehrte Herodes in seine Residenzstadt Cäsarea am Mittelländischen Meere zurück und hielt sich daselbst längere Zeit auf. Da trat das Verhängnis an ihn heran. „Gegen die Bewohner von Tyrus und Sidon war er heftig aufgebracht. Sie schickten gemeinsame Gesandte an ihn, und diese gewannen den königlichen Kämmerer Blastus und baten um Frieden. Denn ihr Land bezog aus dem Gebiet des Königs die Lebensmittel." (Ap. 12, 20.) Wie es scheint, hatte der König die Kornzufuhr nach diesen Hafenstädten untersagt und diese dadurch in große Not gebracht. Daher dann die Gesandtschaft. Nach vielen Mühen gelang es dem Kämmerer endlich, die nachgesuchte Audienz zu erwirken. Aber ehrgeizig und prachtliebend wie er war, wollte der König die fremden Abgesandten noch einmal in einem feierlichen Aufzuge seine ganze Überlegenheit fühlen lassen. Darum empfing er sie nicht in seinem Palast, sondern berief eine große Volksversammlung in das Amphitheater der Stadt ein. Am festgesetzten Tage strömte alles herbei. Die Plätze füllten sich immer mehr. Nun erschien auch Herodes im königlichen Ornat in der Hofloge. Den Silbermantel umgeworfen, die Krone auf dem Haupte, nahm er in königlicher Hoheit auf dem Throne Platz und begann seine Rede an die Abgesandten. Die Sonne leuchtete und strahlte, alles an dem König funkelte. Da ward das Volk hingerissen und rief aus: „Eines Gottes Stimme, nicht eines Menschen!" (Ap. 12, 22.) Als Herodes das hörte, schoß ihm das Blut in den Kopf, sein Ehrgeiz loderte

221

hell auf, schwellte Brust und Adern. Mit sichtlichem Wohl=
behagen richtete er sich hoch auf, sog er gierig die Schmeicheleien
des Volkes ein. Und als er nun die Blicke über die huldigende
Menge gleiten ließ, da erhob sich vor seinen eigenen Augen
seine Person höher und höher; denn was man den Kaisern
Roms damals beilegte, nämlich Gott gleich zu sein, das war ja
auch ihm jetzt geworden, und in unerträglichem Stolz dünkte
er sich fast dem Höchsten gleich.

Auf dem Fuße erfolgte aber auch die Strafe. Plötzlich er=
faßten ihn wilde Schmerzen in seinem Innern. Er krümmte sich
vor Qual, ward hinweggetragen und sank nach einiger Zeit
ins Grab. „Sogleich schlug ihn der Engel des
Herrn, weil er nicht Gott die Ehre gegeben
hatte. Von Würmern zerfressen, gab er den
Geist auf." (Ap. 12, 23.)

Ein tragisches Ende! Welch erschütterndes Bild! Was ist
doch das Menschenkind und mag es in Purpur sich kleiden!
Und doch, wie viel Selbstüberhebung auf den Kathedern, auf
den Schaubühnen, im Salon, im gesellschaftlichen Leben!
Halbgötter und Halbgöttinnen scheinen sich manche zu sein,
und eine kleine Entzündung, und zu armseligem Staub sinken
hinab, die sich Götter dünkten. Eine Stimme sprach: Predige!
Und ich sagte: Was soll ich predigen? „Alles Fleisch ist Gras
und all sein Liebreiz wie die Blume des Feldes. Es verdorrt
das Gras, es verwelkt die Blume, sobald des Herren Hauch
sie anweht." (Jf. 40, 6. 7.) Die erbärmlichste Sünde ist der
Stolz, der Anfang alles Übels. „Dem Demütigen gibt Gott
seine Gnade, dem Stolzen aber widersteht er."

„Und dafür schlug ihn der Engel des Herrn, daß er

222

nicht Gott die Ehre gegeben." Herodes hätte alles, was er besaß, ruhig anerkennen, auch eine standesmäßige Ehrung annehmen dürfen — das wäre nicht Stolz gewesen. Daß er aber seine Person überschätzte und daß er dabei alle Gaben nicht auf Gott, als den Geber, zurückführte, sondern sich selbst zuschrieb — das war vom Übel. „Was hast du aber, das du nicht empfangen hättest? Wenn du es aber empfangen hast, was rühmst du dich, als hättest du es nicht empfangen?" (1. Kor. 4, 7.)

So sank der Christenverfolger jäh in den Staub, „das Wort des Herrn aber nahm zu und breitete sich aus." (Ap. 12, 24.) Genau wie es schon der Prophet Isaias vorausgesagt hatte: „Es verdorrt das Gras, es verwelkt die Blume, aber das Wort unsres Gottes besteht auf ewig." (Js. 40, 8.) Das sollte sich auch im weiteren Verlauf zeigen.

223

C. In der Heidenwelt.
(13, 1—28, 31.)

15 Cohausz, Urkirche.

I. Erste Ausreise.
(13, 1—15, 34.)
1. Die Stunde der Berufung.
(13, 1—3.)

Barnabas und Paulus waren mittlerweile von Jerusalem nach Antiochien zurückgekehrt und hatten ihre gewohnte Tätigkeit wieder aufgenommen. Da schlug eine neue Eroberungsstunde für Christi Sache. Bisher hatte sich die Missionierung der Heiden mehr auf die Stadt Antiochien selbst beschränkt, jetzt aber sollten auch alle Länder im Umkreis das Licht der Welt leuchten sehen. „In der Kirche zu Antiochien waren Propheten und Lehrer, darunter Barnabas, Simon, mit dem Beinamen Niger, Lucius aus Cyrene, Manahen, der mit dem Vierfürsten Herodes erzogen worden war, und Saulus. Während sie dem Herrn den heiligen Dienst verrichteten und fasteten, sprach der Heilige Geist zu ihnen: Sondert mir aus den Saulus und Barnabas zu dem Werke, wozu ich sie berufen habe. Alsdann fasteten und beteten sie, legten ihnen die Hände auf und entließen sie." (Ap. 13, 1—3.) Das war die erste feierliche Aussendung von Heidenmissionaren in der Kirche Gottes! Wie kam sie zustande? Gott war es zunächst, der die Anregung gab. Gott auch, der die Männer auswählte. Die Kirche sodann weihte und sandte in ihrem und Gottes Namen die Erkorenen. Und so muß es sein. Die Predigt des Evangeliums ist von der Verbreitung gewöhnlicher Lehren sehr verschieden. Ein weltlicher Lehrer handelt in eigenem Ermessen, er trägt vor, was e r s e l b st ersonnen. Bei der christlichen Predigt aber handelt es sich um G o t t e s S a c h e und um G o t t e s W o r t. Der Prediger hat nicht s e i n e e i g e n e n E i n f ä l l e dem Volke vorzutragen, sondern ihm nur G o t t e s A u f t r ä g e zu überbringen. Dabei muß er dann G l a u b e n u n d G e h o r s a m v e r l a n g e n, nicht wie der weltliche Lehrer, der seine Ansichten zur A u s w a h l vorlegt.

Wie aber nicht jeder beliebige im Staat Gesetze erlassen und Recht sprechen darf, sondern nur der von der S t a a t s = o b r i g k e i t B e o r d e r t e, so ist es auch mit dem Künder des Wortes Gottes. N u r d e r, w e l c h e r v o n G o t t z u s e i n e m G e s a n d t e n b e s t e l l t i s t, n u r d e r d a r f i m A u f t r a g e G o t t e s r e d e n u n d f ü r G o t t G l a u b e n u n d G e h o r s a m e i n f o r d e r n.

Deshalb auch sprach Christus bei Aussendung der Apostel: „M i r i s t a l l e G e w a l t gegeben im Himmel und auf Erden. W i e m i c h d e r V a t e r g e s a n d t h a t, s o s e n d e i c h e u c h. D e s h a l b gehet und lehret alle Völker."

So hat es auch die Kirche von Anfang an gehalten, und wer ohne ihren Lehrauftrag das Evangelium verkündet, geht ohne höheren Auftrag und Segen. Er kann und darf auf den Titel „Prediger G o t t e s" keinen Anspruch erheben, weil er in e i g e n e m N a m e n kommt.

228

„Sondert mir den Saulus und Barnabas zu dem Werke ab, zu dem ich sie berufen habe." (Ap. 13, 2.)

Der Sendung und Weihe muß wahrer, von Gott ge= gebener Beruf vorausgehen. Ohne inneren Beruf sich in die schweren Pflichten des Apostolats eindrängen wollen, hieße Unheil anrichten. Wie kurzsichtig handeln da auch manche Eltern und Verwandte, die Sohn oder Neffen mit aller Ge= walt zum Priestertum quälen, ohne daß echter Beruf, Lust und Liebe vorhanden ist. Sehr traurige Vorkommnisse, selbst Abfälle waren oft genug die Folgen solch eigenwilliger Machen= schaften. Lassen wir Gott schalten; in seine Pläne sich hinein= mischen wollen, das hieße sie nur durchkreuzen!

Aber auch in sonstigen, religiösen, sozialen, und charitativen Veranstaltungen stelle man sich öfters die Frage, ob auch Gott zu dem Werk, das man vorhat, rufe oder ob es nur aus natürlichem Tatendrang, aus Nachahmungs= trieb, aus Wettbewerb, aus Ehrgeiz und der Sucht, etwas in der Welt zu bedeuten und sich geltend zu machen, unternommen werde!

Nur die auf Antrieb Gottes geschehenen Werke stiften Segen und haben Bestand; wo aber Eigenwille oder Leiden= schaft die letzte Triebfeder sind, da herrscht Unruhe, Streit, Ungenügen und bleibt nur zu oft am Schluß fast nichts als Ruinen, ein verbittertes Gemüt und ungezählter Brennstoff für das Läuterungsfeuer im Jenseits zurück. —

Unter den Propheten und Lehrern in Antiochien wird unter anderen auch Manahen, ein Milchbruder des Königs Herodes des Vierfürsten, erwähnt. Die Mutter des Manahen war demnach die Amme des Herodes gewesen. Ein eigen=

229

artiges Zusammentreffen! Zwei Männer, von derselben Mutterbrust genährt und doch so grundverschieden in ihrer Entwicklung! Manahen wird ein Prophet und Herodes der Verfolger Christi! Woher der Unterschied? Zum Teil war er in der verschiedenen A n l a g e bedingt. Herodes entstammte der altberüchtigten Idumäerfamilie mit ihrer Grausamkeit, ihrer Wollust und Habgier, Manahen dagegen einer einfachen, gläubigen Mutter. Das machte schon viel aus. Aber so viel Schicksal uns auch ins Leben mitgegeben worden ist, vieles bleibt bei unserer späteren Ausgestaltung doch unserem freien Willen anheimgestellt. Herodes stürzte sich in das römisch-heidnische Großstadttreiben und sog aus ihm die Lüfte und Lüste, die ihn immer mehr vergifteten. Manahen dagegen schloß sich den Gläubigen an und stieg von Tugend zu Tugend empor.

Wie vieles hängt doch für die Entwicklung des Menschen davon ab, welchen Eindrücken er sich aussetzt und wie er sie verarbeitet! Allen bietet Gott seine Gnade, allen aber auch die Paradiesesschlange ihre verderbenbringenden Früchte an. Wer die Gnaden Gottes gleich aufgreift, mit ihnen mitwirkt, wer dabei alle selbstsüchtigen, neidischen, sinnlichen, stolzen, unmutigen Regungen sofort unterdrückt, wächst zum blühenden Baum empor! Wer dagegen das Gegenteil tut, verwildert immer mehr. Der eine wird zum Manahen, der andere zum Herodes. Jeder ist auch da seines Schicksals Schmied.

„A l s d a n n f a s t e t e n u n d b e t e t e n s i e , l e g t e n i h n e n d i e H ä n d e a u f u n d e n t l i e ß e n s i e." (Ap. 13, 3.)

Wohl wissend, daß nur Männer mit Gottes Geist ausgestattet das schwere Werk der Weltbekehrung zu fördern im-

230

stande seien, ruft die Kirche diesen auf die Neuauszusendenden
herab, genau wie es ja auch heute noch bei jeder Priesterweihe
Brauch ist und wie auch tiefgläubige Christen es nie unter=
lassen, sich zu einem neuen Beruf und Stand durch Zurück=
gezogenheit und Gebet zu rüsten.

2. Glaube und Aberglaube.
(13, 4—12.)

Die gottesdienstliche Feier, in der Paulus und Barnabas
zu Heidenaposteln geweiht worden waren, war beendet. Das
Reisegewand wurde um die Schultern geworfen. Nun noch
ein kurzes Abschiednehmen, dann ging es von Antiochia zum
nahen Hafen Seleucia und von da aufs Schiff. — Mit welchen
Gefühlen mochten die neuen Glaubensboten wohl vom Bord
aus in die weite Wasserwüste blicken! Verhüllt noch lag die
Zukunft vor ihnen, aber verheißungsvoll hatte ja der Geist
Gottes sie auf diese Bahn gerufen. „Ausgesandt vom
Heiligen Geiste, gingen sie nach Seleucia
und von da fuhren sie nach Zypern. Sie
kamen nach Salamis und predigten dort das
Wort Gottes in den Synagogen der Juden.
Auch den Johannes Markus hatten sie als
Gehilfen." (Ap. 13, 5. 5.)

Die Insel Zypern, etwa halb so groß wie Württemberg,
hatte eine mit Griechen stark durchsetzte Bevölkerung. Im
Jahr 57 vor Christus war sie unter römische Oberherrschaft ge=
kommen. In den Kreuzzügen machte Richard Löwenherz sie zu
einem Königreich. Später fiel sie an Venedig. 1571 wurde sie
von den Türken dauernd erobert. Seit 1878 steht sie unter eng=

231

lischer Verwaltung. Gegenwärtig befinden sich unter den 200 000 Einwohnern etwa 4000 Katholiken mit drei Kirchen [1]).

Am Oftufer gelandet, begaben sich die Apostel in die nahe Stadt Salamis und predigten dort wie überall zuerst in der Synagoge. Sodann durchzogen sie das ganze Eiland und kamen bis zum westlichen Endpunkt desselben, der Stadt Paphus. Hier hatte ein Zauberer und falscher Prophet, ein Jude mit Namen Barjefu, auch Elymas genannt, seinen Sitz aufgeschlagen und großen Einfluß gewonnen. Auch den römischen Statthalter Sergius Paulus suchte er in seine Netze zu ziehen. Dieser aber, ein verständiger Mann, gab sich ihm nicht hin. Unwillkürlich mochte er, ein ernster Wahrheitsucher, dessen Gaukelspiel wohl herausfühlen. „Sergius berief Barnabas und Saulus und verlangte das Wort Gottes zu hören. Aber der Zauberer Elymas, so lautet sein Name übersetzt, widerstand ihnen und suchte den Statthalter vom Glauben abzuhalten. Saulus aber, der auch Paulus heißt, erfüllt vom Heiligen Geiste, blickte ihn an und sprach: Du, voll alles Truges und aller Bosheit, Kind des Teufels und Feind aller Gerechtigkeit, hörst du nicht auf, die geraden Wege des Herrn zu durchkreuzen? Siehe, die Hand des Herrn kommt über dich. Du wirst blind sein und die Sonne nicht sehen eine Zeitlang. Sogleich fiel Dunkelheit und Finsternis auf ihn, er ging umher und suchte einen, der ihn an der Hand führe. Als der Statthalter sah, was geschehen war, wurde er gläubig, voll Staunen über die Lehre des Herrn." (Ap. 13, 7—12.)

Wiederum sehen wir hier den Glauben im Kampf mit dem

---

[1]) Pölzl a. a. O. S. 89.

232

Aberglauben. Die Menschheit kann sich mit dem Unglauben auf die Dauer nun einmal nicht abfinden. Sie fühlt heraus, daß mit dem Sichtbaren und Greifbaren die Wirklichkeit nicht abschließt, sie empfindet auch zu deutlich, daß alles Sichtbare ihr nicht genügt, daß es noch etwas anderes geben muß, ihre Herzenstiefen zu füllen. Und dieses andere sucht sie zu ergreifen; hat sie die Wege des Glaubens in jene Welten verloren, so sucht sie mit Hilfe des Aberglaubens dahin zu gelangen. Selbstverständlich, daß der Feind alles Guten diesen Drang für seine Zwecke reichlich ausnutzt, daß er sogar seine Jünger mit ähnlichen Gaben, Zeichen und Weissagungen auszustatten sucht, wie sie sich an Christi Glaubensboten finden, ein Vorgang, den Christus selbst mit den Worten bestätigt: „Wenn alsdann jemand zu euch sagt: Sehet, hier ist Christus oder dort, so glaubet es nicht, denn es werden falsche Christus und falsche Propheten aufstehen und sie werden große Zeichen und Wunder tun, so daß auch die Auserwählten, wenn es möglich wäre, irregeführt würden. Sehet, ich habe es euch vorausgesagt." (Mt. 24, 23—25.)

Wahre Wunder lassen sich indes von abergläubischem Zauber meist unschwer unterscheiden. Alle von Gott kommenden Werke tragen Gottes Zeichen an der Stirn; sie gehen in Ruhe und Würde vor sich, scheuen nicht das Licht, dienen stets vernünftigen Zwecken, fördern Wahrheit und Tugend und erweisen sich, je eingehender sie untersucht werden, um so sicherer feststehend. Ihre Vollführer sind zudem stets Menschen voll Wahrheitsliebe und überlegener Tugend.

Scheinwunder und Aberglaube dagegen verfallen auf künstliche Erregung der Gemüter, bieten Schaustellungen dar, die

233

dem Vorwitz und der Neugier oder ungesunder Schwärmerei dienen; sie scheuen das Licht, lieben das Dunkel, widersetzen sich gründlichen wissenschaftlichen Nachprüfungen, leiten anstatt zu echter Tugend entweder zu sittlicher Schlaffheit und Zügellosigkeit oder zu einer überspannten und undurchführbaren Strenge an. Ihr ausschlaggebenstes Merkmal ist aber ihr Kampf gegen die Wahrheit. Kaum sah Elymas den Statthalter Miene machen, Paulus und Barnabas Gehör zu schenken, als er auch schon alle Mühe aufwandte, deren Einfluß zu untergraben. „Doch Elymas widerstand ihnen und suchte den Statthalter vom Glauben abzuhalten." (Ap. 13, 8.) —

Auffallend, wie auch heute noch jede Art von Irrtum und Geheimwissenschaft sich anderen Irrungen gegenüber ruhig verhält, aber sofort in Aufregung und Raserei gerät, wo das wahre Christentum naht, und wie sie unter dem Deckmantel der Religion als erstes es sich angelegen sein lassen, Mißtrauen gegen die wahre Religion ihren Zuhörern einzuprägen. Woher das? „Es liebten die Menschen die Finsternis mehr als das Licht, denn ihre Werke waren böse. Denn jeder, der Böses tut, haßt das Licht und kommt nicht an das Licht, damit seine Werke nicht gerügt werden. Wer aber die Wahrheit tut, kommt an das Licht, damit seine Werke offenbar werden, weil sie in Gott getan sind." (Joh. 3, 19 ff.)

Wie aller Schein, fand auch Elymas' Zauberei ein jähes Ende. Das Licht siegte über die Finsternis. Sergius Paulus nahm den wahren Glauben an und beschloß nach der Überlieferung später sein Leben als Bischof von Narbonne in Gallien. Was aber wäre aus ihm geworden, hätte er sich da-

234

mals nicht für Paulus, den Gesandten Christi, sondern für Elymas, den Apostel Luzifers entschieden?

Mehr als je sucht heute wieder der Aberglaube die geraden Wege des Herrn zu verkehren. Wohl dem, der trotzdem treu an ihnen festhält. „Es werden falsche Christus und falsche Propheten aufstehen und große Zeichen tun ... Glaubet es nicht! Denn wie der Blitz aufgeht vom Aufgang und leuchtet bis zum Niedergang, so wird es auch sein mit der Ankunft des Menschensohnes." (Mt. 24, 24 ff.)

3. Neuer Boden — neue Saaten.
(13, 13—44.)

Die ganze Insel Zypern, angefangen von der am Ostufer befindlichen Stadt Salamis bis zu dem im äußersten Westen gelegenen Paphus war durchwandert, den Städten und großen Dörfern das Reich Gottes angeboten und als schönste Frucht des Mühens das Haupt der ganzen Insel, der Statthalter Sergius Paulus, dem Herrn gewonnen.

Nun drängte es die eifernden Glaubensboten weiter. Sie bestiegen in Paphus das Schiff, fuhren etwa 250 km weit nordwestwärts durch das Mittelländische Meer und landeten in Kleinasien, an der Küste Pamphyliens. Damit war das Land erreicht, das den Hauptschauplatz der Tätigkeit des Apostels bilden sollte.

Die Halbinsel Kleinasien hatte ungefähr die Größe des früheren Deutschen Reiches. Sehr fruchtbare Niederungen und Täler wechselten mit zahlreichen Gebirgsrücken und wenig ergiebigen Hochebenen ab. Die Mitte des Landes nahm ein recht ödes Tafelland ein. Zwischen Morgen= und Abend=

235

land gelegen, bildete das ganze Gebiet die Brücke für den gegenseitigen Völker= und Handelsverkehr und erfreute sich darum naturgemäß an den Küsten und in den fruchtbaren Tälern einer bis in die Sagenzeit zurückgehenden überaus hoch= entwickelten Kultur. Zahlreiche, neu zutage tretende Funde legen noch immer Zeugnis davon ab, daß die Halbinsel in Kunst, Wissenschaft und Handel den Wettbewerb mit den anderen Ländern der alten Welt aushielt.

Wie überall im Römerreich, hatten sich auch in ganz Klein= asien zahlreiche Judengemeinden angesiedelt, die um ihre Synagogen sich scharend auch inmitten der Heidenwelt treu zu ihrem Bundesgott und ihrem Stamme hielten.

Zur Zeit Pauli war die Blütezeit des Landes allerdings vorüber. Das Kulturstreben ließ nach, eine erschlaffende Ver= weichlichung der Sitten ergriff alle Kreise. Der Zerfall setzte ein. In der Religion herrschte der buntscheckigste Aberglaube. Nur in den zahlreichen Gebirgsschluchten erhielt sich ein tat= kräftiges Naturvolk, das aber durch seine räuberischen Über= fälle sowohl den anderen Landeseinwohnern lästig wurde, wie auch den Römern, den Beherrschern des Landes, manche Schwierigkeiten bereitete.

In diese Welt trat nun im Herbst 45 oder im Frühjahr 46 mit Paulus zum erstenmal Jesus Christus hinein, um hier reiche Seelenbeute zu machen. In Kleinasien bildeten sich un= gezählte, sehr blühende Christengemeinden, wie Antiochien, Ephesus, Pergamon, Kolossä, Laodizea und andere. Dort ent= standen viele der berühmtesten Bischofssitze. Kleinasien schenkte der Kirche auch eine Reihe der bedeutendsten Kirchenlehrer und Theologen, wie Basilius, Gregor von Nyssa, Gregor

236

von Nazianz. Dort entwickelte sich auch die kirchliche Wissenschaft zu hoher Blüte, dort auch entfaltete sich das Mönchsleben zu erstaunlicher Höhe, und dort sah man Märtyrergestalten wie Polykarp und Thekla in reicher Zahl. Von dieser Halbinsel gingen zudem eifrige Missionare in die westlichen und nördlichen Länder, von da auch viele der besten theologischen und aszetischen Schriften in die christliche Welt aus, die heute noch die Kirche befruchten. War Rom der eine Pol, um den die alte Kirche sich bewegte, dann Antiochien in Syrien der zweite.

Leider aber war auch diese Blütezeit nicht von langer Dauer. Innere Streitigkeiten zehrten an der Lebenskraft, Weltgeist schlich ein, und schließlich legte sich das Türkentum wie ein Meltau auf die Pflanzung Gottes. Das Christentum wurde aus seiner Machtstellung verdrängt, Künste und Wissenschaft schwanden, Flüsse und Häfen versandeten, der Handel erlahmte. Wo Christus einen blühenden Garten geschaffen, läßt Muhamed heute nur noch ein verwahrlostes, kulturarmes Gebiet zurück. Ob nicht auch etwa die später einsetzende Lauheit des Christentums daran schuld war? Schon um 100 nach Christus hatte Gott durch den Seher von Patmos dem Vorsteher der Kirche von Ephesus sagen lassen: „Ich kenne deine Werke, deine Mühe ... aber ich habe wider dich, daß du deine erste Liebe verlassen hast. So gedenke nun, von wo du herabgesunken bist, tue Buße und übe die ersten Werke. Wo nicht, so komme ich schnell über dich und werde deinen Leuchter von seiner Stelle rücken." (Off. 2, 2 ff.) Ob nicht das Wegrücken der leuchtenden Kirchen Kleinasiens durch rauhe Türkenhand, die wir alle vor Augen sehen, die Erfüllung jenes Gotteswortes enthält? Muß das nicht eine Mahnung für alle christ-

237

lichen Städte und Länder sein, treu den Gaben des Herrn zu entsprechen? —

Vom Schiff begaben sich die Reisenden zunächst nach P e r g e, einer der damals einflußreichsten Städte des Landes, berühmt durch den Tempel der Göttin Diana. Doch hier hielten sie sich nicht lange auf, sondern strebten dem Inneren des Landes, der Stadt Antiochien in Pisidien zu.

Die etwa acht Tage dauernde Landreise war der Beschwerden und Gefahren voll. Zunächst ging es durch rauhes und hügeliges Gelände, dann war das westliche hohe Taurusgebirge, das die Scheidewand zwischen Pamphylien und Pisidien bildete, zu überwinden. An gebahnten Wegen fehlte es, die steilen Felsen boten manche Schwierigkeit, tiefe Abgründe lauerten an den Seiten, räuberische Horden machten die Gegend unsicher. Kein Wunder, daß der junge Markus, als er von dem Reiseplan vernommen hatte, den Mut verlor und nach Jerusalem zurückkehrte. Paulus und Barnabas aber, aus härterem Holz geschnitzt, strebten mutig vorwärts und sahen bald, vom Kamm des Gebirges wieder absteigend, als Lohn ihrer Mühe das Ziel der Reise vor sich liegen. Antiochia, auf einer aus der Umgebung hervorragenden Anhöhe erbaut, von hohen Bergen im Hintergrund geschützt, war eine Binnenstadt mittlerer Ausdehnung, aber als Marktflecken und Sitz einer um Christi Geburt dahin verlegten römischen Militärkolonie von großer Bedeutung. Deshalb ist es verständlich, daß Paulus, der bei seiner Missionierung immer zunächst den Schlüssel zu gewinnen trachtete, um dann das ganze Hinterland zu erschließen, dahin seine Schritte lenkte.

Einige Tage hatten die Neuangekommenen bereits in der

238

Stadt verbracht, da brach der Sabbath an, und von allen Sei=
ten sah man die vielen dort ansässigen Juden ihrer Synagoge zu=
eilen. Auch manche gottsuchenden Heiden, Männer und Frauen,
selbst aus den besten Ständen mischten sich unter sie. Immer
mehr wurde ja die damalige Heidenwelt von der Ohnmacht
ihrer Götzen überzeugt und von Sehnsucht nach einer höheren,
beglückenderen Religion erfaßt. So priesen sie sich glücklich,
an den Versammlungen der fremdeingewanderten Juden, die
nicht nur ganz andere Sitten, sondern auch ganz anders=
gerichtete Gottesgedanken mitbrachten, teilnehmen zu dürfen.

Wie Johannes am Jordan, ein Rufer in der Wüste, standen
die jüdischen Synagogen im Heidenland, oft ohne es zu wollen,
dem Erlöser die Wege bereitend. Meistens lagen sie am Aus=
gang oder eben vor dem Tor der Stadt, womöglich an einem
Flusse. Trat man durch die Hintertür hinein, sah man zunächst
einen großen, mit Sitzbänken versehenen Raum, ähnlich dem
Schiff unserer Kirchen. Im Vordergrunde gewahrte man
dann eine erhöhte Plattform, unserem Chore vergleichbar, auf
dem Sitzplätze für die Ältesten, ich möchte sagen die Chor=
stühle, und außerdem ein Lehrpult, von dem aus die Heilige
Schrift verkündet wurde, sich befanden. Den Abschluß bildete,
an Stelle unseres Altars, ein hinter Vorhängen verborgener
Schrank, in dem die Heiligen Schriften, auf Rollen auf=
gezeichnet, bewahrt wurden.

An jenem Sabbath nun begaben sich auch die neuen
Glaubensboten zur Synagoge. Das Schiff füllte sich, auf dem
Chore nahmen die Ältesten Platz. Der Synagogenvorsteher
sprach ein Gebet, ein schon vorher bestimmter Schriftgelehrter
trat an das Pult, las den für den Tag vorgeschriebenen Ab=

239

schnitt aus der Heiligen Schrift und knüpfte daran seine Er=
wägungen. Brauch war es, nach dieser mehr amtlichen Unter=
weisung auch andere aus der Schar der Anwesenden zu Worte
kommen zu lassen, und mit Vorliebe vernahm man durchreisende
fremde Gesetzeskundige. So sandten denn auch jetzt die Vor=
steher der Synagoge, die von ihrem erhöhten Platz aus Paulus
und Barnabas unter den anderen Zuhörern wahrgenommen
hatten, diesen einen Boten mit der Aufforderung: „Brüder,
falls ihr ein Wort der Erbauung für das Volk habet, so redet!"
(Ap. 13, 15.)

Auf d e n Augenblick hatte Paulus gewartet. Sofort er=
hob er sich, gebot mit der Hand Schweigen und begann eine
längere Rede. Zunächst rief er den Anwesenden wieder ins
Gedächtnis zurück, wie Gott das Volk Israel zu seinem be=
sonderen Liebling erwählt, wie er es stets in gütiger Weise
geführt und wie er ihm einen Messias versprochen habe. Dieser
Messias nun sei im Judenlande vor einigen Jahren erschienen,
in Jesus von Nazareth. Für ihn habe der allen wohlbekannte
Prophet am Jordan, Johannes, Zeugnis abgelegt. Ihn hätten
zwar die Vorsteher in Jerusalem verworfen und getötet, aber
ohne Grund, und gerade diese Verwerfung sei ein neuer Be=
weis für das Messiastum des Geächteten, denn nur so konnte
sich die Erlösung vollziehen, nur so auch der beste Wahrheits=
beweis, die Auferstehung, erbracht werden. Sei doch von den
Propheten auch gerade die Auferstehung als sicheres Zeichen
des kommenden Erlösers vorausgesagt worden, eine Be=
hauptung, die der Sprecher mit manchen Stellen aus der
alten Schrift belegt. Diesen Messias ihnen zu verkünden, seien
nun sie, die Apostel desselben, vor ihnen erschienen, durch ihn

240

allein sei Heil zu finden. Und so weit im Redefluß gelangt, geht der Redner zu den eindringlichsten Mahnungen über, nun auch das Heil zu ergreifen und schließt: „So sei euch denn kund, liebe Brüder, daß durch diesen euch Vergebung der Sünden verkündet wird. Durch ihn wird jeder, der da glaubt, gerechtfertigt von allem, wovon ihr im Gesetze des Moses nicht konntet gerechtfertigt werden. Darum sehet wohl zu, daß nicht über euch komme das Wort des Propheten: Sehet ihr Verächter, staunet und vergehet! Denn ich vollbringe ein Werk in euren Tagen, ein Werk, das ihr nicht glauben werdet, wenn es euch jemand erzählt!" (Ap. 13, 38—41.)

Atemlos hatten die Zuhörer, Juden sowohl wie Heiden, den Worten gelauscht. So neuartig war die ganze Auffassung, so übereinstimmend jedoch mit den Zeitereignissen und den altüberlieferten Schriften, daß aller sich Staunen bemächtigte und viele, als Paulus geendet hatte und sich zum Gehen anschickte, sich an ihn herandrängten und ihn baten, „daß sie auch am folgenden Sabbath diese Worte zu ihnen reden möchten." (Ap. 13, 42.) Damit nicht genug: als der Gesamtgottesdienst beendet war, stürmten viele Juden und Heiden den beiden Aposteln bis in deren Heim nach, weitere Aufklärung erheischend. Reichlich wurde ihnen diese zuteil. „Diese (die Apostel) redeten ihnen zu und ermahnten sie, in der Gnade Gottes zu verharren." (Ap. 13, 43.)

Wohl die ganze Woche, so dürfen wir annehmen, fanden sich heilsbegierige Besucher bei den Sendlingen Christi ein. So kann es denn nicht wundern, daß die Rede Pauli bald allgemeines Stadtgespräch wurde und am folgenden Sabbath fast die ganze Stadt sich versammelte, um das Wort Gottes zu hören. (Ap. 13, 44.) Aber wie immer, wo der Erfolg ein größerer wird, so setzte auch hier jetzt der Widerstand ein.

4. Lug im Mantel der Religion.
(13, 44—52.)

Hatte am vorigen Sabbath völliges teilnahmsvolles Schweigen während der Rede des Apostels geherrscht, so entstand heute Lärm und Tumult.

Kaum hatte Paulus seine Ausführungen begonnen, da schon setzte Gemurre ein. Ein Gesetzeslehrer erhob sich nach dem anderen mit Einwänden. Immer lebhafter wurden die Gebärden, immer glühender die Gesichter, immer schärfer der Ton, bis schließlich der Redekampf in einem wüsten Geschimpf endete. „Als nun die Juden die Massen sahen, wurden sie voll Eifersucht und widersprachen den Worten des Paulus und stießen Lästerungen aus." (Ap. 13, 45.)

Sie wurden voll Eifersucht! Bezeichnend. Also war es nicht Eifer für die Sache Gottes, der sie zum Widerstand aufrief, sondern nur blinde Leidenschaft. Die einheimischen Gesetzeslehrer konnten es wohl nicht ertragen, daß die Fremden ihnen an Volkstümlichkeit den Rang abliefen. Mit Unmut hatten sie wohl schon am verflossenen Sabbath die Aufmerksamkeit bei Pauli Rede beobachtet, mit steigender Entrüstung wohl auch die vielen im Lauf der Woche in der Stadt über die Rede umlaufenden Lobsprüche vernommen. Jetzt, wo sie das ganze Gotteshaus mit Hörbegierigen gefüllt sahen, brach der Orkan los.

Sie widersprachen! Das nicht nur: sie lästerten! —

242

Der beste Beweis, daß nicht der Geist Gottes aus ihnen sprach, sondern der Teufel des Neides und Hasses.

Das Vorgehen der Juden war recht menschlich-armselig. —

Immer noch läßt schnöder Neid viele nicht schlafen. Lobe eine Person, verschaffe ihr Erfolg, preise ihre Tüchtigkeit und sofort wirst du Widerspruch wecken. Wagt man ihn auch nicht öffentlich auszusprechen, so nährt man ihn doch im Herzen. Woher das? Weil die Veranstaltung, die Rede, das Werk wirklich nicht gut und groß ist? Nein, gerade weil man fühlt und sieht, daß sie groß sind und Beifall finden. Gerade das erweckt inneres Unbehagen! Man möchte jene Person, von der sie ausgehen, nicht groß dastehen sehen, weil sie einem unsympathisch ist oder weil man fürchtet, daß sie einen selbst oder seine Lieblinge, die mit jener in Wettbewerb treten, überflügele. Darum mag man weder innerlich noch äußerlich die Leistung anerkennen. Um das entstehende Unbehagen zu verdrängen, sucht man dann, obschon man im Grunde doch die Leistung anerkennen muß, sich selbst und anderen vorzureden, daß sie doch nicht bedeutend sei oder daß sie nur aus Ehrgeiz und anderen Gründen hervorgehe. Gelingt auch das nicht ganz, so beginnt man an der betreffenden Person selbst so lange herumzuschwärzen, bis im Innern wieder Ruhe ist.

Armselige Machenschaften einer armseligen Leidenschaft! Wie niedrig, anderen nicht ihr Gutes zu gönnen! Wie töricht auch der Glaube, durch die eigene innere oder äußere Auflehnung auch nur etwas an dem Wert jener Leistung zu ändern. Das Werk bleibt doch so groß wie es ist, wenn du auch dagegen redest, wie auch der Mond strahlender Mond bleibt, mag das Hündlein noch so sehr gegen ihn anbellen.

Aber wo auch nicht gerade der Neid das Wort führt, ist doch oft genug bei ähnlichen Widersprüchen eine andere Leiden=schaft im Spiele: Ehrgeiz oder Eigenwille.

Man bringt in kleinen Gesellschaften, Vereinen oder öffent=lichen Versammlungen Einwände vor, nicht weil die Sache es erheischt, sondern um zu zeigen, daß man auch etwas verstehe, oder man spricht dem Vorgebrachten die Tiefe ab, um sich den Schein einer gewissen Überlegenheit zu geben. Andere wieder streiten nur aus Widerspruchsgeist und Zank=sucht. Würde jeder sich fragen, ob denn sein Widerspruch wirklich der Sache diene, so würde wohl manches Gezänk im Privat= und Einzelverkehr, in Gesellschaften und Versamm=lungen unterbleiben.

Da Paulus und Barnabas bald den wahren Grund des jüdischen Widerstandes — nicht Wahrheitsuchen, sondern Bös=willigkeit — durchschauten, taten sie, was in solchen Lagen stets zu tun das Beste ist: sie ließen sich nicht auf lange Reden und Gegenreden ein, die ja die Wut nur noch gesteigert, die Wahrheit aber um nichts gefördert haben würden, sondern wand=ten sich kurzerhand ab. „Da erklärten Paulus und Barnabas freimütig: ‚Zu euch mußte zuerst das Wort Gottes gesprochen werden. Weil ihr es aber von euch weiset und euch selbst des ewigen Lebens nicht wert erachtet, so wenden wir uns zu den Heiden. Denn also hat uns der Herr geboten: Ich habe dich zum Lichte der Heiden gesetzt, damit du zum Heile seiest bis ans Ende der Erde. (Ap. 13, 46, 47.)‘"

244

Wenige Worte, doch sie enthalten wiederum die Schicksals=
stunde einer ganzen Stadt! Bis ins Innerste des fernen
Landes war Christus den Verlorenen des Hauses Israel nach=
gegangen, aber von Leidenschaft verblendet, wies ein großer
Teil ihn ab. Nun wandte er sich zum Gehen, und hinter ihm
wurde es Nacht wie in dem Erdteil, den die Sonne verläßt.
Einmal ausgeschlagene Gnade kehrt meist nicht wieder, weder
im Leben der Völker noch der einzelnen. Für alle schlägt ein=
mal die Entscheidungsstunde: für oder gegen Gott, eine Stunde,
an der Ewigkeiten hängen.

Je hartnäckiger die Juden ihren Erlöser verschmähten, um
so freudiger nahmen die Heiden ihn auf. „Die Heiden
hörten dies voll Freude und priesen das
Wort des Herrn; und es wurden gläubig, so
viele ihrer zum ewigen Leben bestimmt
waren. Das Wort des Herrn wurde ausge=
breitet in der ganzen Gegend." (Ap. 13, 48. 49.)
Wie beschämend für die Juden! Wie beschämend auch heute
für manche Christen, die ihre Gaben nicht zu schätzen und nich
zu benutzen wissen, indes arme Heiden und Andersgläubige
Gott nie genug danken können, daß er sie zu den Pforten
der wahren Kirche führte.

„Selig die Augen, die sehen, was ihr sehet, denn ich sage
euch, viele Propheten und Könige verlangten zu sehen, was
ihr sehet, und sahen es nicht, zu hören, was ihr höret, und hörten
es nicht." (Luk. 10, 23. 24.)

Aber auch nicht alle Heiden verstanden den Ruf des
Herrn. „So viele ihrer verordnet waren zum ewigen
Leben, wurden gläubig"; das heißt soviele sich in die rechte

245

Ordnung zum Heil gebracht, sich für die Gnade aufnahmefähig gemacht hatten. Nur wer sich selbst des ewigen Lebens würdig erwiesen hat, wird von Gott zum ewigen Leben verordnet. Die Auswahl Gottes folgt der eigenen Gestaltungskraft des Menschen, nicht geht sie, von Ausnahmefällen vielleicht abgesehen, ihr voraus. Bestimmt ja auch der Gärtner nicht von vornherein, welche Traube gut, welche schlecht zu werden hat, sondern allen Keimen wendet er seine Sorgfalt zu, alle läßt er ihre Eigenkraft anspannen, und die am Schluß als gut sich erweisen, sendet er zur Tafel seines Herrn, die faulgewordenen aber wirft er auf den Dunghaufen. Nicht darum wird der Mensch gut, weil Gott ihn zum Guten und zum Himmel vorausbestimmte, sondern darum bestimmte ihn Gott zum Himmel, weil er ihn im voraus gut werden sah. —

Nicht nur in der Stadt, auch in den umliegenden Dörfern und Weilern nahmen die Heiden das Evangelium freudig auf. „Das Wort des Herrn wurde ausgebreitet in der ganzen Gegend." (Ap. 13, 49.)

Das aber erregte naturgemäß den Ingrimm der Juden aufs ärgste. Die neuen Apostel mußten mundtot gemacht werden. Aber wie? In Jerusalem war die Sache einfach gewesen. Die Judenschaft, im Besitz der regierenden geistlichen Gewalt, ließ durch ihre Büttel Paulus vertreiben; hier in der fremden Stadt aber, wo die Söhne Israels selbst nur als Gäste geduldet waren, standen ihnen keinerlei äußere Machtmittel zu Gebote. Da ersannen sie eine List.

Zu den heidnischen Anhängern, die sich bei ihrem Gottesdienste einfanden, gehörten manche einflußreiche Damen der

246

Stadt, wahrscheinlich waren auch Gattinnen von den Regierungsbevollmächtigten darunter. Diese nun faßten die Juden bei ihrer schwachen Seite, redeten ihnen vor, daß die neuen Prediger die wahre Religion fälschten, einen verderblichen Geist einschleppten und so eine Gefahr für den wahren Glauben bedeuteten. Und die guten Frauen, die doch schon über den Abbruch, den die neuen Prediger den ihnen befreundeten ansässigen Schriftgelehrten taten, ärgerlich, dabei unklar in ihren religiösen Anschauungen waren, gingen arglos ins Garn, steckten sich hinter ihre Männer, und das Schicksal der Apostel war besiegelt. „Doch die Juden reizten die gottesfürchtigen Frauen aus vornehmem Stand und die Oberen der Stadt auf, erregten eine Verfolgung gegen Paulus und Barnabas und vertrieben sie aus ihrem Gebiet." (Ap. 13, 50.)

Arme Frauen, die nicht ahnten, wie ihr frommer Sinn als Vorspann für häßliche Parteileidenschaft gebraucht wurde und wie sie der Sache Gottes schadeten, der sie doch zu dienen glaubten! Wie viel Gutes hätten die Apostel Christi noch in der Stadt und Umgebung tun können! Vielleicht war hier einer der schönsten christlichen Gärten am Erblühen und er ward zerstört von — Frauenhand, und das unter dem Schein von Glaubenseifer!

Noch immer lassen sich „fromme" Frauen zu gerne von Übereiferern gefangennehmen und zu deren eigenwilligen Zwecken mißbrauchen. Leicht entflammt und beeinflußbar, in Liebe oder Haß schnell erglühend, im Eifer oft alles Maß übersteigend, dabei tieferen und sachlichen Untersuchungen oft weniger geneigt, laufen gerade gutmeinende Frauen Gefahr,

247

derartigen Machenschaften zu verfallen. Irgendeine, von irgend=
einem gemachte abfällige Außerung gegen eine Person, eine
Richtung oder ein Unternehmen genügt, um nun den schärfsten
Kampf auszulösen. Auf die Mittel kommt es dabei nicht genau
an: haltlose Verdächtigungen, leichtfertiges Gerede, sogar Ehr=
abschneidung, Verleumdung, falsche Anklagen und Ränke werden
nicht mehr als Fehler erachtet, da es doch der Sache der „Re=
ligion" gilt. Wie man wenigstens meint! Im tiefsten Grunde
dürften wohl noch andere Ursachen, wie persönliche Liebe und
Haß, mitspielen.

Wenn alle jene Eiferinnen sich ernst vor Gott die Frage
vorlegten, ob wirklich nur Eifer für Gottes Sache sie bewege,
jene Personen zu verdrängen, jene Unternehmungen zu
schädigen, würden sie da vielleicht nicht etwas weniger eifern?
Und war es denn eine k l e i n e Verantwortung für die Frauen
Antiochiens, Paulus und Barnabas verjagt und damit Gottes
Sache in der Stadt so geschädigt zu haben?

5. Der Stimmungen Trug.
(14, 1—27.)

Wo immer wahre Gottesfreunde in unserer Mitte ge=
weilt haben, empfinden wir nach ihrem Abschied noch lange
etwas wie heilige Freude und süßen Frieden, etwas von jener
weihevollen Stimmung der Abendlandschaft nach Untergang
der Sonne. So war es auch nach dem Weggang der Apostel
aus Antiochien. „Diese schüttelten den Staub von ihren Füßen,
zum Zeugnis gegen sie, und kamen nach Ikonium. Die Jünger
aber wurden erfüllt mit Freude und Heiligem Geiste." (Ap. 13,
51. 52.)

248

Von Antiochien in südlicher Richtung schreitend, kamen die Reisenden nach einem Fußmarsch von 130 km nach Ikonium, um dort den ersten Keim des Christentums zu legen. Ob sie wohl ahnten, daß etwa zehn Jahrhunderte später ein Kreuz= fahrerheer derselben Stadt nahen und Zeugnis von der ge= waltigen Ausbreitung des Evangeliums im ganzen Abend= land ablegen werde? Wie hätte eine solche Zukunftsvision die armen Wanderer, die jetzt so mühsam dem Herrn die ersten Wege bereiteten, über ihre Mühen hinwegtrösten müssen! Doch Gott verbirgt oft seinen Säeleuten den diesseitigen Er= folg, um ihren gesamten Lohn für die andere Welt aufzube= wahren.

An Mühen sollte es den Wegebereitern Christi nicht fehlen. An ihrem neuen Bestimmungsort angelangt, begannen sie als= bald ihr Bekehrungswerk mit gewohntem Eifer auf dieselbe Art wie in Antiochien. Sie meldeten sich bei der Sabbathfeier in der dicht gefüllten Synagoge zum Wort und verkündeten die neue Botschaft Christi. Wie anderswo erregten ihre Worte Staunen bei allen, Glauben bei vielen, Anstoß bei manchen. „Auch in Ikonium gingen sie miteinander in die Synagoge der Juden und predigten, so daß eine große Zahl Juden und Heiden den Glauben annahm." (Ap. 14, 1.) Wie anderswo aber blieben auch hier die Ungläubigen nicht bei einer einfachen Ablehnung Christi stehen, sondern gingen zum Angriff über. „Die Juden aber, die ungläubig blieben, reizten und erregten die Heiden wider die Brüder." (Ap. 14, 2.) Vorerst scheint diese Erregung mehr eine noch unterirdisch glühende, nicht gewaltig ausbrechende

249

gewesen zu sein, denn es heißt: „**Trozdem blieben sie geraume Zeit daselbst und redeten freimütig im Herrn.**" (Ap. 14, 3.)

Von Gott wurden sie dabei in sichtlicher Weise unterstützt. Heißt es ja von ihm, daß er „**dem Worte seiner Gnade Zeugnis gab und Zeichen und Wunder geschehen ließ durch ihre Hände.**" (Ap. 14, 3.) Gleichwohl aber verfehlten die Wühlereien der Juden ihre Wirkung nicht. Viele verhielten sich ablehnend. „Da entstand aber eine Spaltung unter dem Volke der Stadt: einige hielten es mit den Juden, andere mit den Aposteln." (Ap. 14, 4.) Wiederum war es also nicht tiefe Verstandeseinsicht und ruhige Forschung, die so manche vom Glauben abhielt, sondern Verhetzung und Stimmungsmache.

Ähnliches sehen wir ja noch immer vor Augen. Hinter den großen christusfeindlichen Bewegungen stecken in der Regel nur einige wenige Christus- und Kirchenhasser. Aber diese wenigen entfalten eine fieberhafte Tätigkeit in der Presse, in den Schulen, im öffentlichen Leben; wissen geschickt das zu bringen, was den niederen Trieben der Massen schmeichelt, was ihre Leidenschaften weckt, und so entsteht dann der Sturm. Arme Massen, die nicht ahnen, wie sie von einigen Hetzern mißbraucht und durch was für Trugbilder sie hinters Licht geführt werden!

Aber nicht nur in religiösen, sondern auch in täglichen Begebenheiten zeigt sich dasselbe Bild. Von persönlicher Abneigung gegen bestimmte Personen oder Veranstaltungen erfüllt, suchen böswillige Geister diese nun zu vernichten, und alle Mittel sind ihnen dabei recht. Unwahre Behauptungen

250

werden aufgestellt, die unglaublichsten Verdächtigungen ausgestreut, Leidenschaften geschürt, Ränke eingefädelt, und da es wenige Menschen gibt, die solchen Beeinflussungen unzugänglich sind, glückt das Zerstörungswerk meistens glänzend. Wie viele lassen sich noch immer mißbrauchen! Da heißt es zusehen, wo immer hetzende Geister sich nahen, und auch öffentlicher Stimmungsmache gegenüber seine Selbständigkeit wahren.

Die Apostel ließen sich durch die hochgehenden Wogen der Volksfeindschaft nicht beirren, sondern setzten ihr Werk ruhig fort, und die Anhängerzahl wuchs weiter. Damit steigerte sich aber auch die Wut der Gegner. In der ganzen Stadt, in den Familien und Verwaltungsstuben, in den Häusern der Bessergestellten und in den Hütten der Ärmeren wurde weiter gegen Christi Boten gehetzt; wie in Antiochien wohl auch die Damenwelt der höheren Beamtenschaft rege gemacht, und schließlich beschloß man einen geheimen Überfall.

Doch die Apostel erhielten davon Kunde und wandten sich bessergesinnten Städten zu. „Die Heiden und Juden samt ihren Oberen wollten sie mißhandeln und steinigen. Sie wurden dies gewahr und flohen in die Städte Lykaoniens, nach Lystra und Derbe und in die ganze Umgegend; dort verkündeten sie das Evangelium." (Ap. 14, 5 ff.)

Von Ikonium wanderten die Apostel also weiter ins Land hinaus und kamen nach Lykaonien. Hatten sie bis dahin noch immer den Zusammenhang mit der großen Welt einigermaßen gewahrt, so hörte dieser jetzt auf. Wildnis und Öde umgab sie. Kein Baum spendete Schatten, kein Bach bot ihnen seine netzende Flut. Nur spärliche Hirten oder

251

Landleute fahen fie auf den weiten Steppen. Nur felten be=
gegneten ihnen einfame Wanderer auf dem Weg. Auch die
Geifteswelt der Bewohner war noch um Jahrhunderte zu=
rück. In religiöfer Beziehung herrfchte noch der heidnifche
Aberglaube früherer Zeiten. L y ft r a , das, am Fuße eines
Berges gelegen, nach einem Marfch von 40 km vor ihnen auf=
tauchte, entfprach ganz dem Charakter der Umgebung. Ein
kleines Landftädtchen, ohne befonderen Schmuck, ohne viel
Verkehrs= und Geiftesleben. Nicht einmal die Juden, fonft
überall anfäffig, fcheinen fich in größerer Zahl dahin verirrt
zu haben. Von einer Synagoge findet fich keine Spur.

Gleichwohl begaben fich die Sendlinge des Herrn doch fofort
an die Predigt des Evangeliums, und Gott beglaubigte fie
durch eine wunderbare Tat. „In Ly ftra faß ein Mann,
der ohne Kraft in den Füßen war; er war von
Geburt an lahm und hatte nie gehen können.
Diefer hörte den Paulus predigen. Der
blickte ihn an und erkannte, daß er Vertrauen
habe, Heilung zu finden. Dann fprach er
mit lauter Stimme: Stelle dich aufrecht auf
deine Füße! Er fprang auf und ging umher."
(Ap. 14, 7—9.)

Hatte fchon das Erfcheinen der fremden Männer in der
vom Weltverkehr abgefchnittenen Stadt Auffehen erregt, fo
ftieg bei diefer wunderbaren Heilung das Erftaunen aufs
höchfte. Da im Sagenkreis jener Gegend öfters von dem Er=
fcheinen der Götter unter den Menfchen die Rede war und
dort auch gerade der Mythus von dem Befuch der beiden
Götter Jupiter und Merkur bei dem altehrwürdigen Paar

252

Philemon und Baucis spielte [1]), glaubten die einfältigen Bewohner, diese Begebenheit habe sich jetzt vor ihren Augen wiederholt. „Als die Scharen sahen, was Paulus getan, erhoben sie ihre Stimme und riefen auf lykaonisch: Götter in Menschengestalt sind zu uns herabgekommen. Den Barnabas nannten sie Jupiter, den Paulus aber Merkur, weil er Wortführer war." (Ap. 14, 10—11.)

Wie ein Echo pflanzte sich diese Kunde durch die ganze Stadt fort. Man eilte zum Priester des Zeus, und dieser glaubte sofort mit göttlichen Ehren aufwarten zu müssen. „Der Priester des Jupitertempels vor der Stadt brachte Stiere und Kränze an das Tor und wollte opfern, samt dem Volke." (Ap. 14, 12.)

Kaum war das aber Paulus und Barnabas hinterbracht, „da zerrissen sie ihre Kleider, sprangen unter das Volk und riefen: Ihr Leute, was tut ihr da? Auch wir sind sterbliche Menschen wie ihr. Wir verkünden euch, daß ihr euch von diesen nichtigen Götzen zum lebendigen Gott bekehren sollt, der Himmel und Erde und das Meer gemacht hat und alles, was darin ist. Er ließ in den vergangenen Zeiten alle Völker ihre Wege gehen. Und doch hat er sich nicht unbezeugt gelassen als Wohltäter, da er vom Himmel her Regen spendete und fruchtbare Zeiten und unsere Herzen mit Speise und Wonne

[1]) Ovid Metam. 8. 625—724.

253

erfüllte. Als sie so redeten, konnten sie nur mit Mühe die Scharen abhalten, ihnen zu opfern." (Ap. 14, 13—17.)

Ungläubige hat es gegeben, die da behaupteten, nicht habe Jesus von Nazareth selbst als Gott sich ausgegeben, sondern P a u l u s h a b e i h n in seiner lodernden Begeisterung und üppig wuchernden Phantasie z u m G o t t e g e m a c h t. Aber hat man denn keinen Sinn für das Ungeheuerliche, das in solchen Behauptungen liegt? War Christus nicht Gott, ist er auch Saulus vor Damaskus nicht erschienen, und ist er nicht er= schienen, wie will man es dann erklären, daß aus dem Ver= folger plötzlich ein solcher Bewunderer Christi wurde? Und nun soll ohne göttliches Einwirken Christi Saulus nicht nur ein Anhänger Jesu geworden sein, sondern ihn noch als Gott auf den Thron erhoben haben! Aber w i e k a m Saulus denn zu einem solchen Gedanken? Und was veranlaßte ihn zu solchem Tun? Hat Christus sich durch die Auferstehung nicht als Gott bezeugt, so war er tatsächlich ein Täuscher gewesen und Paulus, ein erbitterter Gegner des Nazareners, ein grimmiger Pharisäer, entlarvt nicht den Trug, sondern macht seinen und seiner Partei Todfeind zum Gotte?

Einen Zimmermannssohn zum Gotte machen, wo er es doch nicht war, das hieß doch auch den allerschmählichsten G ö t z e n d i e n s t einführen, und das sollte Paulus· tun, der als Jude sowohl wie Pharisäer jede Abgötterei verabscheute? Hier in Lystra sehen wir ja auch klar, wie Paulus über den Menschenkult dachte. Kaum drang die Kunde von dem be= absichtigten Opfer an sein Ohr, da springt er in die Menge hinein, zerreißt voller Entrüstung sein Gewand und beschwört alle, von dem Greuel abzulassen. Wahrlich, ein Mann, der

254

für sich selbst nicht einmal solche göttliche Ehrungen duldete, würde sie erst recht nicht seinem früheren Todfeinde zuerkennen; er, der so in der einen Stadt dem Aberglauben entgegentrat, würde gewiß nicht der ganzen Welt einen neuen Aberglauben aufgedrängt haben. Wenn Paulus also die Gottheit Christi übermittelte, dann tat er es, weil diese sich ihm unumstritten geoffenbart hatte. Nicht Paulus hat also Christus zum Gotte, wohl aber hat Christus, der Gottessohn, den Saulus zum Paulus gemacht! —

Die hohe Wertschätzung der Apostel und die religiöse Begeisterung des Volkes ließen viel Gutes für die Zukunft erhoffen; aber auch hier sollte sich bald zeigen, wie wetterwendisch Volksstimmungen sind. Auf das „Hochgelobt sei, der da kommt", folgte bald das „Kreuzige ihn!"

Von Antiochien und Ikonium waren erbitterte Juden den christlichen Sendboten nachgereist. Nachdem sie dieselben nun in Lystra entdeckt hatten, begannen sie, das Volk gegen sie aufzuwiegeln. Bei diesen weltfremden Naturkindern gelang ihnen das unschwer. Dieselben Männer, die sie anfangs für Götter hielten, erschienen ihnen nun ebensoschnell als die größten Betrüger, und die anfängliche Liebe verwandelte sich in ebenso großen Haß. Wiederum die alte Stimmungsmache!

Als Paulus nun wieder einmal auf freiem Platze eine Rede hielt, bemerkte er schon auf manchen Gesichtern den Umschwung der Gefühle. Er fuhr indes zu lehren fort. Da plötzlich traf ihn ein Stein. Das war das Signal zum allgemeinen Angriff. Stein um Stein prasselte nun auf ihn nieder. Der

255

Apostel sank in die Knie; Blut rann hernieder von der Stirn, Blut von den Schultern und Händen. Doch er hielt stand. Ob er nicht da des Stephanus gedachte und zur Sühne für dessen Steinigung die seine dem Herrn darbot? Wie doch alles im Leben sich rächt, wie doch meist der Mensch, worin er gesündigt, auch gestraft wird!

Zuletzt sauste noch ein gewaltiger Stein heran, und lautlos sank der Blutzeuge in den Staub. Man hielt ihn für tot und schleppte ihn wie einen Kadaver vor die Stadt. Da ließen die Verbrecher ihn liegen und kehrten heim.

Aber als die Zuschauer sich verlaufen hatten, wohl gegen Abend, nahten einige treue Seelen, umstanden wehmütig den Gesteinigten, netzten seine Schläfen mit Wasser, und der Totgeglaubte schlug seine Augen auf, erhob sich und begab sich nach einiger Weile mit seinen vor Freude überströmenden Christen zur Stadt. Dort pflegte man ihn, und wie durch ein Wunder kehrten die Kräfte wieder. In aller Frühe verließ er dann den gefährlichen Ort und wanderte mit Barnabas nach dem 65 km weit entfernten Derbe.

Bitteres war ihm in Lystra begegnet, aber ein großer Trost sollte ihm auch von dort werden. Unter denen, die dem Evangelium Glauben schenkten, befanden sich eine gewisse Eunize und Lois, diese die Großmutter, jene die Mutter des jungen Timotheus, der durch die beiden Frauen christlich er= zogen, später des Apostels treuester Schüler und eifrigster Mit= arbeiter wurde. So war doch der Aufenthalt in Lystra reich= lich gelohnt.

In D e r b e weilten die Glaubensboten noch mehrere Monate und unterrichteten viele. Ungefähr drei oder vier Jahre

256

mochten sie nun fern von der Urgemeinde in vielfach einsamen, öden Landstrichen geweilt haben. Da drängte es sie heim. Aber sie nahmen nicht die kürzeste Reisestrecke, sondern kehrten genau denselben Weg, den sie gekommen waren, über Lystra, Ikonium, Antiochien in Pisidien und Perge zurück. Mut brauchte es gewiß, jene Orte, die ihnen so schwere Verfolgungen, selbst Todesgefahren gebracht hatten, nochmals aufzusuchen, aber an Mut gebrach es den beiden nicht. Die neugegründeten Gemeinden aber bedurften der Festigung. Wir können uns denken, welche Freude alle erfüllte, als sie nach längerer Abwesenheit ihre geistlichen Väter wieder wohlbehalten in ihrer Mitte sahen. Diese „bestärkten die Seelen der Jünger und ermahnten sie zur Beharrlichkeit im Glauben." (Ap. 14, 21.) Die vielen Verfolgungen hätten in den Neubekehrten wohl Zweifel an der Göttlichkeit der neuen Religion wecken können, denn, war diese Gottes Werk, warum ließ Gott solche Hemmungen zu? Um den Stein des Anstoßes zu entfernen, unterließen die Apostel nichts, um von Anfang an den wahren Charakter des Christentums und des Heilswerks einzuschärfen. Wie Christus selbst nur durch Leiden zur Glorie einging, so ist es auch seinen Nachfolgern beschieden. „Und sie ermahnten sie ... daß wir durch viele Trübsale in das Reich Gottes eingehen müssen." (14, 21.)

Trübsale und Hemmungen ertöten den fleischlichen und irdischen Sinn, demütigen den Stolz, beugen den Eigenwillen, zwingen zur Anspannung aller geistigen Kräfte, vermehren die Tugend und bereiten so dem Reich Gottes in uns, dem Reich der Gnade den Weg. Deshalb ist es ganz natürlich, daß sie die Pforte zum Reiche Gottes bilden. Mahnungen zur Aus-

17 Cohausz, Urkirche.   257

dauer im Glauben und zum starken Ertragen der Verfolgungen aus dem Munde solcher Männer, die für ihren Glauben so mutig dem Tod ins Auge schauten, konnten naturgemäß ihre Wirkungen nicht verfehlen. Mehr als je schlossen die Neubekehrten sich ihnen an. Des längeren Bleibens war jetzt aber nicht. Ohne Hirten wollte man jedoch die Herde nicht zurücklassen, und da diese entlegenen Gemeinden von dem Mutterlande des Glaubens aus zu schwierig besucht werden konnten, so bestellten die Apostel ihnen eigene Seelsorger, empfahlen unter Fasten und Gebet alle dem Herrn und wanderten dem Meere zu.

In Attalia, einem Hafen des Mittelländischen Meeres, stachen sie in See. Lange wohl mochten sie noch nach der immer mehr ihren Augen entschwindenden Küste jenes Landes hinübersehen, das als eine vielversprechende Pflanzung für Christus sich erschlossen hatte. Groß waren die Reisemühen in den Einöden und Bergen der durchreisten Gebiete gewesen. „Auf Reisen oftmals Gefahren von Räubern, Gefahren von Flüssen, Gefahren von meinem Volke, Gefahren von Heiden, Gefahren in den Städten, Gefahren in den Wüsteneien . . ., bei Mühsal und Anstrengungen, bei Hunger und Durst, bei Kälte und Blöße" (2. Kor. 11, 26 ff.) — so hat Paulus später seine Erlebnisse geschildert, und noch am Abend seines Lebens gedenkt er in seinem Briefe an Timotheus (II. 3, 11.) gerade dieser Zeit; ein Zeichen, wie tief ihre Drangsale sich ihm ins Herz gebohrt hatten. Jetzt aber gingen all die schweren Erlebnisse in der Freude ob des Erfolges unter.

Nach gut überstandener Seereise stiegen die Wanderer in Seleuzia wieder ans Land und gelangten bald nach Antiochien

258

in Syrien, von wo sie vor etwa drei Jahren zur Heiden=
bekehrung ausgezogen waren. Kaum war die Rückkehr be=
kannt geworden, da ging eine freudige Bewegung durch die
ganze Stadt. Die ganze Gemeinde versammelte sich und „sie
berichteten, wie Großes Gott mit ihnen getan." (14, 27.)

Wie Großes Gott mit ihnen getan. Sich selbst be=
trachteten sie, wie es wirklich ist, nur als Werkzeuge in der Hand
des Höchsten. — „Und daß er den Heiden eine Tür
des Glaubens geöffnet habe" (14, 27). Weit
war allerdings die Tür an der Schwelle Kleinasiens geöffnet
und bald sollten zahlreiche Völker aus Asien und Europa von
jetzt an den Weg durch sie hindurchfinden.

Sprachlos vor Freude hingen die Gemeindeglieder an den
Lippen der Erzählenden, und groß war ihr Entzücken über die
Wundertaten des Herrn.

Längere Zeit blieben die Heimgekehrten nun zu Antiochien,
dort die Sache Christi fördernd.

6. Unruhestifter.
(15, 1—32.)

In Antiochien angekommen konnten Paulus und Bar=
nabas endlich die staubbedeckten Reiseschuhe und Reisekleider
ablegen und am häuslichen Herd inmitten treuer Freunde der
wohlverdienten Ruhe pflegen. Nur zu bald wurde jedoch auch
diese friedliche Stille wieder von Kampfgeschrei gestört. „Von
Judäa kamen einige herab und lehrten die
Brüder: Wenn ihr euch nicht beschneiden
laßt nach dem Brauch des Moses, so könnt ihr
nicht selig werden." (Ap. 15, 1.)

Sehr unheilvoll begann das Auftreten dieser Fremdlinge sich bald fühlbar zu machen. Bisher hatten die Neubekehrten Antiochiens ihren Aposteln volles Vertrauen geschenkt, und nachdem sie alles getan, was diese ihnen vorschrieben, des sicheren Glaubens gelebt, die Sündenvergebung erlangt zu haben und der Gnade Jesu Christi teilhaftig geworden zu sein. Nun kamen diese Judaisten und erklärten ihr ganzes bisheriges Christentum für hinfällig, weil sie durch die falsche Tür eingegangen seien; ja sie stellten allen trotz der bisherigen Glaubensbetätigung die sichere Verwerfung in Aussicht, falls sie nicht den ganzen Weg zurückgingen und durch die von Moses aufgerichtete Pforte des alten Gesetzes einträten. „Wenn i h r e u ch nicht beschneiden laßt, nach dem Brauch des Moses, so könnt ihr nicht selig werden." (Ap. 15, 1.)

Wir können uns denken, daß diese Kunde alle Herzen tief erschütterte. Alle fühlten den Boden unter ihren Füßen wanken.

Wohl suchten Paulus und Barnabas die Gemüter zu beruhigen, aber da die neuen Prediger aus Jerusalem, der Wiege und Hochburg des Christentums, kamen und sich, wie es schien, als Beauftragte der Urapostel ausgaben (15, 24), wollte das nicht mehr recht gelingen. Das volle Zutrauen zu den beiden war teilweise untergraben!

Auch in diese bis dahin stille Gemeinde war nunmehr der Streit getragen, der damals die ganze Kirche Palästinas bewegte. Zu viele vom Judentum Übergetretene hielten noch zu sehr an der alten Ansicht fest, daß der Weg zu Christus nur durch das alte jüdische Gesetz führe, daß also auch jeder Heide erst Jude werden müsse, um Christ werden zu können.

260

Teils ging das aus ererbten Vorurteilen, teils aus nationalem Stolz, teils aus Engherzigkeit und der alten Abneigung gegen die Heiden hervor.

Durch die Bekehrung des Hauptmanns Kornelius und die diese umgebenden göttlichen Zeichen war die Frage bei den führenden Aposteln längst entschieden, aber manche untergeordnete Glieder der Kirche, eingefleischte Pharisäer, konnten sich noch immer nicht von ihren alten Anschauungen lossagen.

Das war schon betrübend, schlimmer aber noch, daß sie, wie es in solchen Fällen so oft geschieht, zu hartnäckig daran festhielten, daß sie ihre Ansicht allen aufzudrängen suchten und alle, die sie nicht teilten, der Seligkeit für verlustig erklärten. Sie hätten mit dem Bescheid der Apostel sich doch zufriedengeben können, aber nicht gerade an Bescheidenheit und Demut krankend, hielten sie sich für die allein Rechtgläubigen und die berufenen Retter der Religion.

Solches Sichzuwichtignehmen hat ja oft die Einheit der Kirche gefährdet. Hierauf sind im Grunde alle Häresien und Schismen zurückzuführen. Hätten alle Neuerer sich ernst die Frage vorgelegt: Treibt dich allein Liebe zur Wahrheit, nicht auch die Sucht nach Aufsehen, Selbstgefühl, Zorn, Leidenschaftlichkeit, Verbitterung, dient dein Unterfangen auch wirklich dem Reiche Gottes, dem Fortschritt der Seelen, der Festigung und Freudigkeit des Glaubens, besitzest du auch wirklich die genügenden Kenntnisse? — so wäre manche Spaltung gewiß unterblieben. —

Mit großer Kraft traten Paulus und Barnabas den Neuerern entgegen, doch wie so oft mehrte der Widerstand nur noch den Streit. Hier mußte endlich ein entscheidendes

261

Wort gesprochen werden — wer aber sollte es tun? „Es entstand ein heftiger Streit zwischen Paulus und Barnabas und ihnen. Darum beschloß man, Paulus und Barnabas sowie einige andere aus ihrer Mitte sollten zu den Aposteln und Ältesten nach Jerusalem hinaufziehen wegen dieser Streitfrage." (Ap. 15, 2.)

Bezeichnend genug, daß man eine höhere Stelle anrief, um zur Klarheit zu kommen. Welch deutlicher Beweis, daß das freie Forschen und die eigenmächtige Meinungsäußerung der einzelnen nie zur Wahrheit führt, wohl aber Verwirrung und Zersplitterung anstiftet und daß, soll Christi Lehre nicht den Einfällen und Launen der Menschen ausgeliefert werden, eine oberste Lehrstelle in der Kirche vorhanden sein muß, die in Lehrstreitigkeiten entscheidet und auch unfehlbar entscheiden kann. Christus gab ja seinen Aposteln die Weisung: „Lehret sie alles halten, was ich euch befohlen habe"; seine Lehren sollen also genau der Mitwelt und Nachwelt überliefert werden, nicht eigene Einfälle. Um das zu erreichen, mußte aber ein Überwachungsamt da sein und das gab Christus in den Aposteln und ihren Nachfolgern.

Davon war man in der ersten Kirche durchdrungen und deshalb wandte man sich sogleich, als ernstere Glaubensschwierigkeiten laut wurden, an die erste Behörde der Kirche in Jerusalem. Dort veranstaltete man mit anderen Worten das erste Konzil.

So geschah es ja auch später immer. Tauchten Zweifel auf, drohten Spaltungen, ließen Lehrstreitigkeiten die Gemüter nicht zur Ruhe kommen, so versammelten sich die Bischöfe der

262

Kirche mit dem Oberhaupt an der Spitze zu einer Kirchen=
versammlung, und diese Konzilien sprachen das entscheidende
Wort, stellten Ruhe und Einheit wieder her. So schlichtete,
um nur einiges zu erwähnen, das Konzil von Nizäa den Streit
um die Gottheit Christi, das von Ephesus den um die Mutter
Gottes. In Trient wurden die reformatorischen Irrtümer be=
sonders widerlegt und auf der letzten Kirchenversammlung im
Vatikan die neuzeitlichen antichristlichen Strömungen.

Friedlich zogen nun die Abgesandten Antiochiens aus,
nahmen den Landweg südwärts durch Phönizien und Samaria,
stärkten die Gemeinden, erzählten von der Bekehrung der
Heiden und „verursachten große Freude bei allen Brüdern."
(Ap. 15, 3.)

In der Hauptstadt Palästinas war der Empfang ein herz=
licher. „Bei ihrer Ankunft in Jerusalem wurden sie von der
Gemeinde und von den Aposteln und Ältesten empfangen. Sie
berichteten, welch große Dinge Gott mit ihnen getan habe."
(Ap. 15, 4.)

Bald nachdem die Begrüßung vorüber war, begannen aber
die Verhandlungen. „Einige aus der Sekte der Pharisäer,
welche gläubig geworden waren, standen auf und erklärten:
Man muß sie beschneiden und ihnen gebieten, das Gesetz des
Moses zu halten. Da versammelten sich die Apostel und Ältesten,
diese Sache zu untersuchen." (Ap. 15, 5. 6.) Zunächst ließ man
einzelne sich aussprechen. Wie so oft aber in öffentlichen Er=
örterungen, wo jeder seine Ansicht verficht und oft genug auch
nicht zur Sache Gehöriges vorträgt, kam man auch hier nicht
zum Ziel. Da machte Petrus dem Streit ein Ende. „Nach
langem Hin= und Herreden erhob sich Petrus und sprach zu

263

ihnen: Liebe Brüder! Ihr wißt, daß Gott vor langer Zeit aus unserer Mitte mich auserwählt hat, daß die Heiden durch meinen Mund das Wort des Evangeliums hören und glauben sollen." (Ap. 15, 7.) Wiederum Petrus! Kurz entwickelt er der Versammlung, wie die ganze Streitfrage durch Gott selbst längst erledigt sei, habe dieser doch den Heiden o h n e B e = s ch n e i d u n g die Tür des Christentums geöffnet. „Ihr wißt, daß Gott vor langer Zeit aus unserer Mitte mich auserwählt hat, daß die Heiden durch meinen Mund das Evangelium hören und glauben sollen. Gott, der Herzenskenner, legte für sie Zeugnis ab, indem er ihnen den Heiligen Geist gab wie auch uns. Er hat keinen Unterschied gemacht zwischen uns und ihnen, da er durch den Glauben ihre Herzen gereinigt hat." (Ap. 15, 7—9.)

Zu schlagend war das Vorgebrachte, als daß noch eine Entgegnung hätte stattfinden können, und als nun auch noch Paulus und Barnabas durch ihre Erfahrungen bei den Heiden Petri Worte bekräftigten, mußten auch die erbittertsten Gegner verstummen.

„D a s ch w i e g d i e g a n z e M e n g e u n d h ö r t e d e m P a u l u s u n d B a r n a b a s z u , w e l ch e e r = z ä h l t e n , w e l ch g r o ß e Z e i ch e n u n d W u n d e r G o t t d u r ch s i e u n t e r d e n H e i d e n g e t a n." (Ap. 15, 12.)

Nun erhob sich Jakobus, der Bischof Jerusalems, zu Wort. Noch einmal faßt er die von den Vorrednern gemachten Äußerungen zusammen, beweist, wie diese auch genau mit den Weissagungen der alten Propheten in Einklang stehen und schließt: „Darum geht meine Meinung dahin: man soll die aus

264

den Heiden, welche sich zu Gott bekehren, nicht belästigen, sondern ihnen ein Schreiben zusenden, daß sie sich enthalten von der Befleckung durch die Götzen, von der Unzucht, vom Erstickten und vom Blut." (Ap. 15, 19, 20.)

Mit Spannung hatte man der Rede des Jakobus entgegengesehen, galt e r doch gerade als ein Hauptverfechter des alten Gesetzes. Da aber auch er sich entschieden auf Seite der anderen Apostel stellte und somit volle Einmütigkeit erzielt war, gaben sich alle zufrieden.

„Darauf beschlossen die Apostel und Ältesten samt der ganzen Gemeinde, Männer aus ihrer Mitte zu wählen und mit Paulus und Barnabas nach Antiochien zu senden, nämlich Judas mit dem Zunamen Barsabas, und Silas, Männer, die zu den Angesehensten unter den Brüdern gehörten. Man gab ihnen das folgende Schreiben mit: „Die Apostel und Ältesten entbieten als Brüder den Brüdern aus den Heiden in Antiochien, Syrien und Cilicien ihren Gruß! Wir haben gehört, daß einige, die aus unserer Mitte ausgegangen sind, euch mit ihren Reden beunruhigt und eure Gemüter verwirrt haben, Leute, denen wir keinen Auftrag gegeben haben. Darum haben wir, einmütig versammelt, beschlossen, Männer auszuwählen und zu euch zu senden mit unseren Geliebten Paulus und Barnabas; das sind Männer, die ihr Leben preisgegeben haben für den Namen unseres Herrn Jesus Christus. So haben wir denn Judas und Silas gesandt, welche euch dasselbe auch mündlich verkünden sollen. Es hat nämlich dem Heiligen Geiste und uns gefallen, euch weiter keine Last aufzulegen, außer diesen notwendigen Stücken: Ihr sollt euch enthalten von den Götzenopfern, vom Blut, vom Erstickten und von der Unzucht. Wenn

265

ihr euch davor bewahrt, werdet ihr wohltun. Lebt wohl!"
(Ap. 15, 22—29.)

Mit diesem Schreiben ging die erste kirchliche Konzils=
entscheidung hinaus in die Welt.

Schon der feierliche Ton, sowie die Einleitung: „Die Apostel
und die Ältesten entbieten", tut ihren bedeutungsvollen Charak=
ter kund. Beachtung aber verdient noch besonders eine Stelle:
„Denn es hat dem Heiligen Geiste und uns gefallen".
(15, 28.) — Die Apostel sind also der Überzeugung, daß durch
sie in solch amtlichen Entscheidungen der Heilige Geist
rede, daß also in solchen Fällen ihr Wort unfehlbar
sei. Diese Eigenschaft hat deshalb auch die Kirche für ihre
allgemeinen Kirchenversammlungen und für gewisse Ent=
scheidungen des Papstes beansprucht. Wo immer Konzil und
Papst der ganzen katholischen Christenheit in Glaubens= und
Sittenlehren eine bestimmte, alle unbedingt bindende Vor=
schrift geben, da sind sie vor Irrtum geschützt. Die Kirche beruft
sich hierbei auf Christi Worte: „Ich bin bei euch alle Tage
bis ans Ende der Welt." (Mt. 28, 20.) „Und ich will den
Vater bitten, und er wird euch einen anderen Beistand senden,
den Geist der Wahrheit". (Jo. 14, 16. 17.)

Wenn aber je Christus und der Geist der Wahrheit bei
der Kirche sind und sein müssen, dann doch gewiß da, wo es
sich um solche Entscheidungen handelt. Papst und Konzilien
haben als oberste Lehrer der Kirche das Recht, allen Gläubigen
eine bestimmte Ansicht vorzuschreiben. Wo eine derartige Ent=
scheidung gefallen ist, haben alle Gläubigen die strenge Pflicht,
sich zu unterwerfen. Könnten Papst und Konzilien in solchen
Lagen also irren, so würde plötzlich mit einem Schlage der

266

ganze katholische Erbkreis in Irrtum geführt, dann
hätten die Pforten der Hölle, das Hauptlager des Irrwahns
also, die Kirche überwältigt. Das aber soll nach Christi Worten
nie geschehen. Wo Christus also Papst und Konzilien eine solche
Lehrvollmacht gab, da mußte er sie auch mit Unfehlbarkeit
umhegen. Daß er es tat, erhellt aus seinen Worten.

Die Kirche Jerusalems begriff es, daher ihr Schweigen,
als das entscheidende Wort gefallen war, ein Schweigen, das
gläubigen Christen auch später immer als selbstverständlich galt.
Roma locuta causa finita. — Wo Rom sprach, jeder Wider=
stand zerbrach.

Mit jenem Schreiben ausgestattet und von Beauftragten
der Urgemeinde begleitet, kehrten die Antiochener nun in ihre
Heimat zurück.

Dort versammelten sie die ganze Gemeinde und lasen ihnen
die Urkunde vor. Wie ein Alp fiel es allen von den Herzen,
die Gesichter strahlten, sahen doch alle jetzt ihren Weg als den
richtigen bestätigt. „Als diese es gelesen hatten,
freuten sie sich, voll des Trostes." (Ap. 15, 31.)
Ruhe und Friede waren wieder eingekehrt: der Segen des
Konzils!

267

II. Neue Entdeckerfahrten.

(15, 35—18, 22.)

1. Menschliches.

(15, 35—40.)

Der Streit, der anfänglich die Gemüter den Aposteln zu entfremden schien, hatte das Gegenteil im Gefolge. Das Ansehen des Paulus und Barnabas wurde nur um so mehr gefestigt. „Paulus und Barnabas blieben in Antiochien und lehrten und verkündeten mit vielen anderen die frohe Botschaft des Wortes des Herrn." (15, 35.)

Antiochien war indes mit christlichen Lehrern genügend versorgt; draußen, in der weiten Welt dagegen mangelte es an solchen. Deshalb sprach Paulus, dessen tatkräftigem und eroberungswilligem Herzen das Stilleben zudem nicht behagte, zu Barnabas: „Laß uns wieder hingehen und sehen, wie es um die Brüder steht, in all den Städten, wo wir das Wort Gottes gepredigt haben." (Ap. 15, 36.)

Ein schöner Zug des Apostels spricht aus diesen Worten. Obschon weit entfernt und seit längerer Zeit von seinen Neubekehrten in den Hochebenen und Tälern des inneren Kleinasiens getrennt, kann er diese doch nie vergessen. Immer trägt er Ikonium und Derbe und Lystra mit sich herum. So machte er es aber mit all seinen bekehrten Gemeinden. Dem Leibe nach fern, ist er doch dem Geiste nach ihnen immer

268

gegenwärtig. Tag und Nacht gedenkt er ihrer im Gebete. Tag und Nacht befaßt er sich mit ihren Leiden und Freuden. Stark und unerbittlich fest, wo die Sache es erfordert, entbrennt er doch wieder in zartester Liebe, wo dem Gefühl freie Äußerung gestattet ist. In der Brust des Mannes schlug bei Paulus das Herz einer besorgten Mutter.

Barnabas war sofort zur Begleitung bereit, doch „wollte er auch den Johannes mitnehmen, der den Zunamen Markus hat. Paulus aber fand es nicht für recht, ihn mitzunehmen, weil er in Pamphylien sich von ihnen getrennt hatte und nicht mit ihnen ans Werk gegangen war. So kam es zu einem Streit. Sie trennten sich voneinander. Barnabas fuhr mit Markus nach Zypern. Paulus aber wählte den Silas und reiste ab, von den Brüdern der Gnade Gottes empfohlen." (Ap. 15, 37—40.)

Also auch Heilige bleiben, wie wir hier zu unserem Troste sehen, vor Meinungsverschiedenheiten und Zusammenstößen nicht bewahrt. Schuld war auf keiner von beiden Seiten; nur die Ansichten deckten sich nicht. Beide waren in gewisser Beziehung im Recht. Die Reise ging über Meer und Land, durch gefährliche Gebirgspässe und durch unsichere Täler hindurch. Zudem mußte man mehr noch als bei dem ersten Besuch in den asiatischen Städten auf Verfolgung, Steinigung, Kerker und Tod gefaßt sein. Da wünschte Paulus, der stets geradeswegs auf sein Ziel losging, sich nur von ganz entschlossenen und kein Hindernis scheuenden Männern umgeben zu sehen. Der zwar hochgesinnte, aber etwas weiche und

269

schwankende Markus schien ihm infolgedessen weniger passend; um so weniger, als dieser ja schon auf der ersten Reise vorzeitig umgekehrt war. Gründe für die Weigerung Pauli waren also genügend vorhanden.

Auch B a r n a b a s konnte sich diesen wohl nicht ganz verschließen, aber nicht so ungestüm=heftig und draufgängerisch wie Paulus, sondern versöhnlicher, sanfter, ruhiger geartet, fand er doch auch Gegengründe. Wohl hatte Markus sich etwas schwankend gezeigt, aber doch seinen hohen Sinn bewahrt und durch die jetzige Bereitwilligkeit zur Reise Zeugnis von seiner Besserung abgelegt. Die Zurückweisung mußte zudem dem jungen Mann recht wehe tun. Sie konnte ihm auch einen Knick fürs ganze Leben geben, ihm alle Lust an der weiteren Arbeit verleiden, und da er doch ein vielversprechendes Talent war, auch die Kirche Gottes mancher schönen Frucht berauben. Deshalb schlug Barnabas wiederholt seinen Schützling zur Mitnahme vor. Paulus sah also mehr auf die S a c h e allein, Barnabas betrachtete auch die Rückwirkung auf die P e r s o n. Ersterer zeigte in der Angelegenheit mehr die Art des Mannes, der geradeaus seinen Weg voranstürmt, in letzterem dagegen regten sich auch Anklänge an das Gemüt der Frau, die bei allem Erfolgsdrang doch auch darauf schaut, daß kein Menschenherz von den Rädern der dahinstürmenden Tat geknickt werde. Paulus war vorwiegend gerecht, Barnabas gütig. Bei Paulus hätte der zartere Markus sich vielleicht etwas zu beengt gefühlt, unter der Leitung des Barnabas dagegen entwickelte er sich vorzüglich, schloß sich später dem heiligen Petrus an, war lange dessen stetiger Begleiter, und ihm verdanken wir es, daß wir die Zeugnisse des ersten Papstes über das Leben

270

und das Werk Christi noch besitzen. In seinem Evangelium hat Markus sie uns hinterlegt.

So zeigt sich auch da wieder die Vorsehung Gottes, die alles Menschliche, auch das Mangelhafte, zu ihren Zwecken zu benutzen versteht.

Paulus und Barnabas stellen zwei verschiedene Seiten des christlichen Geistes dar: Paulus die Kraft, Barnabas die Milde. Beide sind notwendig, aber zu eng miteinander verbunden, geraten sie leicht miteinander in Streit. Wo das der Fall, mögen beide getrennt wandern, um doch gemeinsam den Feind Christi zu schlagen. Eine aus Paulus, Markus und Barnabas bestehende Missionsgesellschaft wäre wohl öfters wiederkehrenden Unstimmigkeiten ausgesetzt gewesen, nun bildeten sich dafür zwei andere: Paulus und Silas, Barnabas und Markus. Die einen zogen gen Nordwesten, die anderen nach Westen. In den Ansichten getrennt, blieben sie doch in Liebe vereint. In allem Frieden wurde die Trennung vollzogen, und so wird ihnen auch das Versprechen erfüllt, daß die Friedfertigen das Erdreich besitzen sollen: anstatt des einen kleinasiatischen Binnenlandes erhielt nun auch noch Zypern neue Segnungen des Christentums. „Ich ermahne euch: wandelt würdig des Berufes ... mit aller Demut und Sanftmut, mit Geduld, einander in Liebe ertragend, eifrig bemüht, die Einheit des Geistes zu bewahren durch das Band des Friedens!" (Eph. 4, 1.)

Schön bemerkt der heilige Chrysostomus zu dieser Begebenheit: „Die einen sind nachsichtiger und gütiger, die anderen genauer und strenger. Verschieden sind die Gaben, aber auch das ist wieder eine Gabe, denn das eine nutzt

271

Menschen von dieser Sinnesart, das andere solchen von anderer. Ein Zwist scheint da zu sein, in Wirklichkeit ist es Anordnung (der Vorsehung). Darum tritt so etwas ein, damit jeder an den Platz kommt, für den er paßt . . . Die Bewohner von Zypern bedurften eines milden Lehrers, die in Antiochien eines strengeren. Da sie (Paulus und Barnabas) jeder für sich den Völkern genügten, wurden sie getrennt . . . Wäre jenes (die Meinungsverschiedenheit) nicht eingetreten, wäre auch die Trennung nicht erfolgt . . . Aber sagst du: „Wenn die Trennung erfolgen mußte, so hätte sie doch auch ohne Unstimmigkeit erfolgen können." Ja, aber hierin tritt gerade die menschliche Weise zutage. Zudem ist eine solche Meinungsverschiedenheit doch nicht fehlerhaft . . . Wenn die beiden sich aus verletztem Ehrgeiz oder Eigenwillen voll Unmut getrennt hätten, müßte man das tadeln, da aber jeder in dem einen Bestreben, zu lehren, den Weg wählte, der ihm der bessere schien, wer wollte darin etwas finden?" (Hom. 35 in Act.)

Was so manchem ein Stein des Anstoßes ist, die Mißklänge, die sich auch in frommen Vereinigungen und in der Kirche finden, verlieren im Licht dieser schönen Erklärung ihre Schärfe. Die Vorsehung weiß auch sie zum Guten zu lenken. Wie der Chemiker Verbindungen löst, um die Elemente einzeln für sich genommen, seinen Zwecken dienstbar zu machen, so läßt Gott auch wohl in menschliche Verbindungen das Scheidewasser des Mißverstehens hineinfahren, um den einzelnen getrennt ein besseres Arbeitsfeld zu weisen, als sie es vereint besessen haben würden.

272

2. Von der Gnade Gottes geleitet.

(15, 40—16, 11.)

Beim Abschied wurde Paulus von den Brüdern „der Gnade Gottes empfohlen". (15, 40.) Nur wo diese die Führung übernimmt, darf man Erfolg erwarten, und sichtlich zeigte sie ihren Einfluß auf der ganzen zweiten Reise.

Anstatt wie das erstemal das Meer zu benutzen, schlug der Apostel jetzt den Landweg ein. Selbst die Reisen richtet er so ein, daß er unterwegs viel Gutes für Gott tun kann. „Er wanderte durch Syrien und Cilizien und stärkte die Kirchen und gebot, die Vorschriften der Apostel und Vorsteher zu halten." (Ap. 15, 41.) Nicht macht er es also wie neuere Propheten, die ihre eigenen Hirngespinste an Stelle des Kirchenglaubens setzen, sondern wie er selbst treue Unterwerfung unter die Kirche übt, fordert er sie auch von anderen. Dadurch aber unterscheidet sich der echte Apostel von dem Irrtumslehrer. „Wer die Kirche nicht hört, der sei dir wie ein Heide und öffentlicher Sünder." (Mt. 18, 17.)

Auch darin zeigte sich die zielbewußte und kluge Art des Apostels, daß er, anstatt sofort neuen Baustätten zuzustreben, erst die früheren wieder aufsucht, diese zu fördern. „Er kam aber nach Derbe und Lystra." (Ap. 16, 1.)

Große Freude herrschte in den von der Welt abgeschlossenen Binnenstädten, als der erste Gründer der Gemeinde wieder erschien. Wie vieles gab es da zu erzählen und zu fragen! Mit Genugtuung sah der Sendling Christi die Saaten heranreifen, die er vor einigen Jahren hier gesäet hatte.

Große Freude erlebte er besonders an dem jungen Timotheus. Unter der frommen Führung der beiden Frauen hatte sich dieser prächtig entwickelt. Obschon noch jung, scheint er bereits für die Sache Gottes sehr tätig gewesen zu sein. „Diesem gaben die Brüder in Lystra und Ikonium ein gutes Zeugnis. Ihn wollte Paulus als Begleiter mitnehmen." (Ap. 16, 2. 3.)

Während also der junge Markus dem Apostel weniger zusagte, zog der junge Timotheus ihn sofort an. Wie nur ein Vater seinen Sohn, ein Freund den Freund lieben kann, so wandte Paulus seine ganze Güte dem jungen Manne zu. Mit rührender Sorgfalt leitet er seine Ausbildung und führt er ihn in die apostolische Tätigkeit ein. Gleich besorgt für den Leib wie für die Seele, gibt er ihm für beide heilsame Ratschläge. Timotheus auch ist der Sohn seines vollen Vertrauens; ihn benützt er zu den wichtigsten Sendungen und ihm überträgt er auch später die schwierigsten Ämter. Bis zu seinem Tode bleibt er mit ihm im innigsten Verkehr.

Paulus, der im Falle Markus etwas gefühlsleer scheinen könnte, zeigt also hier, daß auch er der edelsten und tiefsten Gefühle wie nur ein menschliches Herz fähig war. Nur bedurften diese der Erweckung, die der ihm seelenverwandte Timotheus reichlich bot.

Vorliebe und Abneigung liegen nicht einzig und allein in unserer Gewalt, sondern sind oft vor jeder Willensentscheidung, ebenso wie die Anziehung und Abstoßung in den chemischen Elementen oder in der Vogel- und Tierwelt, mit der natürlichen Veranlagung gegeben. An sich darum nicht fehlerhaft, bedürfen sie doch fester Leitung, um im richtigen Rahmen zu bleiben. Dort aber getreu behütet, vermögen beide Gottes Absichten zu fördern. Durch Anziehung und Abstoßung führt Gott die Stoffe gerade zu den Verbindungen zusammen, wie

274

er sie braucht. Dasselbe Verfahren schlägt er auch in dem großen Menschheitslaboratorium nicht selten ein. —

Timotheus entsprach ganz den Hoffnungen, die Paulus auf ihn setzte. Schwächlich war er an Körper, doch groß an Geist. Treu wie Gold, gelehrig wie ein Kind, tapfer wie ein Soldat, umsichtig wie ein Feldherr, stellte er sich ganz in den Dienst seines Meisters. Die ersten Jahre weilte er nach der Über= lieferung fast immer unmittelbar an dessen Seite und teilte mit ihm alle Mühe und Beschwerden der vielen Reisen. Später, mehr seßhaft geworden — er wurde etwa um 65 zum Bischof von Ephesus erhoben —, leistete er der aufblühenden Kirche in den nordöstlich des Mittelmeeres gelegenen Ländern die treff= lichsten Dienste. Nächst Paulus war er ihre Säule und ihre treibende Kraft. Durch einen flehentlichen Brief herbeigerufen, soll er im Winter 66/67 seinen greisen Meister nochmals im Kerker Roms besucht haben und auch bei dessen glorreichem Martertod zugegen gewesen sein.

Nach der Überlieferung durfte auch er schließlich sein siebzig= jähriges tatenreiches Leben mit dem blutigen Opfertod krönen.

Groß ist Timotheus in der Schule des Apostels geworden. Der Grund zu diesem schönen Leben war aber zum großen Teil auch von seiner Großmutter und Mutter gelegt. Beide suchten den Knaben um so eifriger für den wahren Glauben zu ge= winnen, als er das Kind einer Mischehe war und seinem Glaubens= leben von seiten des heidnischen Vaters Gefahr drohen konnte. Sie ließen deshalb nicht nach, ihn i n d e n h e i l i g e n S c h r i f t e n zu unterweisen, und als Paulus erschien und Christum predigte, sahen die beiden guten Seelen ihre Mühen reichlich gelohnt. An Timotheus, einem der größten Eiferer für Christus, hat also wieder, wie so oft, treues Frauenwirken und ernste mütterliche Erziehungsarbeit reichen Anteil. Wie mögen die beiden guten Frauenseelen sich heute wohl darüber freuen, der Kirche einen solchen Apostel, Christus einen solch glorreichen Blutzeugen und dem Himmel einen solchen Heiligen geschenkt zu haben!

Mit Timotheus und Silas als Begleiter zog Paulus nun von Stadt zu Stadt. Die Christengemeinden waren bald besucht, und nun lenkte er seine Schritte in noch unbekanntes Gelände. Aber wie kräftig die Vorsehung in sein Wirken eingriff, sollte sich bald zeigen. „Als sie aber Phrygien und das Gebiet von Galatien durchzogen, war ihnen vom Heiligen Geiste gewehrt, das Wort Gottes in Asien zu verkünden." (Ap. 16, 6.) Die Reisenden nahmen deshalb eine andere Richtung. Aber da wiederholte sich das gleiche. „Und da sie nach Mysien kamen, versuchten sie, nach Bithynien zu gehen; aber der Geist Jesu ließ sie nicht." (Ap. 16, 7.)

Es blieb ihnen also nichts anderes übrig, als nordwestwärts zu wandern. „Nachdem sie nun an Mysien vorübergezogen waren, gingen sie hinab nach Troas." (Ap. 16, 8.) Das lag am äußersten Ende Asiens.

Was bezweckte Gott mit diesen Hemmnissen?

3. Europas große Stunde.
(16, 12—13.)

Paulus selbst war über die Zukunft völlig im Unklaren. Troas schien keinen ergiebigen Boden für die Saat Christi abzugeben. Wohin nun weiter? Paulus überlegt, sorgt; sorgt

276

mit dem ganzen Ungestüm seiner Seele und, wo schwere Pläne so tief sich in den Geist wühlen, da bringt hin und wieder die Nacht die Klärung, die man vom Tag vergebens erhoffte. Geisterwelten werden sichtbar, wo die Außenwelt schwand. Unruhig wirft sich Paulus auf dem Lager hin und her, sich mit seiner Zukunft abquälend, da belehrt Gott ihn plötzlich durch ein Gesicht: „Ein Mazedonier stand da und bat ihn: Komm herüber nach Mazedonien und hilf uns!" (16, 9.)

Nun war ihm sein Ziel offenbar. Europa, in dem mazedonischen Mann verkörpert, erbittet seine Hilfe. Er erhebt sich, teilt seinen Begleitern die Erscheinung mit, sie schnüren ihr Reisebündel, nehmen Abschied von den Gastgebern und begeben sich durch die von Ankömmlingen aus allen Ländern belebten Straßen zum Hafen.

Ungezählte Masten ragen da zum blauen Himmel empor. Schiffe mit schwellenden Segeln kommen und fahren ab. Die Apostel eilen einem zu, das zur Abfahrt nach Mazedonien bereit ist. Zeichen ertönen, die Ankerketten rasseln, das Schiff sticht in See.

Bald sind Stadt und Hafen hinter ihnen verschwunden. Sie befinden sich auf offener See. Paulus steht am Bug, der kühn die hochaufspritzenden Wellen durchschneidet. Er steht da, das Herz voll Ahnung und froher Erwartung. Eine neue Welt liegt vor ihm — Europa! Bedeutungsvolle Fahrt!

„Komm herüber und hilf uns", hatte der Mann im Traume gefleht. Ja, hilf uns! Europas Not war schreiend. Zum größten Teil noch von keiner höheren Kultur berührt,

277

dabei abgesehen von den spärlichen Christengemeinden, die sich
auf italienischem Boden bereits gebildet hatten, ganz noch in
die Nacht des Götzenglaubens getaucht — bedurfte es höherer
Hilfe. Jetzt sollte sie werden.

Europa, horche auf, deine Gnadenstunde schlägt! Die Barke
naht, die deinen Erlöser trägt!

Wie vieles barg doch die kleine Nußschale, die damals die
Wogen durchschnitt! Ein Samenkorn, aus dem ein ganzes
Saatfeld von Gotteshäusern, Klöstern, Türmen, Städten, aus
dem eine ganz neue Weltkultur werden sollte. Hätte sich da=
mals die Zukunft dem Geistesauge des Apostels enthüllt! Wie
viel Segen hing an dem einen Mann, an der einen Fahrt!
Wie vieles auch für uns!

Mit heiliger Freude wohl sprangen, als die Anker fielen,
die Sendlinge Christi ans Land. Doch hielten sie sich an der
Küste nicht lange auf, sondern wanderten, wie stets, geraden=
wegs nach dem Hauptplatz des Landes weiter: „W i r f u h r e n
v o n T r o a s a b u n d k a m e n g e r a d e n L a u f s n a c h
S a m o t h r a k e u n d a m f o l g e n d e n T a g n a c h
N e a p o l i s u n d v o n d a n a c h P h i l i p p i, d e r e r =
s t e n S t a d t d e s B e z i r k s M a z e d o n i e n, e i n e r
K o l o n i e." (Ap. 16, 11. 12.)

In einem wohlgesinnten Hause suchten sie Unterkunft und
begannen dann sofort in kleineren Kreisen ihre Botschaft. Im
Lärm der Woche gingen aber ihre Worte zu sehr unter. Da
kam der Sabbath, der mit seiner Weihe und Stille die Herzen
für himmlische Stimmen empfänglicher macht.

Wegen der geringen Zahl der Juden gab es eine Synagoge
nicht. Man pflegte sich daher an einem Flusse vor der Stadt,

278

an einem ſtillen, mit Bäumen beſtandenen Plaß zum Gebet zu
verſammeln. Auch Paulus und ſeine Begleiter begaben ſich
am Sabbathmorgen dahin.

4. Ein Herz, das Gott auftat.

(16, 13—15.)

„Am Sabbath gingen wir vor das Tor hin=
aus an den Fluß, wo ein Betort zu ſein
ſchien. Da ſeßten wir uns nieder und redeten
zu den Frauen, die da zuſammengekommen
waren." (Ap. 16, 13.) Ein ſchönes Bild! Die Apoſtel
unter dem Schatten der Bäume, inmitten der andächtig
lauſchenden Frauen! Drüben die Stadt mit ihrem Alltags=
lärmen und Haſten — hier vor dem Tor feierliche Sonntags=
ſtille, unterbrochen nur vom Gemurmel des nahen Fluſſes.
Drüben die Menſchenwelt mit ihren Leidenſchaften und Sün=
den, ihren Sorgen und Nöten, und hier die lachende Gottes=
natur, vom blauen Himmel überdacht. Und in dieſe Stille
bringt aus beredtem Mund her zum erſtenmal die Kunde von
Gottes eingeborenem Sohn. Ob die Kronen der altehrwürdigen
Bäume ſich nicht neigten? Ob die Wellen des Fluſſes nicht
freudiger hüpften? Ob es nicht wie heilige Rührung durch die
ganze Natur ging!

Wo immer Paulus hellhörige Menſchen fand, ſei es in der
Synagoge, ſei es wie hier in der Natur, beginnt er für ſein
Evangelium zu werben. Verſtänden alle Chriſten das nach=
zuahmen, ob bei Feld=, Garten= und Weinbergsarbeit oder in
verſtaubten Fabriks= und Arbeitsſälen, ob in den Bureaus oder
auf der Reiſe und bei geſelligen Zuſammenkünften, wie viele

279

Seelen würde Christus mehr zu den Seinen zählen, als es heute der Fall ist!

Mit Neugier hörten alle anwesenden Frauen den Wanderprebigern zu. Doch wie so oft blieb die Unterweisung den meisten von ihnen ein verschlossenes Buch. Zu neu, zu tiefsinnig war ihnen das Vernommene noch. Mit Aufmerksamkeit wohl, aber doch ohne besondere i n n e r e Anteilnahme, saßen die meisten da.

Eine aber vor allen machte eine Ausnahme. Kaum hatte Paulus sich über seinen Gegenstand etwas verbreitet, da sah er, wie diese eine sich unwillkürlich aufrichtete, wie ihre Augen zu leuchten, ihr Antlitz freudig und erwartungsvoll sich zu verklären begann. „E i n e P u r p u r h ä n d l e r i n a u s d e r S t a d t T h y a t i r a , n a m e n s L y d i a , e i n e g o t t e s = f ü r c h t i g e F r a u , h ö r t e z u , u n d d e r H e r r t a t i h r H e r z a u f , d a ß s i e a u f d a s a c h t e t e , w a s v o n P a u l u s g e s a g t w u r d e." (Ap. 16, 14.)

Noch im Heidentum befangen, hatte sie redlich versucht, Gott näher zu kommen. Nach Philippi verzogen und mit dem Judengott bekannt geworden, wandte sie ihm sofort ihr ganzes Herz zu. Jetzt von Paulus die Botschaft Christi vernehmend, erschließt sie dieser sofort Ohr und Herz, immer begierig, neue religiöse Kenntnisse für ihren Geist und neue Lebenskraft für ihre Seele zu gewinnen, immer lechzend nach neuem Fortschritt.

Wie stach diese religionsbegierige Heidin doch von den anderen so oberflächlich zuhörenden Frauen ab! Sie, die in der ganzen Armut des Heidentums aufgewachsen war, wußte, wie es so oft bei Bekehrten der Fall ist, die religiösen Gaben

280

besser zu schätzen als so viele, die an vollbesetzten Tafeln groß=
geworden sind. Gott lohnte dieser guten Seele ihren Eifer
reichlich. „Er tat ihr das Herz auf." Ohne solch be=
sondere Gnadenhilfe Gottes bleibt ja die beste Predigt ohne
Wirkung.

Hell flammte nun in Lydias Herz der Glaube auf. Ein
kurzer Unterricht vollendete das Werk, sie ließ sich taufen.

Aber nicht sie allein. Rührig, wie sie ist, hat sie von ihrem
Geist bereits all ihren Hausgenossen, ihren kaufmännischen An=
gestellten und Mägden und Knechten mitgeteilt und alle für
ihren neuen Glauben gewonnen. „Sie ließ sich taufen, samt
ihrem Hause!" (16, 15.) Ihr Haus zeigte noch den alten
guten Geist, wo die Hausfrau nicht nur als Herrin, sondern
auch als mütterlich für Leib und Seele ihrer Untergebenen
sorgende Freundin zu walten gewohnt war.

Aber nicht genug damit, selbst zum Glauben gelangt zu
sein, sinnt sie nun als echte Geschäftsfrau darauf, dieselbe
Gnade vielen anderen zu vermitteln. „Sie bat uns und
sprach: Wenn ihr mir Treue gegen den Herrn
zutraut, so kommt in mein Haus und bleibt
da. So nötigte sie uns." (Ap. 16, 15.)

Zwei Tugenden liegen in Lydias schöner Seele im Streit,
einerseits tiefe Demut, die sich nicht für wert hält, als Neu=
bekehrte die Apostel zu beherbergen; anderseits dankbarer Eifer,
der doch so gerne sich Christo erkenntlich erweisen und ihm
neue Seelen zuführen möchte. Und dieser trägt, wie es bei
einem für das Gute begeisterten Frauenherzen nicht anders
zu erwarten ist, den Sieg davon. „Sie nötigte uns." —
Diesem gütigen Drängen konnten die Apostel nicht widerstehen.

281

Sie nahmen bei Lydia Wohnung. So wurde deren Haus zum Sammelpunkt und ersten Gotteshaus der Gläubigen in Philippi und zu einer der ersten Pflanzstätten des Christentums in Europa.

Wunderbar sind Gottes Wege: die erste Bekehrte in jenem Winkel Europas war eine Frau! Oft genug hat sich das später bei der Eroberung ganzer Länder für Christus wiederholt. Ein neuer Antrieb aber auch für alle europäischen Frauen, diese Bevorzugung dem Heiland durch rege Tätigkeit für ihn zu vergelten. Wie damals Frauen das Christentum in Europa einführten, ist es jetzt deren Aufgabe, dasselbe in Europa zu erhalten.

Schön aber zeigt sich wiederum, wie lieblich die Vorsehung ihre Seelen leitet. Inmitten des Heidentums sucht Lydia Gott — nach Philippi wird sie geleitet. Dort lernt sie Juden und mit ihnen den wahren Gott kennen. Doch noch weiter geht ihr Begehren und siehe: indes sie in Mazedonien sich abquält, wandert Paulus im fernen Kleinasien, findet alle Türen vom Heiligen Geist verschlossen und weiß nicht warum, bis er im Betort Philippi jene begnadete Seele trifft, der Gott seine Gaben zugedacht hat. Wie wunderbar sind doch die Wege des Herrn!

Für Paulus war Lydia ein großer Trost. Viel war er vergeblich gewandert, zu vielen hatte er vergeblich gesprochen, nun tat Gott ihm bei der Predigt e i n Herz auf, ein Herz aber, das über alle früheren Mißerfolge ihn hinwegtröstete. Ähnliches erlebt ja wohl jeder Erzieher, Lehrer und Prediger. Fast verzagt ob der Taubheit der vielen, möchte man bisweilen am Wert seiner Tätigkeit verzweifeln, bis dann die eine oder die andere Seele kommt und durch ihr Fragen und Betragen

282

uns überzeugt, daß Gott sie aufgetan hat. An dieser sich zu freuen, nicht ob der verschlossenen Herzen sich zu grämen, das ist das Geheimnis unverwüstlicher Schaffensfreudigkeit. Härmt sich denn auch der Landmann ob der zertretenen Samenkörner ab? Oder gedenkt er nicht vielmehr jener, die üppig in die Halme schießen und schließlich mit goldschweren Ähren sich schmücken?

5. Prüfet die Geister!
(16, 16—23.)

Kurzsichtig wäre es von uns Menschen, zu glauben, auf das Sicht= und Greifbare beschränkte sich die ganze Wirklichkeit. Überall vielmehr, wo wir uns befinden, umgibt uns eine höhere geheimnisvolle Welt. Meistens unserer Wahrnehmung verschlossen, läßt sie hie und da doch ihre Schleier fallen. Schon sahen wir, wie, als Paulus mit seinen Gefährten nach Galatien kam, der Heilige Geist „ihnen wehrte", das Wort Gottes zu verkünden, und als sie nach Bithynien zu reisen gedachten, der Geist Jesu „sie nicht ließ". Dann rief ein denkwürdiges Traum= gesicht sie nach Mazedonien, und jetzt in Philippi sollen sie abermals mit der Geisterwelt zusammenstoßen.

Öfters schon war Paulus unbehelligt durch die Straßen der Stadt zu dem draußen befindlichen Betort gepilgert. Eines Tages aber wurde er mitten auf dem Weg von einem eigen= tümlich sich benehmenden weiblichen Wesen belästigt. „Auf dem Wege zum Betort begegnete uns eine Magd, die einen Wahrsagegeist hatte und ihrer Herrschaft durch ihr Wahrsagen großen Gewinn brachte." (Ap. 16, 16.)

Um eine Hellseherin handelte es sich also hier, wie sie

283

damals in jener Länderecke nicht selten waren. Da nun zu jener Zeit, genau wie heute, viele, die in dem damaligen religiösen und philosophischen Wirrwarr ihr Genüge nicht fanden, bei Geheimkräften, Klopf= und Poltergeistern Rat suchten, hatte schlaue Geschäftsberechnung es meisterhaft verstanden, die geheimen Künste der Magd in klingende Münze umzusetzen.

Die Sklavin war also etwa das, was wir heute ein spiritistisches Medium nennen würden, das aber, wie sich später ergibt, im Bann eines bösen Geistes stand.

Wie alle diese, trug sie mit viel Lärm ihre Weisheit vor. Alle weibliche Zurückhaltung vergessend, lief sie hinter den Aposteln auf offener Straße her und schrie ihnen in kreischenden Tönen nach: „Diese Männer sind Diener des höchsten Gottes, sie verkünden euch den Weg des Heils." So tat sie viele Tage lang. (Ap. 16, 17—18.)

Paulus ertrug es einige Zeit. Endlich aber riß ihm die Geduld. „Paulus empfand dies schmerzlich, er wandte sich um und sprach zu dem Geiste: Ich gebiete dir im Namen Jesu Christi, von ihr auszufahren! In derselben Stunde fuhr er aus." (Ap. 16, 18.)

Auffallend könnte es scheinen, daß Paulus, der anderen Geistern so gerne Gehör schenkte, sich diesem gegenüber so schroff ablehnend verhielt, ja ihn zum Schweigen brachte. Auffallender um so mehr, als dieser doch durchaus Wahres verkündete, und, da er in Philippi so viel Ansehen genoß, mit seinem Zeugnis für die Apostel der Sache Christi nur Nutzen versprach.

284

Aber Paulus, klarer ſehend, ſah unter der Hülle der Wahr=
heit ſofort den Trug. Ein Geiſt der Tiefe ſprach aus dem
Mädchen. Dieſer, bis dahin die abergläubiſchen Gemüter
Philippis beherrſchend, ſah ſich jetzt durch die Apoſtel Chriſti
bedroht, und ſchlau, wie immer, gab er ſich jetzt als Bundes=
genoſſen des Meſſias aus, um jene zu täuſchen, ſeine Macht=
ſtellung zu wahren und womöglich mit dem Chriſtentum, das
in Philippi anfing, Boden zu gewinnen, weitere Geſchäfte zu
machen. Paulus aber riß ihm die Maske ab und jagte ihn
davon.

Aber entlarvt zeigte der Tiefengeiſt jetzt ſein wahres Ge=
ſicht. Er wiegelte ſeine Helfershelfer gegen den Bedränger
auf. „Da nun ihre Herrſchaft ſah, daß die Hoff=
nung ihres Gewinnes ausgefahren ſei, er=
griffen ſie den Paulus und Silas und
ſchleppten ſie auf den Marktplatz vor die
Obrigkeit. Sie führten dieſelben den Oberen
vor mit der Anklage: Dieſe Leute verſetzen
unſere Stadt in Unruhe; ſie ſind Juden. Sie
verkünden Gebräuche, die wir als Römer
nicht annehmen und üben dürfen.“ (Ap. 16,
19—21.) Wie immer taten dieſe leidenſchaftlichen Hetzereien
ihre Wirkung. „Da erhob ſich das Volk gegen ſie. Die Stadt=
oberen ließen ihnen die Kleider abreißen und ſie mit Ruten
ſchlagen. Sie warfen ſie dann nach einer ſcharfen Geißelung
ins Gefängnis mit der Weiſung an den Gefängniswärter, ſie
ſicher zu verwahren. Dem Befehl gemäß legte dieſer ſie in
das innerſte Gefängnis und ſchloß ihre Füße in den Block.“
(Ap. 16, 22—24.)

Welch treffenden Beleg bietet der ganze Vorgang zu der Mahnung der Heiligen Schrift: „Geliebteste! Glaubet nicht jedem Geiste, sondern prüfet die Geister, ob sie aus Gott sind: denn es sind viele Lügenpropheten in die Welt ausgegangen." (1. Jo. 4, 1.)

Auch heute wieder treiben viele Unterweltsgeister ihren Spuk: Spiritismus, Okkultismus, Phrenologinnen, Kartenlegerinnen. Dazu treten eine Fülle neuer Winkelsekten mit dem Anspruch auf, der Menschheit neue Einblicke in unbekannte Welten zu eröffnen, und ungezählte lassen sich blenden. Scheint doch auch manches, was sie verkünden, so auffallend wahr!

Und wäre das der Fall, obschon es sich meistens nur um Schein handelt — gab nicht auch der Pythongeist in Philippi wahre Auskunft? Auch der Tiefengeist vermag manches Unbekannte zu verkünden. Alles aber nur, um von der Wahrheit abzulenken. Gottes Geist kommt voll Ruhe und Frieden. Er dient nur der Erbauung der Seelen, der Festigung des Glaubens und wirkt selbstlos. Wo aber ein Geist, wie der in Philippi, schreienden Lärm und Aufsehen liebt, wo er dem Vorwitz oder dem Geschäft dient, wo er Christi Kirche verdächtigt, angreift und verfolgt, da ist es unfehlbar der Geist der Hölle, der da redet, mag er auch anfangs, wie damals, mit einem frommen Mäntelchen sich umkleiden.

Am deutlichsten trat das echte Wesen jenes Geistes in seinen Anhängern zutage. Diese, des Gewinnes beraubt, ergrimmten, erregten einen Sturm, wiegelten die gehässigen Triebe auf. „Es sind Juden", und merkwürdig: wo sie früher, als die Besessene ihnen Geld eintrug, die Apostel Christi ruhig gewähren ließen, stempeln sie jetzt, wo der Gewinn

286

ihnen entging, das Christentum zu einer Gefahr und spielen sich als die Retter der Stadt vor diesem Irrwahn auf. „Diese Menschen versetzten unsere Stadt in Unruhe; sie sind Juden." (16, 20.)

Nun auch erinnern sie sich plötzlich, daß im Römerreich Gesetze bestehen, die neue Religionen verbieten: „Sie verkünden Gebräuche, die wir als Römer nicht annehmen und üben dürfen." (16, 21.)

Früher, als die neue Religion sie unbehelligt ließ oder wenigstens ihr Geschäft nicht gefährdete, hatten sie dieses Gesetz übersehen. Echter Lug- und Truggeist! Aber wie oft wiederholt sich Ähnliches später noch im Kampfe wider die Kirche und ihre Einrichtungen! Man gibt sich als Hüter der Wahrheit und Ordnung aus, erhebt gegen die Kirche den Vorwurf, daß sie fremdländisch, international, jüdisch, dem deutschen Geiste widerstrebend sei, daß sie die Gemüter verwirre und man nur deshalb gegen sie kämpfe. Oft genug aber sind, wie in Philippi, andere Triebkräfte im Spiel. Man sieht durch die Kirche den eigenen Einfluß zurückgedrängt oder ist lüstern nach ihrem Vermögen, verbirgt das aber unter der Hülle packender Schlagworte.

Und die große Menge? Genau wie in Philippi! Ohne die Anschuldigungen auf ihre Richtigkeit hin nachzuprüfen, ohne der wahren Gesinnung der Hetzer nachzuspüren, lassen die Volkshaufen sofort vom Haß sich anstecken, rotten sich um die Apostel auf der Straße zusammen und schleppen sie vor das Rathaus.

Besitzen die Stadtältesten Einsicht? Auch sie nicht. Auf offenem Platze lassen sie den Glaubensboten die Kleider ab-

287

reißen und sie mit Ruten schlagen. Schlag um Schlag fällt auf Paulus und Silas nieder. Blutige Bäche rinnen an ihnen hernieder und noch immer ist des Marterns kein Ende. Es heißt: „nachdem sie ihnen v i e l e Schläge gegeben hatten . . .“ (Ap. 16, 23,)

Was mögen die tapferen Streiter Christi in jener Stunde auf dem Marktplatz wohl empfunden haben, da ihre Leiber unter den Ruten sich vor Qual wanden und die Menge mit haßerfüllten Blicken sie umstand?

Auch Europa mußte erst, wie jedes Land, mit heiligem Blut betaut werden, um Frucht bringen zu können.

Doch wie immer, sollte auch hier auf das Leid Freude, auf den Karfreitag ein frohes Osterfest folgen.

6. Gott im Kerker.
(16, 24—40.)

Die Kraft der Henker erlahmte. Fast ohnmächtig waren die Blutzeugen unter den harten Streichen zusammengebrochen. Da rafft man sie auf und schleppt sie, vom lärmenden Volkshaufen umgeben, durch die Straßen der Stadt zum Gefängnis. In eines der dunkelsten Verließe, tief im Innern des Kerkers, schloß man die Blutzeugen ein und, um jedes Entweichen unmöglich zu machen, fesselte man sie an den Füßen. „Sie befehlen dem Kerkermeister, sie sicher zu verwahren. Auf diese Weisung hin legte er sie in das innerste Gefängnis und schloß ihre Füße in den Block.“ (Ap. 16, 23. 24.)

Ein trauriger Abend brach an. Das Gemach, in dem sich die Gefangenen befanden, war dumpf, feucht, dunkel, stark vergittert. Der harte Boden, der als Lagerstätte diente, er-

288

höhte den Schmerz der durch die Geißelung zerschlagenen Glieder. Die blutigen Striemen waren geronnen, die Kleider klebten am Leibe. Die Einspannung in den Block machte jede erleichternde Bewegung unmöglich. An Wasser zur Kühlung und Reinigung fehlte es, die Wunden brannten, Hunger und grimmiger Durst stellten sich ein. Arme Männer in dem dunkeln Gewölbe! War das Gottes Lohn für gottdienende Treue? Wie schwer müßte doch, zumal dem stürmischen Paulus, sein Beruf ankommen!

Finster vor sich hinstierend, ihr Los verwünschend, vielleicht Menschen und Gott verfluchend, saßen andere Gefangene da in ihrer strengen Haft. Was ging in der Seele der Apostel vor? Begannen sie sich gegenseitig ihr Leid vorzuklagen, über die Ungerechtigkeit der Welt zu murren? Erbost über ihre Vergewaltiger zu schelten, ihnen Rache zu schwören? Wurden sie irre an Gott, der sie solcher Ungerechtigkeit hilflos überließ?

Die Nacht rückte heran, die letzten Lichter erloschen, dunkel und still lag der Kerker da. Auch in die Stadt kehrte Ruhe ein. Die Straßen leerten sich, die Häuser schlossen sich. Tiefer Schlummer umfing die Welt. Da — als die Mitternachts=stunde gekommen war, ertönten aus einer Kerkerzelle plötzlich merkwürdige fremdartige Gesänge, Gesänge voll Hoheit und Weihe. Die Wache horcht auf, die Gefangenen erwachen aus dem Schlummer, lauschen, fühlen sich wie von einem heiligen Bann ergriffen. Manche stehen auf und eilen horchend an die Fenster. „Um Mitternacht beteten Paulus und Silas und lobten Gott, die Gefangenen hörten ihnen zu." (Ap. 16, 25.)

Das war es! Solche Klänge hatte man bisher an diesem Ort nicht vernommen. Gewohnt war man wohl, neu angekommene Sträflinge die erste Nacht fluchen und toben zu hören, diese aber sangen heilige Weisen und priesen Gott! Das war eine neue Erscheinung! Sonderbare Männer! Das ganze Gefängnis schien in überirdischen Frieden getaucht und siehe: „da entstand plötzlich ein starkes Erdbeben, so daß die Grundmauern des Kerkers erschüttert wurden. Sogleich öffneten sich alle Türen, und die Fesseln aller wurden gelöst." (Ap. 16, 26.)

Kein Wunder, denn überwältigend Großes ging hier vor sich. Zum erstenmal erklang an dieser Stelle Europas das Lob des einen wahren Gottes, der den ganzen Erdteil bald erschüttern und alle Götzenaltäre zertrümmern sollte. Zum erstenmal auch zeigte sich hier Christus, der über alle Bande und Kerker siegen, der alle Sündenfesseln zerreißen, alle Seelen aus den Verließen der Hölle zu befreien gekommen war. Da war es nur zu entsprechend, daß gleich beim ersten Auftreten Gottes auf Europas Boden das Große seines Vorhabens in gewaltigen Erscheinungen sich kundgab. —

Lieblich sind Gottes Werke seinen Freunden, Schrecken aber den ihm Fernstehenden. „Als aber der Gefängniswärter erwachte, und die Türen des Kerkers offen sah, zog er das Schwert und wollte sich töten in der Meinung, die Gefangenen seien entflohen." (Ap. 16, 27.) Wie trostlos zeigt sich hier die Lage der Unterbeamten im römischen Heidentum. Selbst der unverschuldete Ausbruch von Gefangenen drohte dem

290

Kerkermeister den Tod zu bringen und kein anderer Trost schien ihm übrig, als selbst das Leben zu enden.

Doch nicht Tod, sondern Leben sollte ihm werden. „Paulus rief mit lauter Stimme: „Tu dir kein Leid, denn wir sind alle noch hier." (Ap. 16, 28.) — Unglaublich erschien dem Kerkermeister das Wort, denn daß Gefangene, der Fesseln entledigt, vor geöffnete Türen gestellt, doch freiwillig in ihrer Marterstätte ausharrten, das war ihm noch nicht begegnet. Er kannte eben noch nicht die Kraft des Geistes Christi, der besser die Herzen zähmt als Ketten, Mauern und Gitter.

„Da forderte er Licht und trat hinein. Zitternd fiel er dem Paulus und Silas zu Füßen. Dann führte er sie hinaus und fragte: Ihr Herren, was muß ich tun, um selig zu werden?" (Ap. 16, 29—30.)

Der wunderbare Vorgang, in den offensichtlich eine höhere Welt eingegriffen, hatte den Kerkermeister vollends erschüttert, und wie bei uns, wenn das Ewige plötzlich in drohender Gewalt vor uns steht, so erstand auch diesem dem Heidentum ergebenen Menschenkinde die erste Sorge um das Seligwerden.

Paulus kündet ihm nun das Heil durch Christus. Ehrfurchtsvoll schweigend hört der Kerkermeister mit Weib und Kind der frohen Botschaft zu, „und da nahm er sie zu sich, wusch ihre Striemen und sogleich ließ er sich mit all den Seinigen taufen. Nachher führte er sie in seine Wohnung und ließ ihnen ein Mahl bereiten, frohlockend, daß er mit seinem ganzen Hause den Glauben an Gott erlangt hatte." (Ap. 16, 33. 34.) Es war, als wäre in dieser Nacht der Kerker wieder zur Krippe von Bethlehem mit Engelssang und Hirtenfrieden geworden.

Nur eine schwere Sorge bedrängte noch die Neugetauften. Der Morgen graute; was sollte mit den gefangenen, ihnen so liebgewordenen Aposteln geschehen? Doch Gott, der die Herzen der Völker wie Wasserbäche lenkt, hatte schon alles zum Guten gewendet. „Bei Tagesanbruch sandten die Stadtoberern die Amtsdiener und ließen sagen: Laß diese Leute frei! Der Gefängnis= wärter berichtete diese Worte dem Paulus: Die Stadtoberen haben hergeschickt, man solle euch freilassen. So geht nun hinaus und zieht in Frieden." (Ap. 16, 35—36.)

Doch damit kamen sie bei Paulus an den unrechten Mann. Feig, dem Gassenvolk und einer Sippe von Geldmenschen folgend, hatten die Stadtbeamten ihn peitschen lassen und nun gedachten sie ebenso feig mit einigen schönen Worten alles zuzudecken? Nicht so! So läßt Christi Reich sich von jedem jungen Beamten nicht behandeln. „Paulus ließ ihnen sagen: ,Ohne Untersuchung hat man uns, römische Bürger, öffentlich schlagen und ins Ge= fängnis werfen lassen und jetzt will man uns heimlich fortschicken? Nein, sie sollen nur selbst kommen und uns herausführen!'" (Ap. 16, 37. 38.) Diese Antwort wirkte wie ein Donnerschlag; daß sie überstürzt gehandelt, war in der Nacht den Herren längst zu Bewußtsein gekommen; nun vernahmen sie aber noch, daß sie an römischen Bürgern sich vergriffen, und das erfüllte sie als den Römern unterstellte Beamte mit

292

Schrecken, konnte ihnen das von Rom her doch recht übel ausgelegt und vergolten werden.

Darob also großer Schrecken. „Die Amtsdiener überbrachten den Stadtobern diese Antwort. Diese gerieten in Furcht, als sie hörten daß es Römer seien. Sie gingen hin, redeten ihnen zu und führten sie heraus mit der Bitte, sie möchten die Stadt verlassen." (Ap. 16, 38. 39.)

Wie klein waren doch diese vordem so großen, so kühnen Regierungsmänner jetzt geworden! Ein Antrieb für uns, auch uns nicht alles bieten zu lassen.

Mit der Abbitte ließ Paulus es genug sein. Ihm war es ja nicht um persönliche Rache, sondern nur um die Sache Christi zu tun. „Sie gingen nun aus dem Gefängnis und begaben sich zu Lydia. Dort trafen sie die Brüder, trösteten sie und zogen weiter." (Ap. 16, 40.)

Schweres war ihnen in Philippi widerfahren, aber auch schöne Erfolge hatten sie dort zu verzeichnen. Siegreich hatte das Reich Gottes Fuß gefaßt in Lydias Haus, gesiegt hatte es über die Geisterwelt, gesiegt über Ketten und Bande. Freude ließ es in den Neubekehrten, Achtung und Schrecken in den Ungläubigen zurück. Paulus konnte mit dem ersten Auftreten Christi in jenem Winkel Europas zufrieden sein.

Rüstig aber arbeiteten nach seinem Weggang die Gläubig= gewordenen weiter, und bald sah man dort eine größere Ge= meinde, von dem schönsten Geiste beseelt. Wohl keine gedachte nit solcher Dankbarkeit und Verehrung ihres Stifters wie sie.

Wo immer der Apostel in der Ferne weilte, umgaben die Treuen Philippis ihn mit liebender Sorge. Unermüdlich unterstützten sie ihn mit Almosen, damit er, aller Nahrungssorgen enthoben, sich ganz der Verkündigung des Evangeliums widmen könne, und als er nach Jahren in Rom im Kerker schmachtete, war es wiederum diese treue Gemeinde, die ihn durch einen eigenen Abgesandten tröstete. Da ist es erklärlich, daß auch der Apostel gerade dieser jungen Kirche in der zärtlichsten Weise gedachte, wie es in seinem Briefe, den er mehrere Jahre nachher an sie richtete, so auffällig zutage tritt. Ein Band der treuesten Liebe umschlang Apostel und Gläubige, und die Seele des Ganzen war Lydia. Ihren dankbar tätigen und mütterlichen Sinn fühlt man aus der ganzen Sorge Philippis um Pauli Wohl heraus.

7. Dorniges Land.
(17, 1—14.)

Von Philippi wanderten die Reisenden wahrscheinlich auf der großen Heeresstraße südwestwärts durch eine ebene Gegend mit blühenden Feldern und kamen gegen Abend in der am Meer gelegenen Stadt Amphipolis an, wo sie über= nachteten. Am Morgen ging es weiter am Meerbusen ent= lang nach Apollonia, wo die zweite Nacht zugebracht wurde. Den dritten Tag sodann durchquerten sie die Halbinsel und kamen nach Thessalonich, einer blühenden Hafenstadt am Thermäischen Meerbusen, dem heutigen Saloniki. Damals die reichste Stadt Mazedoniens, zählt es etwa hunderttausend Einwohner, unter denen viele Juden waren, die einer Synagoge sich erfreuten.

294

Baldmöglichst begann Paulus seine Predigt. „Paulus ging nach seiner Gewohnheit zu ihnen hinein und sprach an drei Sabbathen zu ihnen von der Schrift." (Ap. 17, 2.)

Noch waren die in Philippi erhaltenen Wunden nicht vernarbt, noch schmerzten ihn wohl oft genug die zerschlagenen Glieder, und doch zeigt er sich sofort wieder bereit, neue Streiche für seinen Herrn zu empfangen.

„Ihr selbst wißt ja," schreibt er später an die Gemeinde, „daß unser Eingang bei Euch nicht erfolglos gewesen ist, sondern, obwohl wir . . . in Philippi Leiden und Schmach erduldet hatten, faßten wir im Vertrauen auf unseren Gott doch den Mut, euch das Evangelium Gottes zu verkünden mit großer Sorgsamkeit. Unser Zuspruch geht ja nicht aus Irrwahn, noch aus Unlauterkeit hervor, noch ist er mit Trug verbunden, sondern so wie wir von Gott bewährt erfunden wurden, mit dem Evangelium betraut zu werden, so reden wir; nicht als solche, die Menschen gefallen wollen, sondern dem Herrn, der unsere Herzen prüft." (1. Th. 2, 1 ff.) Ein seltener Mann!

Wie immer bei jüdischer Zuhörerschaft, knüpft Paulus auch hier an die Messiaserwartung an. Aber Israel hatte sich ein getrübtes Messiasbild entworfen. Aus den Weissagungen der Propheten hatte es nur die majestätische Herrscherpracht entnommen, die Leidenszüge aber übersehen. Rückte Paulus ihnen nun sofort das Bild

295

des Gekreuzigten vor Augen, so mußte er auf Ablehnung ge=
faßt sein.

Deshalb war hier zunächst ein Übergang herzustellen. Der
Apostel tat es, „indem er ihnen Aufschluß gab und ihnen
nachwies, daß Christus leiden und von den Toten
auferstehen mußte." (Ap. 17, 3.)

Nun durfte er den letzten Vorstoß wagen und den Mann,
der vor einigen Jahren im fernen Palästina gelitten hatte,
Jesum von Nazareth, ihnen als den verheißenen Er=
löser vorstellen.

Die Beweisführung war überraschend und für alle Gut=
gesinnten so schlagend, daß sie ihr nicht widerstehen konnten.
Von den Juden allerdings wurden wenige gläubig, von den
„gottesfürchtigen Heiden aber eine große
Menge und nicht wenige angesehene Frauen."
(Ap. 17. 4,)

Das Eisen glühte, Paulus schmiedete es in eifriger Arbeit.
Wie er außer der Synagogenzeit noch wirkte, zeigt sein späterer
Brief. „Wie eine Amme ihre Kinder pflegt, so wünschten wir,
voll Liebe zu euch, von Herzen, euch nicht nur das Evangelium
Gottes mitzuteilen, sondern auch unser Leben für euch hin=
zugeben, weil ihr uns überaus liebgeworden waret. Ihr er=
innert euch, Brüder, unserer Mühe und Beschwerde, wie wir
Tag und Nacht arbeiteten, um keinen von euch beschwerlich
zu fallen ... Ihr und Gott seid Zeugen, wie wir einen jeden
von euch (wie ein Vater seine Kinder) gebeten, ermuntert und
beschworen haben, daß ihr Gottes würdig wandeln möchtet."
(1. Th. 2, 7 ff.)

Der Erfolg blieb nicht aus. Schreiben konnte Paulus

296

später: „Ihr seid unsere und des Herrn Nachfolger geworden, indem ihr das Wort unter vieler Bedrängnis aufnahmet mit der Freudigkeit des Heiligen Geistes, so daß ihr ein Vorbild geworden seid für alle Gläubigen in Mazedonien und Achaja." (1. Th. 1, 6 ff.)

Doch wie immer wurde auch jetzt wieder das segensreiche Wirken der Christuskinder durch den Ärger der Gegner jäh unterbrochen. „Die Juden wurden eifersüchtig und holten einige schlechte Leute vom Pöbel herbei, veranlaßten einen Auflauf und brachten die Stadt in Aufruhr. Sie erschienen vor Jasons Haus in der Absicht, sie dem Volke vorzuführen. Aber sie fanden sie nicht. Darum schleppten sie den Jason und etliche Brüder vor die Stadtoberen und schrieen: ‚Diese Leute, welche die ganze Welt in Aufruhr gebracht haben, sind jetzt auch hier. Jason hat sie aufgenommen. Sie alle handeln gegen die Verordnung des Kaisers, da sie sagen, ein anderer sei König, nämlich Jesus.' Sie brachten das Volk und die Stadtoberen, welche dies hörten, in Unruhe. Nachdem aber Jason und die übrigen Bürgschaft geleistet hatten, ließen sie sie los." (Ap. 17, 5—9.)

Diesesmal hatte Paulus sein Haupt also noch aus der Schlinge gezogen, aber voraussichtlich würden die Juden ihm keine Ruhe mehr gönnen. Darum erschien es geratener, das Feld zu räumen. „Die Brüder sandten alsbald bei Nacht den Paulus und Silas fort nach Beröa." (Ap. 17, 10.)

Wiederum also war es einmal eine Nacht, in der Paulus flüchten mußte. Doch zum Heil des Ganzen. War auch der

Sämann abgetan, so wuchs das ausgestreute Samenkorn doch immer schöner heran, und dem aus der Ferne zusehenden Auge des Apostels bot sich in Thessalonich bald ein wogendes, mit seinem Blütenstaub auch andere Felder befruchtendes Ährenfeld dar. „Von euch her ist das Wort erschollen, nicht nur in Mazedonien und Achaja, sondern überallhin ist euer Glaube an Gott kund geworden, sodaß wir nicht nötig haben, etwas davon zu sagen." (1. Th. 1, 8.)

Lange blieb Thessalonich, das später zum Metropolitansitz erhoben wurde, Vorburg und Vorbild für die Kirchen der Umgebung, bis das orientalische Schisma es mit seinem Gifthauch verwüstete und die Türken im Jahre 1430 es eroberten. Da sank die katholische Gemeinde in Trümmer.

Heute findet sich daselbst nur mehr eine Handvoll katholischer Christen, als verarmte Zeugen früherer Herrlichkeit. —

Bis dahin hatte Paulus an seinen Stammesgenossen fast nur Verdruß erlebt. Wo immer er den Mund auftat, Christum zu verkünden, erhoben sie sofort Widerspruch, Lästerungen und Drohungen, und wurden sogar handgreiflich. Endlich aber sollte er auch unter den Juden einmal eine entgegenkommende Gemeinde finden.

Von Thessalonich wanderten die Herolde Christi westwärts und kamen zur Stadt Beröa. Diese lag im südlichsten Teile der fruchtbaren, wasserreichen Ebene Mazedoniens am Abhange des sagenumwobenen Berges Bermion.

Hier nun, in dieser vom Hasten des Weltverkehrs mehr abgeschlossenen und darum der Innerlichkeit zugänglicheren Binnenstadt fand das Evangelium offenes Ohr. „Die Brüder

298

sandten alsbald bei Nacht den Paulus und Silas fort nach Beröa. Hier gingen sie nach ihrer Ankunft in die Synagoge der Juden. D i e s e w a r e n e d l e r a l s d i e i n T h e s s a = l o n i ch. S i e n a h m e n d a s W o r t m i t a l l e r B e = r e i t w i l l i g k e i t a u f u n d f o r s ch t e n t ä g l i ch i n d e r S ch r i f t, o b e s s i ch a l s o v e r h a l t e. V i e l e v o n i h n e n w u r d e n g l ä u b i g, w i e a u ch n i ch t w e n i g e v o n d e n h e i d n i s ch e n F r a u e n u n d M ä n n e r n." (Ap. 17, 10—12.)

Das war echtes Wahrheitssuchen! „Sie nahmen das Wort m i t a l l e r B e g i e r d e a u f." Während also die Juden anderswo sich sofort dem neuen Evangelium verschlossen, hörten sie ihm hier mit Aufmerksamkeit zu, voll Sehnsucht, sich innerlich zu bereichern. Und wenn auch manches ihren gewohnten Anschauungen widersprach, so lehnten sie es nicht sofort ab, sondern begaben sich nach Hause und „f o r s ch t e n t ä g l i ch i n d e r S ch r i f t n a ch, o b e s s i ch s o v e r = h a l t e".

Das war verständig. Ernste Nachprüfungen können dem wahren Christentum nur dienen. Die Frucht war freudiger Glaube.

Die Juden in Thessalonich und Beröa sind eine herrliche Bestätigung der Parabel vom Säemann. In Thessalonich waren Felsen und Dornen, in Beröa aber guter Boden. Denn guter Boden, das sind nach Christi Worten „die, welche mit gutem und willigem Herzen das Wort hören, es bewahren und Frucht bringen in Geduld". (Luk. 8, 15.) Deshalb auch reifte hier dreißigfältige, sechzigfältige und hundertfältige Frucht heran.

Zwei Jahrtausende geht Christus säend durch die Welt,

299

überall dasselbe Saatkorn streuend. Und doch, hier Glaube, da Unglaube, hier Saaten, da Leere. „Anderes Saatkorn tut not", sagt man, „andere Säeweisen" — o nein, nicht am Samenkorn liegt die Schuld des teilweisen Mißerfolges, denn das Christentum hat genügend seine lebenbildende Kraft bewiesen, sondern an dem Boden, an den Seelen. Schaffe jeder sein Seelenland zu gutem, lockerem Boden um, nehme er mit gutem und willigem Herzen das Wort Gottes auf, bewahre er es treu in seiner Brust, verarbeite er es in seinem Innern, verwandle er es in täglich geduldiger Arbeit in Leben und er wird schon erfahren, daß das alte Christentum auch den neuzeitlichen Menschen noch Vieles zu sagen hat!

8. Das Kreuz Christi den Griechen eine Torheit.
(Ap. 17, 15.-34.)

Kurz nach diesem Erlebnisse befand sich Paulus wieder auf hoher See. Wiederum flüchtig!

Immer dieselbe Ursache: „Als aber die Juden in Thessalonich erfuhren, daß auch in Beröa von Paulus das Wort Gottes verkündet werde, kamen sie auch dahin und brachten das Volk in Aufregung und Unruhe. Da sandten die Brüder den Paulus alsbald weg, er solle bis an das Meer reisen; Silas aber und Timotheus blieben daselbst zurück."(Ap. 17, 13. 14.)

Nach einer Fahrt von mehreren Tagen landete der Apostel in dem altberühmten Hafen Piräus. — Das Christentum zum erstenmal auf griechischem Boden!

300

309

Bald betrat er die Hauptstadt des Landes, Athen, die Wiege und Hochburg der Weltweisheit, Kunst und Bildung. Eine Wunderwelt umgab ihn: schmucke Häuserreihen, herrliche Säulenhallen, geschmackvolle Museen, weißschimmernde Tempel, unterbrochen von gutgepflegten und mit grünem Rasen und Bäumen verzierten Plätzen; dabei, wohin das Auge blickte, formvollendete Statuen und aus der Mitte herausragend der Burgberg mit hoheitsvollen Bauten, im Hintergrunde blauendes Gebirge, und das Ganze überspannt vom wolkenlosen, heiteren Himmel.

Im Äußeren hatte die Stadt kaum etwas von ihrem früheren Glanz verloren, aber das Geschlecht, das in ihren Straßen wandelte, war nicht mehr dasselbe, wie es zu Zeiten eines Plato, Aristoteles, Phidias und Perikles gewesen war.

Nur in der Freiheit konnte der griechische Genius seine Schwingen voll entfalten. Jetzt aber, seit 146 vor Christi erst von den Mazedoniern, sodann von den Römern bedrängt, glich er dem Vogel im Käfig, der Lebenslust und Lebenssang verliert. Der Wohlstand Griechenlands, die Grundlage jeder höheren Kultur, hatte sehr abgenommen. Blühende Städte verarmten oder verschwanden sogar von der Erdoberfläche. Damit war auch der höheren Geistesbildung das Mark entzogen.

Die schöpferische Kraft in Weisheit und Kunst, die früher so herrliche, noch heute die ganze Welt entzückende und befruchtende Gebilde gezeugt hatte, war gewichen. Wo einst die großen, weltüberragenden Meister wie Plato, Aristoteles ihre genialen Geistesbauten aufführten, verkaufte jetzt ein zahlreiches Heer von Nachbetern seine kleinen Gedanken, und wo früher der redegewaltige Demosthenes die Herzen durch-

wühlte, vernahm man jetzt das seichte Gerede zahlloser Wort=
klauber.

Gleichwohl flackerten auf Griechenlands Herd noch immer
manche Flammen vom früheren Glanzfeuer.

Noch immer galt es als hohe Auszeichnung, in Athen seine
Bildung empfangen zu haben, und deshalb strömten noch
immer Wissensdurstige dahin, Geist und Herz dort zu beleben
und zu bereichern.

Bis dahin mehr auf jüdischem Boden wandelnd und von
vorwiegend jüdischen Anschauungen umgeben, sah sich Paulus
also plötzlich in eine ganz andere Welt versetzt, in eine Welt,
in der nicht mehr Sion mit seinem Hohenpriestertum, mit
Abraham, Moses, David, das Gesetz und die Heilige Schrift,
sondern Jupiter und Athena, Schönheitskunst und Welt=
weisheit das Szepter führten.

Da mochte er sich anfangs allein wohl zu schwach fühlen,
um hier den Kampf für Christus zu beginnen. Deshalb ließ
er durch Boten Silas und Timotheus, die in Thessalonich
zurückgeblieben waren, schleunigst zu sich herbitten.

Die Wartezeit benutzte er zu Rundgängen durch die Stadt.
Hierbei fiel ihm eines auf. „Während Paulus in
Athen auf sie wartete, wurde er im Geiste
aufgebracht, da er die Stadt ganz in Ab=
götterei versunken sah." (Ap. 17, 16.) Sehnsucht
nach Gott wucherte üppig in diesem geistig regen Geschlecht,
aber ob man auch Götterbild auf Götterbild aneinandergereiht
hatte, war man doch nicht zur Ruhe gekommen. Zu allen
Denkmälern hatte man noch eines gesetzt, das die vielsagende
Inschrift trug: „Dem unbekannten Gotte!"

302

Diese Tatsache spiegelte die ganze Lage des Heidentums wieder. Man fühlte die Unzulänglichkeit aller bisherigen Religionen heraus, man tastete unentwegt nach dem wahren Gott — aber alles Suchen blieb ein Tasten, ein Ahnen, ohne den Gesuchten zu finden.

Wird da nicht der Apostel, der endlich bringt, was man so lange vergeblich erhoffte, mit Jubel begrüßt werden? Wird es da mehr brauchen als das Ausstrecken der Hand, um die reife Frucht des Glaubens zu pflücken? — Wie unergründlich ist doch das menschliche Herz!

Tiefergriffen beschließt Paulus, nun doch seine Predigt sofort zu beginnen. Zunächst spricht er in der Synagoge zu den Juden und Proselyten.

Dann aber drängt es ihn hinaus auf den großen, von schönen Bauten umgebenen Marktplatz der Stadt. Dort hatte er ja täglich allerlei Weltweise und Wanderredner nach altem Brauch ihre Weisheit verkünden sehen. Warum sollte er nicht dasselbe Verfahren für Christus anwenden? Wo immer er eine Gruppe Hörlustiger gewahrt, mischt er sich darum unter sie und beginnt seine Wahrheiten darzulegen. Neugierige strömen von allen Seiten herbei; denn wo es immer etwas Neues zu sehen oder zu hören gab, waren die Athener zur Stelle.

Auch auf dem Markt lehrende Philosophen wurden auf ihn aufmerksam und horchten zu. Besonders waren es Anhänger der damals herrschenden zwei Systeme, die sich an den Fremdling heranmachten: Epikuräer und Stoiker, diese die Idealisten, jene die Materialisten der damaligen Zeit. Lösten die Epikuräer das ganze Sein letztlich in Atome auf und verlegten sie den Sinn des Lebens in den Genuß, so führten die Stoiker es auf ein All zurück, das von der notwendig sich auswirkenden Weltvernunft beseelt und geleitet war. Dementsprechend auch galt ihnen als Lebensziel nicht der Genuß, sondern die Emporarbeitung der Vernunft über den Stoff: die Tugend.

Diese beiden Gruppen nun begannen mit dem Apostel zu streiten.

Die Zuhörer bekundeten sich als echte Großstadtmenschen. Die einen, seicht, sind bald mit ihrem Urteil fertig: „W a s w i l l d i e s e r S c h w ä ß e r s a g e n?" (Ap. 17, 18.) Andere, ernstere, meinen: „E r s c h e i n t e i n V e r k ü n d i g e r n e u e r G ö t t e r z u s e i n, w e i l e r i h n e n n ä m l i c h v o n J e s u s u n d d e r A u f e r s t e h u n g p r e d i g t e." (Ap. 17, 18.) Andere aber, tiefer veranlagte, wünschen Näheres zu erfahren, und da hierzu der Tumult des Marktes nicht geeignet war, geleiten sie ihn auf eine stille, kahle Höhe der Stadt, wo man die Gerichtssitzungen unter freiem Himmel abzuhalten pflegte. „Sie nahmen ihn mit, führten ihn vor den Areopag und sprachen: Können wir erfahren, was das für eine neue Lehre ist, die du vorträgst? Denn du gibst uns seltsame Dinge zu hören, und wir wollen wissen, was dies sein mag." (Ap. 17, 19. 20.)

Auf d i e s e Frage des Heidentums hat Gott gewartet, nun kann er durch seinen Gesandten Antwort geben. Wiederum schlug auf der Weltenuhr eine schicksalschwere Stunde. Das Christentum, das sich erst bezeugte vor dem Judenglauben, hat sich jetzt auch zu bewähren vor der H e i d e n = w e i s h e i t.

304

Im Vollbewußtsein seiner hohen Aufgabe wagt sich der Gottesgesandte hervor: „Paulus trat in die Mitte des Areopags und sprach: Ihr Männer von Athen! Ich finde euch in jeder Hinsicht überaus religiös. Denn da ich umherging und eure Götterbilder betrachtete, fand ich auch einen Altar mit der Inschrift: Einem unbekannten Gott. Nun, was ihr verehrt, ohne es zu kennen, das verkünde ich euch! Gott, der die Welt gemacht hat und alles, was in ihr ist, er, der Herr des Himmels und der Erde — er wohnt nicht in Tempeln, die von Menschen= händen gemacht sind. Er läßt sich auch nicht von Menschen= händen bedienen, als bedürfe er etwas, da er selbst allem Leben gibt und Odem und alles. Er hat aus e i n e m Menschen das ganze Menschengeschlecht gemacht, daß es wohne auf der ganzen Oberfläche der Erde. Er hat bestimmte Zeiten und Grenzen ihres Aufenthaltes festgesetzt. Sie sollen Gott suchen, ob sie ihn herausfühlen und finden möchten, da er ja nicht ferne ist einem jeden aus uns. Denn in ihm leben und bewegen wir uns und sind wir. Haben doch einige von euren Dichtern gesagt: Wir sind ja von seinem Geschlecht. Da wir nun vom Geschlechte Gottes sind, so dürfen wir nicht meinen, die Gott= heit sei gleich dem Gold oder Silber oder Stein, den Gebilden menschlicher Kunst und Erfindung." (Ap. 17, 22—29.)

Wie seelen= und erziehungskundig der Mann doch zu reden versteht! Dem Judengeist, mit alttestamentlichen Vorstellungen angefüllt, erzählt er vom Davidssohn und dem verheißenden Christus, hier dagegen knüpft er an alles an, was die Griechen= welt belebte und bewegte, an die von der Höhe, auf der er stand, sichtbaren Tempel und Bildsäulen und die Gottes= sehnsucht, die aus allen sprach. Den Juden verhieß er den erlösenden Gott, den Griechen zunächst einmal den einen wahren Gott.

Wie geschickt auch weiß er die in der stoischen Philosophie gelegenen Wahrheitselemente, die Lehren von der einen Weltvernunft, der Weltbildung und weisen Weltleitung ihres irrigen Beiwerkes zu entkleiden und sie der wahren Religion dienstbar zu machen.

Immer ein Meister!

Ein Suchen und Tasten, so bezeugt er es, war bisher das Leben der Völker. Nun aber hat die Stunde der Erfüllung geschlagen. Gott erschien; deshalb heißt es: zu ihm sich wenden; denn er, der die Welt schuf, fordert sie auch wieder ein im Gerichte. „Bisher hat Gott über die Zeiten dieser Unwissenheit hinweggesehen. Aber nun tut er den Menschen kund, daß sie alle überall Buße tun sollen. Er hat einen Tag festgesetzt, an dem er die Welt richten will in Gerechtigkeit, durch einen Mann, den er dazu bestellt und durch seine Auferweckung von den Toten bei allen beglaubigt hat." (Ap. 17, 30. 31.) —

Wenig bedeutend mochte den meisten der drunten in den Straßen wandelnden Athenern erscheinen, was sich droben auf dem Areopag abspielte: eine Probevorlesung, ein Verhör, wie sie alltäglich stattfinden.

Tieferblickenden taten sich hier aber Vorgänge von ergreifender Bedeutung kund. Der Areopag Athens mit seinen Gelehrten — war er nicht der Höhepunkt und das Sinnbild der Weltweisheit? Verkörperte er nicht die Höhe, die alles rein natürliche Dichten und Forschen erstiegen hatte? An sie trat nun in Paulus die christliche Offenbarung heran. Zur Weis-

306

heit der Welt, die sich sehnend nach oben erhob, senkte sich von oben die Weisheit Gottes hernieder, hernieder mit der Fülle des Lichtes! Denn was konnte die ganze Weisheit des Altertums dem, was der Apostel Christi hier von dem Ursprung der Welt, von dem letzten Wesen, von der Philosophie der Völker und Geschichte, von ihrer Aufgabe und ihrem Endzweck verkündete, gegenüberstellen? Ach, nur Stammeln war ihr ganzes Gerede gewesen, nun aber ertönten Worte voll Fluß, Klarheit und Inhalt an ihr Ohr.

Neue Worte waren es, aber Worte voll Geist und Kraft. Wenn die Weisheit der Welt diese aufnimmt, sie mit sich vermählt, wie wird da der alte griechische Genius wieder aufleben! Wie wird er mit himmlischem Öle gesalbt, dem Adler gleich neu seine Schwingen entfalten und im Flug die Welt erobern!

Jerusalem verstand die Stunde der Heimsuchung nicht — wird A t h e n s i e j e t z t v e r s t e h e n ?

„A l s s i e a b e r v o n d e r A u f e r s t e h u n g d e r T o t e n h ö r t e n, s p o t t e t e n e i n i g e. A n d e r e s a g t e n: W i r w o l l e n d i c h d a r ü b e r e i n a n d e r = m a l h ö r e n." (Ap. 17, 32.) — Noch war die Weisheit der Welt von ihrem Können zu sehr überzeugt, um sich dem Glauben zu unterwerfen.

Die Sehnsucht nach dem Reiche Gottes war da, aber die Tür zum Eintritt in dasselbe, das Kindwerden, das demütig sich beugen, erschien der Griechenwelt noch zu eng. Erst bedurfte es noch weiterer tiefer Erschütterung, bis sie sich entschließen konnten, zum „Kreuze zu kriechen", das ihnen jetzt noch als Torheit galt.

Paulus fühlte das heraus und „g i n g h i n w e g a u s

20*

i h r e r M i t t e". (Ap. 17, 33.) Die Weisheit der Welt hat den Anschluß an den Fortschritt verfehlt und sich damit zum langsamen Absterben verurteilt. — — —

Ganz umsonst war Pauli Auftreten in der Musenstadt aber doch nicht gewesen. „**E i n i g e M ä n n e r s c h l o s s e n s i c h i h m a n u n d w u r d e n g l ä u b i g. U n t e r d i e s e n w a r a u c h D i o n y s i u s, M i t g l i e d d e s A r e o p a g, u n d e i n e F r a u, n a m e n s D a m a r i s, u n d n o c h a n d e r e m i t i h n e n.**" (Ap. 17, 34.)

Das erste Zusammentreffen des Christentums mit der Weltweisheit hatte also mit einem schrillen Mißton geendet.

Für das Griechentum war die Gnade verscherzt. Das andere Mal, wo es Christus zu hören gedachte, kam nicht. Wohl aber erschienen in Athens Mauern bald andere, die seine brauchbaren Schätze, bevor das Ganze einstürzte, retteten, davontrugen und zu neuen Zwecken verwandten. Christliche Jünglinge, wie Aristides, Basilius, Gregor und andere nahmen zu den Füßen der heidnischen Weltweisen sitzend, diesen ihre Lehren ab und fügten sie, von Irrtum befreit, geglättet und behauen, dem christlichen Lehrgebäude ein.

Da der stolze Weisheitsdom es verschmäht hatte, die ihm angebotene goldene Kuppel der Offenbarung zu tragen, mußte er, zu Bausteinen aufgelöst, später den Christusdom stützen.

Blindgeworden verharrte Athens Weisheit in seiner Blindheit und — o grausame Strafe: in einer Zeit, in der bereits alle Einsichtigen den Wahn des Heidentums durchschauten und fast die ganze Welt zu dem einem Gott, den Paulus verkündet hatte, sich bekehrte, machte sich Athen mit seiner Weisheit zum Hauptbollwerk der im Todeskampf ringenden Götter.

308

So weit war zur Finsternis die Stadt geworden, die Licht zu sein sich dünkte. Und alles, weil auch sie die Gnade der Heimsuchung nicht erkannt und das ihr aufgehende Tageslicht nicht begriffen hatte. „Ich bin zum Gericht in die Welt gekommen, damit die, welche blind sind, sehend und die, welche sehend sind, blind werden." (Jo. 9, 39.)

Im Jahre 529 erlosch Athens letzte Leuchte. Die hohe Schule wurde vom Kaiser Justinian geschlossen: die Philosophen Athens wanderten nach Persien aus oder endeten im Dunkel. Was die Griechenweisheit an Gutem zutage gefördert hatte, leistete dem Christentum Dienst zum ewigen Dasein. Athens Stern sank, der Bethlehems leuchtete auf. An Stelle der Griechenweisheit übernahm jetzt die Führung der Welt der christliche Glaube.

9. Im Welthandelsplatz.
(18, 1—10.)

Von Athen wandte sich Paulus nach Korinth. Hier umgab ihn eine ganz andere Welt als in Athen. Athen war der Sitz der Musen, Korinth der des Mammon. Dort sah man kunstvolle Säulenhallen, Museen, Tempel, Bildsäulen, Schulen, Kunst- und Wissensstätten; hier aber vorwiegend Waren- und Stapelhäuser, Läden, Krambuden, Schenken und Tanz- und Vergnügungssäle in reicher Fülle. In Athens Straßen wandelten die Redner, Philosophen, Künstler mit ihren Schülern; hier in Korinth aber gaben Reeder, Schiffer, Hafenarbeiter, Kameltreiber, Krämer, Großkaufleute, Händler und Schmarotzer aus aller Herren Ländern dem Straßenleben sein Gepräge. In Athen suchte man mehr

309

die S e e l e zu bereichern, hier vorwiegend den S á ck e l zu
füllen. Dort labte man sich an den Schönheiten des Geistes,
hier mehr an den oft recht trüben Genüssen des Fleisches.

Wohl gab es auch in Korinth wissenschaftliches und künst=
lerisches Streben, doch war es nur seichter Art, mehr als äußere
Verzierung gedacht, denn aus tiefem, hochstrebendem Bedürfnis
entsprungen.

Daher denn auch die Bevorzugung schillernder Worte, schön=
klingender Redewendungen vor Werken tiefen Gehalts. Nicht
wie in Athen war es um echtes Gold, sondern nur um Ver=
goldung zu tun.

Auch sonst noch ein Gegensatz: Athens Stadtgöttin war
A t h e n e, d i e j u n g f r ä u l i c h e G ö t t i n d e r W e i s=
h e i t; Korinths Gottheit dagegen A p h r o d i t e, d i e G ö t=
t i n d e r W o l l u st. Deren Tempel beherrschte die ganze
Stadt und in ihm widmeten sich tausend Dienerinnen dem
Begehren eines lichtscheuen religiösen Kultes.

Kein Wunder, daß in Schwelgerei und Sittenlosigkeit alles
versank, daß der korinthische Trunkenbold als beständige Figur
in den Lustspielen der Alten wiederkehrte und der Ausdruck
„korinthern" als kürzeste Bezeichnung für die schamloseste Aus=
gelassenheit im Umlauf war. „Nicht jedermanns Sache," be=
sagte ein Sprichwort, „ist es, nach Korinth zu fahren." — In
der Tat, denn mancher reiche Kaufherr, der von auswärts
gekommen, ließ Vermögen, Gesundheit, Ehre und Lebens=
glück in den Lasterhöhlen und Trinkstätten der Stadt zurück.
Rühmte sich doch nach Strabo eine bekannte Kokette
Korinths, in kurzer Zeit drei Schiffe allein zugrunde gerichtet
zu haben.

310

Paulus durchwanderte die Stadt, sah das grauenhafte
Verderben — da nun sollte er das Christentum aufrichten,
das Christentum mit seinem Kreuz, seiner Entsagung und
Keuschheit und Demut? Kann man es nicht verstehen, daß
er mit schwerem Herzen die ersten Tage dort verbrachte?

Doch bald macht er sich trotzdem ans Werk. Zunächst
galt es, Unterkunft und Unterhalt zu finden. Da er Zeltweber
war, suchte er fast wie ein reisender Geselle unserer Zeit einzelne
Geschäfte seiner Zunft nach Arbeit ab. In einer Werkstatt
nun fand er ein Ehepaar, das sofort ebenso seine Aufmerksam=
keit erregte wie er die ihrige. Nach kurzem Gespräch erkannte
man sich gegenseitig als Christen. Aquila und Priszilla waren
die beiden frommen Gatten. Diese hatten vordem in Rom
gelebt, waren dort höchstwahrscheinlich Christen geworden und
bei der großen Judenverfolgung des Klaudius aus der Stadt
verwiesen.

Groß war ihre Freude, nun in Paulus nicht nur einen
eifrigen Anhänger ihres Glaubens, sondern sogar einen Apostel
des Herrn zu finden. Gerne gewährten sie ihm Arbeit und
Unterkunft, und dieser begann nun in ihrer Werkstatt Zelte
anzufertigen, um sich den Unterhalt zu verdienen.

Von den Haarzelten aber, die unter seiner Hand entstanden,
wanderte sein Geist zu anderen Zelten hinüber, zu jenen, die
er den Seelen zu errichten gedachte, Gotteszelte, Gnaden= und
Himmelszelte.

Des Wochentags arbeitend, begab er sich sodann jeden
Sabbath in die Synagoge und predigte den Juden und Griechen.

Bald kamen ihm Silas und Timotheus, die von Mazedonien
herübereilten, zu Hilfe. Nun begann er mit noch größerer

311

Kraft das Evangelium zu verkünden. Aber der Gekreuzigte war den Juden eine Torheit, deshalb „widersprachen und lästerten sie." (Ap. 18, 6.)

Wiederum nahm Paulus, den Worten Christi gemäß, eine Scheidung vor. „Da sie aber sich dagegen auflehnten und lästerten, schüttelte er seine Kleider aus und sprach zu ihnen: Euer Blut komme über euer Haupt! Ich habe keine Schuld. Von nun an werde ich zu den Heiden gehen." (Ap. 18, 6.)

Kurzerhand schlug er nun seine Lehrkanzel in dem Saale eines gläubiggewordenen Heiden auf. „Er ging von da weg und begab sich in das Haus eines gottesfürchtigen Mannes, namens Titus Justus, dessen Haus an die Synagoge stieß." (Ap. 18, 7.)

Eine große Freude sollte er jedoch auch in seinem Volke noch erleben. „Der Synagogenvorsteher Crispus nahm mit seinem ganzen Hause den Glauben an den Herrn an." (Ap. 18, 8.)

Daß sogar der Synagogenvorsteher sich den Beweisen Pauli gefangengeben mußte, erregte naturgemäß großes Aufsehen und überwand bei vielen die letzten Zweifel. „Auch viele Korinther, welche zuhörten, glaubten und ließen sich taufen." (Ap. 18, 8.) Das aber erregte aufs neue den Zorn der verstockten Stammesgenossen, und sie rüsteten sich zum Kampf. Diesen scheute Paulus ja nicht, ihm aber kamen andere Bedenken. Die irdische Denkweise der Heiden schien keinen guten Nährboden für die Saat des Gottes-

312

wortes darzubieten. Dazu kam noch, daß die Korinther, wie oft derartige Großstädter, der tiefen Geistesbildung bar, mehr nach Scheinbildung, nach Glanz und Prunk in den Reden als nach Wahrheit lüstern waren. Diese aber wollte und konnte der ernste Mann, der nicht die Rolle eines ergötzenden Rede= künstlers spielte, sondern das Amt eines erschütternden Christus= zeugen versah, nicht bieten. So legte er sich denn ernstlich die Frage vor, ob es nicht besser sei, ein dankbareres Arbeitsfeld aufzusuchen.

„Auch ich," schreibt er später an die Gemeinde, „als ich zu euch kam, trat nicht in erhabener Rede oder Weisheit auf, euch das Zeugnis von Christus verkündend . . . ich war in Schwachheit und Furchtsamkeit und vielem Zagen bei euch, und meine Rede bestand nicht in überredenden Worten mensch= licher Weisheit, sondern in Erweisungen von Kraft und Geist, damit euer Glaube nicht auf Menschenweisheit, sondern auf Gottes Kraft beruhe." (1. Kor. 1, 1—5.) —

Doch Gott dachte anders. „Der Herr sprach des Nachts in einer Erscheinung zu Paulus: Fürchte dich nicht, lehre weiter und schweige nicht! Ich bin mit dir, und niemand wird dir nahen, um dir zu schaden, denn ich habe viel Volk in dieser Stadt." (Ap. 18, 9—10.)

Wunderbare Enthüllung! Selbst in dieser verderbten Stadt, ja gerade in dieser hatte Gott viel Volk, Seelen, die nach ihm begehrten, die selbst in der schlechtesten Umgebung nach Tugend rangen und noch Hunger und Durst nach der Gerechtigkeit empfanden. Überall waren sie zu finden: unter den Hafen= arbeitern, in der Handwerksstätte, im Laden, auf der Schreib=

313

ſtube und in der Schule. Von ſeiner hohen Warte aus ſah
der Allwiſſende dieſe Lichtſeelen im Dunkel der Menge dem
Lichte zuſtreben, wie die Schiffe mit dem Licht in den Maſten
am Abend den Strahlengarben, die vom fernen Leuchtturm
ſich ergießen. Deren Verlangen wollte er ſtillen, deshalb ſtellte
er ſeine Apoſtel als Leuchtfeuer in das dunkle, wogende Groß=
ſtadtmeer hinein.

Ein Jahr und ſechs Monate blieb Paulus dort, und die
Erwählten Gottes ſcharten ſich in Menge um ſeinen Lehrſtuhl.
Allerdings waren es nicht die Geldprotzen, nicht die Praſſer
und Schönredner, ſondern vorwiegend Zurückgezogene und
irdiſch wenig Begüterte. Aber gerade an ihnen zeigte ſich
wieder Gottes große Liebe und Kraft. „Sehet,“ ruft der
Apoſtel ihnen ſpäter zu, „eure Berufung an ... Es ſind nicht
viele Mächtige, nicht viele Weiſe nach dem Fleiſche, nicht viele
Vornehme, ſondern, was vor der Welt töricht iſt, hat Gott aus=
erwählt, um die Weiſen zu beſchämen.“ (1. Kor. 1, 26 ff.)
Aber wie ſo oft zeitigten gerade dieſe die herrlichſten Früchte.

10. Urchriſtliches Gemeindeleben.
(18, 11.)

Das erſte Beſtreben des Apoſtels mußte es ſein, die
neu gewonnenen Chriſten zu f e ſt i g e n. Er tat es, indem er
ſie oft des Abends zu gemeinſamen Feiern zuſammenrief.

Da fanden ſich denn alle ein, die tagsüber durch die ganze
Stadt hin zerſtreut ihren Beſchäftigungen nachgegangen waren:
Matronen und Sklavinnen, Hafenarbeiter und Kaufleute, Juden
und Griechen, Geſchäftsmädchen und Rechtsbefliſſene, und alle
lauſchten den Worten, die aus hohem Munde an ſie ergingen.

314

Sodann war vieles neu zu regeln. Die Neubekehrten lebten ja nach wie vor in ihrer heidnischen Familie und Verwandtschaft, gingen nach wie vor ihrem Gewerbe in heidnischer Umgebung nach, sie konnten doch auch jedem Verkehr mit ihren früheren Bekannten sich nicht entziehen, wurden zu deren Festen und Vergnügen eingeladen, zu ihren Geschäften herangezogen — da tauchten naturgemäß ungezählte Zweifel auf, wie man sich alledem gegenüber als Christ zu verhalten habe.

Zu allererst sucht der Apostel die neue Gemeinde von allem Heidentum zu reinigen und sie vor der Ansteckung der durchseuchten Großstadt zu schützen. Deshalb fordert er A b = s o n d e r u n g. „Darum meine Geliebten, fliehet den Götzendienst." (1. Kor. 10, 14.) „Habet keinen Verkehr mit Unzüchtigen." (1. Kor. 5, 9.) Christen sollen sich möglichst zu Christen halten.

Doch, klug genug, weiß der Apostel, daß eine v ö l l i g e Zurückziehung von allen Götzendienern und Ausschweifenden den Christen nicht möglich ist; müssen sie doch in deren Mitte ihr Brot verdienen. Darum fordert er nur eine Absonderung von aller u n n ö t i g e n G e f a h r. „Ich habe euch in dem Briefe geschrieben: Habet keinen Verkehr mit Unzüchtigen. Dieses meinte ich aber nicht überhaupt von den Unzüchtigen dieser Welt oder den Habsüchtigen und Götzendienern; denn sonst müßtet ihr aus dieser Welt hinausgehen." (1. Kor. 5, 9 ff.)

Da auch nicht alle gesellschaftlichen Bande sich zerreißen lassen, erlaubt er auch, Einladungen von Heiden anzunehmen und dort ruhig an dem Dargebotenen teilzunehmen, solange nicht Christusfeindliches sich einmischt. (1. Kor. 10, 27. 28.)

315

Unerbittlich aber ift er, wo die alte Seuche fich in die G e =
m e i n d e felbft einſchleichen will. Da ſoll das der Sitten=
loſigkeit wieder verfallene Glied unerbittlich ausgeſtoßen werden.
(1. Kor. 5, 6. 7.)

Aber nicht nur ausſtoßen ſoll man ein ſolch räudiges Schaf,
ſondern auch jeden Verkehr mit ihm nach Möglichkeit ab=
brechen. (1. Kor. 5, 11.)

Auferſtanden vom Tode der Sünde ſoll die ganze Ge=
meinde auch wie der auferſtandene Heiland, rein und heilig
wandeln. „Feget aus den alten Sauerteig, damit ihr ein
neuer Teig ſeid . . . denn unſer Oſterlamm iſt Chriſtus."
(1. Kor. 5, 8.) —

Große Schwierigkeit bereitete in der Stadt der Luſt=
und Liebesgöttin mit ihrer ſittlichen Verwilderung naturgemäß
die K e u ſ ch h e i t s f r a g e. Hier war alles neu zu regeln:
das Leben vor der Ehe, die Ehe ſelbſt, die Miſchehe, die Stellung
der Frau. Unerbittlich ſchärft Paulus hier die echt chriſtlichen
Grundſätze ein: Chriſten ſind Tempel des Heiligen Geiſtes,
deshalb vor jeder Entweihung durch Unzucht zu hüten. Herr=
liche Töne weiß er hier zu finden, um dem Geiſte wieder die
Vormacht über die Triebe zu ſichern. Ja, in dieſer Stadt
der Ausgelaſſenheit gerade wagt er es, wie nirgendwo anders,
die gänzliche Entſagung, die J u n g f r ä u l i ch k e i t, zu
empfehlen, wohl wiſſend, daß nur durch heldenmütige Beiſpiele
eine Änderung des Geſamtempfindens zu erzielen iſt.

Und es gelingt! Gerade auf dem Sumpfboden Korinths
wuchſen Lilien der Unſchuld in reicher Fülle heran.

Ohne höhere Mittel war das allerdings nicht möglich. Den
Antrieben von innen und der Giftluft von außen mußten

316

hemmende, läuternde und heiligende Kräfte entgegengestellt werden. Paulus bot sie in dem Brote des Lebens und in dem Wein, der Jungfrauen gebiert. Gerade in Korinth war es, wo er so sehr die Andacht zu dem Geheimnis des Hochheiligen Altarsfakramentes förderte.

Daburch gelang es ihm, sich inmitten der schlechten Umwelt eine reine Gemeinde, ja sogar Scharen von Jungfrauen heranzubilden.

Wo Reinheit und Gebetsgeist sich finden, stellt Gott sich ein. Auch in der korinthischen Gemeinde zeigte er sich mit hohen mystischen Gaben, Verzückungen, Zungenreden und Prophezeiungen. Spendete er diese damals reichlicher als an anderen Orten, so geschah es, einerseits um den Eifer zu lohnen, andererseits aber auch, um den Christen, die als frühere Heiden so sehr an solchen Geheimwirkungen hingen, zu zeigen, daß Christus auch da Besseres und Erhabeneres zu bieten habe als die Mysterien der Heidengötter.

So segensreich diese Gnadengaben aber auch waren, so bargen sie bei dem zu Absonderlichem geneigten Sinn der Korinther doch nicht nur die Gefahr der Überschätzung auf Kosten wahrer Tugend und Frömmigkeit, sondern auch die der Eifersucht.

Paulus weiß darum das rechte Maß festzusetzen. Nicht allen, schreibt er, können dieselben Gaben zuteil werden. Das ist aber auch nicht erforderlich, denn alle Christen sind Glieder desselben Leibes, nicht alle vermögen dieselbe Tätigkeit auszuüben; die, welche jedes Glied ausübt, kommt aber allen anderen zugute. (1. Kor. 14, 27—30.)

Im übrigen, — den leer Ausgehenden zum Trost, gesteht er

3¹7

es — machen diese Gnadengaben nicht den persönlichen Wert des Menschen aus; sie sind Amtsgnaden; die persönliche Heiligung hängt von anderen ab: das beste ist die Liebe. (1. Kor. 12, 31; 13, 1.) Liebe aber vermag jeder zu üben, und sie führt zur Gnade bei Gott.

Unübertrefflich ist das Bild, das Paulus von der L i e b e zeichnet: „Die Liebe ist langmütig, ist gütig; die Liebe ereifert sich nicht, sie bläst sich nicht auf. Sie ist nicht ehrsüchtig, sucht nicht das ihrige ... sie erträgt alles, hofft alles und überwindet alles." (1. Kor. 13, 4—7.)

Wer aber die Liebe treu übt, braucht Propheten, Seher und Verzückte nicht zu beneiden, denn Höheres und Dauerndes wird ihm zuteil. „Die Liebe hört nie auf, wenn auch die Weissagungen abgetan werden oder die Sprachen ein Ende nehmen." (1. Kor. 13, 8.)

Aus der Liebe entspringt auch die richtige G e s e l l s c h a f t s o r d n u n g. Sie ordnet sich gern ein und unter und verbindet alle zu einem gemeinsamen Bruderbund.

Um allen Vorschriften die nötige Werbekraft zu verleihen, tat aber noch eins not: der irdisch gerichtete Sinn mußte himmelwärts erhoben werden. Eine schwere Aufgabe in einer Stadt, in der alles in Gelderwerb und Sinnengenuß aufging.

Unermüdlich rückt Paulus darum allen die E w i g k e i t vor Augen: die Auferstehung der Toten, den einstigen Besitz Gottes. Die Gestalt dieser Welt vergeht, ist aber unser Erdenzelt abgebrochen, werden wir eine Wohnung im Himmel haben, darum haben wir die Welt zu gebrauchen, als gebrauchten wir sie nicht. Nur Pilger sind wir hienieden, wie es die Israeliten unter der Wolkensäule waren. Das gelobte Land ist unser

318

Ziel. Aber nur denen wird es zuteil, die treu standhalten bis zum Ende. (1. Kor. 10, 1—6.)

So versteht der Gottesmann es, mit starkem Ruck den Seelen die Wendung zur ewigen Höhe zu geben. In deren Licht schwand alles Irdische zum Nichts herab, und voll Mut und Tatkraft wanderten die Neuchristen dem gelobten Jenseits= land zu.

Von Armseligkeit nicht frei, an manchen heidnischen Über= bleibseln noch krankend, zeitigte die korinthische Gemeinde doch herrliche Früchte. Eine Freude wäre es gewiß gewesen, die Abendversammlungen dieser Gotteskinder inmitten der Groß= stadt belauschen zu dürfen. Ein neues Geschlecht wuchs hier in der Finsternis heran, das Geschlecht der Kinder des Lichtes.

11. In eigener Grube gefangen.
(18, 12—22.)

Mit verhaltener Wut hatten die Juden dem Anwachsen der christlichen Gemeinde zugesehen; zum Eingreifen aber scheinen ihnen die Mittel gefehlt zu haben. Vielleicht war ihnen die römische Regierung nicht günstig gesinnt.

Da fand ein Wechsel statt. Gallio, der Bruder des Philo= sophen Seneka, wurde Statthalter von Achaja. Als dieser nun eines Tages auf öffentlichem Platze zu Gericht saß, versprachen sich die Christenfeinde von ihm Erfolg. Kurzerhand ergriffen sie Paulus, schleppten ihn vor Gallio und wußten nicht genug Anklagen gegen ihn vorzubringen. Hoch gingen die Wogen der Leidenschaft. Paulus schickte sich zur Verteidigung an. Doch Gallio ergriff selbst das Wort. Soviel hatte er, der philosophisch denkende und weltkundige Mann, bald erfaßt, daß es sich bei

319

ben Anklagen nur um Judengezänk handele. Damit sich zu befassen, lehnte er ab. „Wenn es sich um ein Unrecht oder ein Verbrechen handelte, ihr Juden, so müßte ich euch nach dem Rechte anhören. Da es sich aber um Worte und Namen und euer Gesetz handelt, so mögt ihr selbst zu= sehen. Darüber will ich nicht Richter sein." (Ap. 18, 14. 15.) — Das war eine würdige und sachliche Hal= tung. Hoch über dem Parteigetrieb stehend, hielt Gallio an Recht und Wahrheit fest.

Die Juden, gewohnt, durch um so mehr Lärm sich die zögernden Statthalter gefügig zu machen, wie sie es einst bei Pontius Pilatus getan hatten, begannen nun unter Toben und Lärmen sich um so mehr an Gallio heranzudrängen. Aber dieser war kein Pontius Pilatus. Durch seine Diener ließ er sie forttreiben. „Er wies sie von dem Richterstuhle weg." (Ap. 18, 16.)

Für das korinthische Straßenvolk, dem die Judenschaft mit ihrem vorlauten, sich in alles eindrängenden Wesen schon immer verhaßt war, war das eine große Freude. Mit Spott und Hohn, wohl auch mit Püffen und Schlägen begleitete es den Abzug der grollenden und schmollenden Ankläger, und alsbald — ein echtes Großstadtbild — griffen einige einen der jüdischen Führer, den Synagogenvorsteher Sosthenes, heraus und verprügelten ihn vor dem Richterstuhl. „Und alles dessen nahm Gallio sich nicht an." (Ap. 18, 17.) Vielleicht war er ganz froh, daß diesem lästigen Volk einmal eine gründliche Abfuhr zuteil wurde. —

Endlich einmal fand hier also der sonst stets verfolgte Apostel

320

einen Verteidiger, endlich einmal fah er Vernunft und Recht gegen blinde Leidenschaft sich zu Hilfe eilen. So bringt ja auch sonst schließlich doch das Recht wieder durch, war es auch lange unter Nebel begraben. —

Von den Juden jetzt unbehelligt, setzte Paulus noch längere Zeit seine Tätigkeit in Korinth fort. Dann aber schien ihm die Gemeinde genügend gefestigt, um sich und ihren Seel= sorgern überlassen werden zu können. „So nahm er Ab= schied von den Brüdern und fuhr nach Syrien mit Aquila und Priszilla." (Ap. 18, 18.)

Vor dem Besteigen des Schiffes aber nahm er in der Hafenstadt Kenchrea noch eine denkwürdige Handlung vor: „Zu Kenchrea hatte er sich das Haupt scheren lassen, weil er ein Gelübde gemacht hatte." (Ap. 18. 18.)

Wahrscheinlich handelte es sich hier um das sogenannte Nasiräergelübde, das, um Gott in besonderer Weise zu danken oder um seinen Schutz zu erflehen, bei den Juden üblich war. Es wurde für eine bestimmte Zeit, etwa für einen Monat oder länger abgelegt. Wer es machte, weihte sich für diese Zeit ganz Gott, enthielt sich des Weines und ließ sich das Haupthaar wachsen. War die Frist um, so schor er sich wieder das Haupt und begab sich nach Jerusalem, um durch Dar= bringung eines Opfers das Werk zu krönen. Vermutlich hatten die großen Schwierigkeiten in Korinth Paulus zu dieser Gottes= weihe veranlaßt und drängte ihn jetzt der sichtlich gewordene Schutz, möglichst bald in Jerusalem seine Versprechen einzulösen.

Von Kenchrea setzte er querüber nach Ephesus, begab sich auch dort bald in die Synagoge und unterredete sich mit den

Juden. „Auf ihre Bitte aber, längere Zeit zu bleiben, ging er nicht ein. Vielmehr nahm er Abschied von ihnen mit den Worten: Ich werde, so Gott will, wieder zu euch kommen." Dann reiste er von Ephesus ab." (Ap. 18, 20. 21.) Für jetzt eilte er nach Jerusalem zu kommen.

In Ephesus ließ er Aquila und Priszilla zurück. Gewiß nicht ohne Wehmut; waren die beiden ihm doch gute, treue Freunde und Hauptstützen seiner Wirksamkeit in Korinth gewesen. In ihrem Hause hatte er Unterkunft gefunden und von da aus das Christentum wie einen Sauerteig durch die ganze Stadt verbreitet. Wiederum ein Beweis, wie viel ein gottliebendes Paar für Gottes Sache zu wirken vermag.

Nach kurzer Meerfahrt landete Paulus in Cäsarea, stieg von dort hinauf nach Jerusalem, wo er seine Andacht verrichtete, und kehrte dann nach seinem Ausgangsort, nach Antiochien zurück.

Die zweite Reise war also beendet. Sie hatte ihn zunächst durch Syrien und Kleinasien, dann durch das Innere Kleinasiens zur Hafenstadt Troas geführt. Hier war ihm der mazedonische Mann erschienen, der zu ihm sprach: „Komm herüber und hilf uns", und ihn damit nach Europas Gestade herüberrief. In Philippi hatte er sodann Lydia und den Kerkermeister gewonnen und die erste seiner Christengemeinden auf europäischem Boden gegründet. Von da ging es nach Thessalonich und Beröa und dann nach Athen; von der Stadt der Weltweisheit sodann weiter nach Korinth. Hier blieb er 1¹⁄₂ Jahr und kehrte darauf nach Antiochien, mit Erfolg und der Bekennerkrone geziert, zurück.

———

III. Zum dritten Mal hinaus.

(18, 23—20, 38.)

1. In Ephesus.

(18, 23—19, 10.)

Nur kurze Zeit der Erholung gönnte sich der unermüdliche Streiter Christi; dann ging es zum dritten Male hinaus. Wiederum wurden zuerst wohl die neugegründeten Gemeinden im Innern Kleinasiens besucht, dann auch die Länder Galatiens und Phrygiens durchzogen. Schließlich kamen die Reisenden nach Ephesus.

Dieses hatte manche Ähnlichkeit mit Korinth. Durch seinen Hafen mit Ägypten, Syrien, Griechenland, Mazedonien und Italien, durch zwei Römerstraßen mit den Ländern des Ostens in Verbindung stehend, dabei das berühmte Heiligtum der Diana bergend, war es eine der größten Handelsplätze und Wallfahrtsorte der alten Welt geworden.

Auch hier sollte den Sendlingen des Herrn eine reiche Beute werden.

Wie oft genug aus einem verwehten Samenkorn Saat-felder entstehen, so war es auch hier. Vor kurzem war hier ein getaufter Jude aus Alexandrien erschienen, Apollos mit Namen. Dieser, mit glänzender Redegabe ausgestattet, dabei in den trefflichen Schulen seiner Vaterstadt in der Schrift gründlich durchgebildet, „war unterrichtet über den Weg des

Herrn und legte nun glühend im Geiste für Jesus Zeugnis ab, obschon er nur die Taufe des Johannes kannte." (Ap. 18, 25.)

Ihn hörten Aquila und Priszilla in der Synagoge reden. Sofort erkannten sie seinen Wert, durchschauten aber auch seine mangelhafte Kenntnis von Christus und, wie immer bestrebt, alle Talente für das Evangelium zu sammeln, machten sich die beiden an den jungen Mann heran, luden ihn zu sich ein und „setzten ihm genauer den Weg des Herrn auseinander". Freudig und dankbar nahm Apollos die Unterweisungen an und wußte nun um so mehr Seelen dem Reiche Gottes zuzuführen. Auch in Achaja, wohin er bald übersiedelte, gereichte er der Sache Gottes zum größten Segen. „Er ward dann sehr förderlich. Denn kräftig widerlegte er die Juden öffentlich und bewies aus der Schrift, daß Jesus der Messias sei." (Ap. 18, 27. 28.)

Wiederum wurden also Aquila und Priscilla zu Grundsäulen einer neuen Gemeinde. Großes taten sie, indem sie in ihrem täglichen Verkehr schon manchen mit dem Evangelium bekannt machten, Größeres, indem sie in Apollos dem Herrn ein solch tüchtiges Werkzeug gewannen. Eine Mahnung für alle, Kräfte, die Vieles für das Reich Christi versprechen, mit Eifer und Verständnis zu unterstützen.

Bald, nachdem Apollos abgezogen war, langte Paulus auf seiner Rundreise in Ephesus an. Auf der Suche nach Anknüpfungspunkten für sein Evangelium traf er eine kleine Gruppe der gläubig Gewordenen. Nach kurzer Unterredung fand er jedoch heraus, daß ihre Unterweisung nur eine sehr mangelhafte gewesen war. „Daselbst fand er einige Jünger.

324

Er fragte sie: Habt ihr den Heiligen Geist empfangen, als ihr gläubig wurdet? Nein, wir haben nicht einmal gehört, daß es einen Heiligen Geist gibt. Da fragte er weiter: Welche Taufe habt ihr denn empfangen? Die Taufe des Johannes, erwiderten sie." (Ap. 19, 1—3.)

In der Diaspora gab es ja überall einige, die auf einer Pilgerfahrt nach Sion damals in die große Bewegung, die von dem Täufer am Jordan ausging, hineingezogen worden waren. Sie hatten Johannes aufgesucht, seinen Hinweis auf den kommenden Messias vernommen und gläubig sich taufen lassen, dann aber waren sie wieder in ihre Heimat zurückgereist, ohne den bald nach Johannes auftretenden Jesus gesehen zu haben. So war ihr Christentum auf halbem Wege stehengeblieben.

Dieser Art wohl waren die Paulus begegnenden Männer. Nun konnte dieser an ihnen das Werk vollenden und zu dem mit Wasser taufenden Johannes den mit Feuer und dem Heiligen Geiste taufenden Christus hinzugesellen. „Paulus aber sprach: Johannes taufte das Volk mit der Taufe der Buße und sagte, daß sie an den, der nach ihm komme, glauben sollten, nämlich an Jesus Christus. Da sie dies hörten, ließen sie sich taufen im Namen des Herrn Jesus. Als Paulus ihnen die Hände auflegte, kam der Heilige Geist auf sie, und sie redeten in fremden Sprachen und weissagten. Es waren im ganzen ungefähr zwölf Männer." (Ap. 19, 4—7.)

„Auf den Namen Jesu" besagt hier nicht etwa, daß bei der Taufe nur der Name Jesu über sie angerufen wurde, denn Christus hatte ja von Anfang an bestimmt, daß im Namen des Vaters und des Sohnes und des Heiligen

325

Geistes zu kaufen sei, sondern es besagte nur eine Taufe in der Art und Weise Christi. Es sollte hier also nicht die Taufformel, sondern nur die Taufart hervorgehoben werden.

An die Abwaschung mit Wasser schloß sich auch hier wieder die Handauflegung mit der Geistessendung. Zur Taufe kam die Firmung.

Ein Grundstock für die neue Gemeinde war jetzt gegeben; da hieß es, rüstig weiterbauen. „Und er ging in die Synagoge, redete freimütig drei Monate hindurch, lehrte und überzeugte sie vom Reiche Gottes." (Ap. 19, 8.)

Doch auch hier erwuchs viel Widerstand. Anfangs ertrug der Apostel alles in Geduld und widerlegte unermüdlich die vorgebrachten Einwände, aber schließlich mußte er einsehen, daß es auch hier vielen nicht um Erkenntnis, sondern nur um Bekämpfung der Wahrheit zu tun war. Sie lehnten sich nicht nur selbst gegen das Evangelium auf, sondern störten auch durch ihr Lärmen fortwährend die Unterweisungen, mischten sich unter die Gläubigen und erfüllten auch diese wieder mit Zweifeln und Vorurteilen. Den Starken wurde ihr Gebahren lästig, den Schwachen gefährlich. Die Dornen wollten das Samenkorn ersticken. Da machte Paulus kurzerhand Schluß. „Einige aber waren hartnäckig, verweigerten den Glauben und lästerten den Weg des Herrn vor dem Volke. Darum trennte er sich von ihnen, sonderte die Jünger ab und lehrte täglich im Hörsaal eines gewissen Tyrannus." (Ap. 19, 9.)

326

Ähnlich war es hier im Lehrsaal des Philosophen nun wie im Abendmahlsaal zu Jerusalem; der Judas war ausgeschieden, und zu der treugebliebenen Jüngerschar konnte der Apostel aus vollem Herzen von den tiefsten Geheimnissen der Religion reden.

Schöne Erfolge waren ihm beschieden. Selbst aus der Um= gegend strömten viele Gottsucher herbei. „So hielt es es zwei Jahre lang, so daß alle Bewohner der Provinz Asien, Juden und Heiden, das Wort des Herrn hörten." (Ap. 19, 10.)

Doch noch Größeres stand bevor.

2. Der gebrochene Zauberbann.
(19, 11—22.)

Wie schon früher bemerkt, lag ganz Kleinasien im Bann des Aberglaubens. Wahrsagerei, Zauberei, Teufels= und Geistesbeschwörungen, Orakel und Geheimkulte waren dort an der Tagesordnung.

Ephesus scheint nun eine wahre Hochburg des Wahnwitzes gewesen zu sein. Ungezählte zunftmäßige Wahrsager, Zauberer und Zauberinnen trieben dort ihren Spuk. Das nicht nur: auch in den meisten Häusern wurden Zauberbücher gehalten und auch benutzt. Noch schlimmer war es, daß auch die Neu= bekehrten sich nicht von dem alten Irrwahn gänzlich frei= zumachen wußten, sondern neben Christus noch dem Belial vertrauten, wie es ja heute auch leider oft der Fall ist, wo man neben dem Evangelium noch auf Klopfgeister, theosophische, okkultistische Geheimwissenschaften und dergleichen hört.

Ein Starker bewachte hier nach Christi Wort seinen Hof, und es war alles in Sicherheit. Nun aber sollte ein Stärkere, kommen, der ihm die Waffen abnahm und das Anwesen sich selbst zu eigen machte. „Auch wirkte Gott ungewöhnliche Wunder durch die Hand des Paulus. Sogar die Schweißtücher und Schürzen von seinem Leibe legte man den Kranken auf; die Krankheiten wichen von ihnen und die bösen Geister fuhren aus." (Ap. 19, 11. 12.)

So war es recht. Hatte Paulus bei den Weisheit liebenden Athenern seine Weisheit der Weltweisheit entgegengesetzt, so mußte er hier den auf geheime Teufelskräfte vertrauenden Ephesiern die Überlegenheit der Christuskräfte dartun.

Hatten seine bisherigen Wunder schon das Ansehen der Teufel erschüttert, so sollte es jetzt noch schlimmer kommen.

Einige der in der ganzen Stadt besonders berühmten Teufelsbeschwörer, die sieben Söhne des jüdischen Oberpriesters Skevas, die Überlegenheit Pauli in ihrem Fach erkennend und für ihre Stellung fürchtend, „versuchten nun auch über die Besessenen den Namen des Herrn anzurufen und sagten: Ich beschwöre euch bei Jesus, den Paulus verkündet." (Ap. 19, 13.) Es sollte ihnen aber übel bekommen. „Der böse Geist antwortete ihnen: Jesus kenne ich, auch Paulus ist mir bekannt, ihr aber, wer seid ihr? Der Besessene stürzte sich auf sie, packte zwei und richtete sie so zu, daß sie nackt und verwundet aus jenem Hause flohen." (Ap. 19, 15. 16.)

Daß dieser Versuch so kläglich mißlang, ja, daß der böse Geist, anstatt seinen Beschwörern sich zu unterwerfen, diese so vollständig überwältigte, erfüllte die ganze Stadt mit Schrecken.

328

Die Achtung vor den Zaubermächten erhielt einen gewaltigen Stoß, die Hochachtung vor Christus stieg pfeilschnell zur Sonnenhöhe empor. „Dies wurde allen Einwohnern von Ephesus, Juden und Heiden, bekannt. Furcht kam über alle, und der Name des Herrn Jesus wurde hochgepriesen." (Ap. 19, 17.)

Aber der Vorgang hatte noch tiefergreifende Folgen. Manche Neubekehrten hatten im geheimen noch immer dem Aberglauben gehuldigt. Sie hatten von ihren Lieblingsgötzen doch nicht lassen können. Als sie nun aber das Strafgericht an den Beschwörern sahen, packte sie die Furcht, Gleiches zu erleben, und ihr Gewissen ließ ihnen keine Ruhe, bis sie die Schuld von sich gewälzt hatten. „Viele der Gläubigen kamen und bekannten, was sie getan hatten." (Ap. 19, 18.)

Aber auch auf die zunftmäßigen Zauberer ging der Gottesschreck über. „Viele von denen, die abergläubische Dinge getrieben hatten, brachten die Bücher zusammen und verbrannten sie vor aller Augen; man berechnete deren Wert auf fünfzigtausend Denare." (Ap. 19, 19.)

Das war ernste Umkehr! — Mit den rauchenden Teufelsmitteln ging aber auch des Teufels Macht in Flammen auf. „So wuchs das Wort Gottes mit Macht und erwies sich als kräftig." (Ap. 19, 20.)

Ein Vorzeichen kommender Dinge. Lange noch wird ja hienieden der Fürst der Finsternis die Wege Christi, nicht am wenigsten durch Aberglauben und Irrwahn zu durchkreuzen suchen, aber ein flammender Scheiterhaufen, auf dem all seine Erdenmacht zusammengetragen, zum Himmel raucht, wird

329

auch am Jüngsten Tag sein Werk in der ganzen Welt be
schließen, wie es das seine in Ephesus beschlossen hat.

3. Aufruhr.
(19, 23—40.)

Der flammende Scheiterhaufen hatte in den Herzen vieler
große Genugtuung erregt, in anderen aber erweckte er Groll.

Von den Zauberbüchern und Zaubermitteln lebte ein ganzer
Geschäfts- und Erwerbszweig; daher war es verständlich, daß
dieser in Wut gegen jene Männer entbrannte, die ihm das
Brot nahmen.

Aber auch noch andere Handelskreise wurden von derselben
Erregung ergriffen. Ephesus war ein viel besuchter Wallfahrts-
ort. Vor seinen Toren lag auf einer Ebene der Tempel der
Göttin Diana. Ein prachtvoller, weißglänzender Bau mit
schönen Säulenhallen, war er der Stolz der Ephesier und ein
Hauptanziehungspunkt für die religiös Gesinnten Kleinasiens.
Die zahllosen Pilger und Prozessionen, die alljährlich die ihnen
heilige Stätte besuchten, liebten es nun, Andenken von dort
mit in die Heimat zu nehmen, und das wußte ein geschickter
Silberschmied auszunutzen. Er verfertigte aus Silber kleine
Nachbilder des Dianatempels und fand bald so reißenden Ab-
satz, daß er viele Kunsthandwerker beschäftigen konnte. „Ein
Silberschmied namens Demetrius, welcher
silberne Tempelchen der Diana verfertigte,
verschaffte den Handwerkern nicht geringen
Verdienst." (Ap. 19, 24.)

Da kam nun die Absage an die Zauberbücher und deren
Vernichtung. Ein ganzer Geschäftszweig drohte einzugehen —

330

mußten nun die Tempelverfertiger, wenn Paulus weiter
redete, für sich nicht ein gleiches fürchten? Demetrius sah sein
glänzendes Geschäft in Frage gestellt, dem mußte aber mit
aller Macht vorgebeugt werden. Das beste Mittel aber war,
Stimmung gegen die Apostel zu machen und ihnen das Ver=
trauen des Volkes zu rauben.

Der Schlaukopf rief darum zunächst seine Arbeiter und
Künstler zusammen und setzte ihnen mit lebhaften Worten die
drohende Lage auseinander. Er sprach: „Ihr Männer, ihr
wißt, daß wir dieser Arbeit unseren Wohlstand verdanken.
Nun seht und hört ihr, daß dieser Paulus nicht nur zu Ephesus,
sondern fast in ganz Asien viel Volk überredet und abwendig
macht, indem er behauptet: das sind keine Götter, die von
Menschenhänden verfertigt werden." (Ap. 19, 25. 26.)

Schon das schlug ein, denn was erregt den Menschen tiefer
als die Aussicht, arbeits= und brotlos zu werden!

Aber Demetrius weiß das glühende Feuer noch heftiger
zu schüren. Zu den wirtschaftlichen Darlegungen gesellt er
solche religiöser Art. „Nicht allein dieses, daß unser Geschäft
in Mißkredit kommt, sondern auch der Tempel der
großen Göttin Diana läuft Gefahr, in Ver=
achtung zu geraten, die doch ganz Asien und die ganze
Welt verehrt." (Ap. 19, 27.)

Das war den Versammelten zu viel. Ihre Stadtgöttin,
ihren Stolz und ihre Freude angegriffen sehen und in rasende
Erregung entbrennen, war ein und dasselbe. „Da sie dies
hörten, wurden sie voll Zorn und schrieen:
Groß ist die Diana von Ephesus." (19, 28.)

Wie Feuerbrände gingen die Zuhörer auseinander; jeden,

331

den sie unterwegs trafen, von dem Greuel Pauli und seiner
Genossen erzählend, jeden mit gleichem Haß erfüllend. Ihre
Schar wuchs, der Auflauf erregte die Neugier der Vorüber=
gehenden. Auch sie schlossen sich an.

Da traf man auf der Straße Gajus und Aristarch, die Ge=
fährten des Heiligen. Man ergriff sie und schleppte sie fort.
Der Ruf ertönte: „Ins Theater!" Denn dort pflegte man
alle wichtigen Versammlungen abzuhalten.

Beim Durchzug durch die Straßen schwoll der Haufen zu
einem Strom an, das Theater draußen füllte sich und noch
immer drängten neue Schaulustige nach. „Und die ganze
Stadt kam in Bewegung. Alles stürzte ins
Theater." (Ap. 19, 29.)

„Als Paulus von der Fortschleppung seiner Gefährten und
dem Auflauf hörte, wollte er unter das Volk treten, aber die
Jünger ließen es nicht zu. Auch einige ihm befreundete
Asiarchen ließen ihn bitten, sich nicht in das Theater zu be=
geben." (Ap. 19, 30. 31.)

Im Theater ging es indessen hoch her. Worum es sich
handelte, wußten die wenigsten; nur einige abgerissene Worte,
wie Tempelschändung — Diana — Juden usw. tönten an
ihr Ohr. „Alle aber lärmten, tobten wild
durcheinander, die einen schrieen dies, die
anderen das. Die Versammlung war in Ver=
wirrung, denn die meisten wußten nicht,
weshalb sie zusammengekommen waren."
(Ap. 19, 32.) Ein echtes Bild aus dem Großstadtleben!

Da auch viel Geschimpf auf die Juden laut wurde und des=
halb eine allgemeine Judenverfolgung dem Ausbruch nahe war,

332

brängten diese einen ihresgleichen, einen gewissen Alexander, das Wort zu ergreifen. Alexander arbeitete sich zur Rednerbühne hinauf, aber kaum war man seiner ansichtig, hieß es: „Hinaus mit den Juden!“ „Alexander winkte mit der Hand Stillschweigen und wollte sich vor dem Volke verantworten. Als man aber erkannte, daß er ein Jude war, erhob sich ein Ruf aus aller Munde, und sie schrieen fast zwei Stunden lang: Groß ist die Diana von Ephesus!“ (Ap. 19, 33. 34.).

Zwei volle Stunden tobte also der sinnlose Lärm. Ratlos standen die Stadtoberhäupter da. Endlich erhob sich ein Mann, der noch den Kopf auf dem rechten Fleck hatte, der Stadtschreiber. Dieser redete ruhig auf die Menge ein, und es gelang ihm, sie einstweilen zum Schweigen zu bringen. Man begann, seinen Worten zu lauschen. „Männer von Ephesus,“ hob er an, „wo gäbe es einen Menschen, der nicht wüßte, daß die Stadt der Epheser Verehrerin der großen Diana ist, der Tochter des Jupiter?“ (Ap. 19, 35.)

Das war geschickt angefangen, denn wer so an den Bürgerstolz sich wandte, durfte des Wohlwollens schon gewiß sein.

Aus der Ehre der Stadt, Hüterin der großen Diana zu sein, leitete der Sprecher aber auch Pflichten ab: „Da man dem nicht widersprechen kann, so tut es not, daß ihr euch ruhig verhaltet und nicht unbesonnen handelt.“ (Ap. 19, 36.)

Doch Übereiltes war geschehen: „Ihr habt diese Männer hergeführt, die weder Tempelräuber noch Lästerer eurer Göttin sind.“ (19, 37.)

Groß schauten sich die Anwesenden gegenseitig an. Wenn

333

die fremden Sendlinge keineswegs, wie ja der Stadtbeamte bestätigte, Tempelräuber oder Lästerer waren, was sollte dann der Lärm? Da war man ja von Demetrius und seinem Anhang hinter das Licht geführt worden!

Mußte durch diese Erleuchtung schon der Einfluß des Aufruhrstifters ins Wanken geraten, so vollendete das Nachfolgende das Werk. „Wenn nun Demetrius und die mit ihm verbundenen Handwerker eine Klage gegen jemand haben, so gibt es ja Gerichtstage und Statthalter, dort mag man einander anklagen. Habt ihr nun eine andere Beschwerde, so kann man sie in der ordentlichen Volksversammlung erledigen." (Ap. 19, 38. 39.)

Das war verständig und leuchtete ein. Aber noch nicht gab sich der weise Redner zufrieden. Er macht auch einmal auf die Gefahren eines solch kopflosen Auftrittes in der von den Römern besetzten Stadt aufmerksam. „Wir laufen allesamt Gefahr, wegen des heutigen Aufruhrs angeklagt zu werden, da kein Schuldiger da ist, von dem wir nachweisen können, daß er den Auflauf veranlaßt habe." (Ap. 19, 40.)

Nur zu oft pflegten ja die Römer ganze Städte für den Aufstand einiger in ihren Mauern zu strafen.

Stiller und stiller war es geworden, einsamer und einsamer um Demetrius, bis auch die Letzten von ihm abrückten. Man sah sich von ihm getäuscht und künstlich aufgehetzt und alles nur zugunsten seiner eigenen Sache. Beschämt ob ihrer Kopflosigkeit schlugen alle die Augen nieder und zogen, ihrer Entrüstung gegen Demetrius Luft machend, ab. Gerechtfertigt ging Paulus aus dem Tumult hervor, der Silberschmied aber geriet in die Grube, die er anderen gegraben!

334

Könnte aber diese Begebenheit in Ephesus nicht vielen heutigen Großstadtkindern als Spiegelbild dienen? Der Stadtschreiber aber nicht manchen beherzten Männern als Vorbild?

4. Ein Sonntag in der Urkirche.

(20, 1—13.)

Unbeschädigt war Paulus aus dem Aufruhr hervorgegangen. Da die Wogen des Judenhasses sich aber noch immer nicht legen wollten, zog er es vor, den Schauplatz seiner Tätigkeit zu verlegen.

Zuerst ging's nach Mazedonien hinauf, dann nach Griechenland hinunter, und nach dreimonatiger Rundreise hierselbst wurde beschlossen, nach Syrien abzusegeln.

Aber die Juden lauerten dem Heiligen in den Küstenstädten auf. Deshalb nahm dieser zuerst wieder den Landweg nach Mazedonien und stach erst, nachdem er in seiner Lieblingsgemeinde Philippi das Osterfest gefeiert hatte, von da aus in See.

In fünf Tagen war Troas erreicht. Hier, wo Paulus bei seinem ersten Besuch die berühmte Erscheinung, die ihn nach Europas Gestaden rief, gehabt, sollte er abermals Wunderbares erleben.

Mehrere Tage hatte er im Kreise der Gläubigen geweilt. Nun sollte eine schöne Schlußfeier sein Werk krönen. „Als wir am ersten Tage der Woche zum Brotbrechen zusammengekommen waren, redete Paulus zu ihnen, weil er am folgenden Tage abreisen wollte, und dehnte seine Rede bis Mitternacht aus. Es brannten viele Lampen in dem Obergemach, wo wir versammelt waren." (Ap. 20, 7—8.)

335

Zum erstenmal ist hier vom christlichen Sonntag die Rede. Wie wurde dieser gefeiert?

Abend war es geworden. Die Welt ging ihren Vergnügungen nach, die Christenheit aber versammelte sich im Hause eines der Ihrigen. Das Obergemach war festlich hergerichtet. Den weiten Raum füllten die Gläubigen. Im Vordergrund stand ein sauber gedeckter Tisch mit Brot und Wein. Daneben der Lehrstuhl des Apostels. Ungezählte Lichter erstrahlten zu Ehren des göttlichen Gastes, der unter Brot- und Weingestalten hier Wohnung nehmen wollte.

Paulus nahm auf seinem Lehrstuhl Platz. Die Gläubigen ließen sich vor ihm nieder, und so zahlreich waren sie erschienen, daß manche mit den Fensternischen vorlieb nehmen mußten.

Liebliches Bild! Drunten Lärm, Alltagstoben, Genuß und Sünde, wie es in den Hafenstädten üblich war; hier droben Ruhe, Gottinnigkeit und Weihe. Drunten Finsternis des Heidentums, hier das Reich des Lichtes mit seinen Kindern. Drunten noch Götzen ohne Zahl, hier der eine wahre Gott und um ihn anbetende Gläubige — ein Bild, wie es heute noch jeden Sonntagabend in den Segensandachten der katholischen Kirchen anzutreffen ist.

Zunächst hielt Paulus eine Ansprache, und lange predigte er, da er vor der Abreise stand und vieles noch sich vom Herzen zu reden wünschte. „Er setzte seine Rede fort bis Mitternacht." (Ap. 20, 7.)

Aufmerksam hörten die Gläubigen zu. Nur ein junger Mann fiel der Müdigkeit zum Opfer. Zu viel hatte er wohl den ganzen Tag als Laufbursche oder im Geschäft oder sonst-

336

wo sich abmühen müssen, und ob er auch den besten Willen zeigte, die Allgewalt des Schlafes war stärker als er. „Ein Jüngling namens Eutychus saß auf dem Fensterbrett. Er sank in tiefen Schlaf, da Paulus lange redete." (Ap. 20, 9.)

Plötzlich ertönt aus der Versammlung ein greller Schrei. Entsetzt springen mehrere auf, dem Fenster zu. Man hatte den Schlafenden wanken sehen. Zu spät! Als man ankam, war er bereits durch die Fensterlücke hinabgeglitten und schlug mit dumpfem Knall drunten auf dem Pflaster des Hofes auf. „Vom Schlaf überwältigt, fiel er vom dritten Stockwerk hinab und wurde tot aufgehoben."

Mitten im Leben vom Tod umgeben! Selbst vor heiligen Pforten macht der Menschheitsneider Tod nicht Halt. Auch Gott hält ihn nicht zurück. Geistig sind Gottes Gaben, im Natürlichen läßt er auch bei Gerechten oft genug den Dingen ihren gesetzmäßigen Lauf. Er, der uns schaffen wollte, ohne uns, will uns weder in natürlicher noch in übernatürlicher Beziehung retten ohne uns. Selbst sollen wir unsere Einsicht gebrauchen, die nötigen Vorsichtsmaßregeln anwenden; wer es nicht tut, darf sich nicht über Unglück wundern.

Doch der Gerechte darf selbst im Unglück auf Gottes besondere Liebe rechnen.

Durch die Aufregung im Saale über den geschehenen Hinabsturz belehrt, eilt Paulus sofort über die vielen Stiegen zum Hofe hinab, beugt sich, wie einst Elisäus, über den zusammengebrochenen Jüngling nieder und umfaßt ihn, Gott bittend, daß er durch ihn neue Lebenskraft dem Toten spende.

Eine innere Stimme verspricht dem vertrauensvollen Gebet Erhörung, und bald konnte der Apostel zu den Umstehenden sagen: „Seid unbesorgt, denn seine Seele ist in ihm." (Ap. 20, 10.)

Wohlgemut begab man sich wieder in das Obergemach hinauf und setzte die heilige Feier fort. Noch einige erbauende Worte, dann wurde es still, so still, als wenn das Glöcklein zur Wandlung ertönt. Paulus nahm das Brot, segnete es, sprach des Heilands Abendmahlsworte nach, und herein zog in die vom Tod vorhin umgraute Stätte der Herr des Lebens, in Brotgestalt verborgen. Und alle Anwesenden nahten dem heiligen Tische und genossen von dem heiligen Mahl und kehrten betend zu ihren Plätzen zurück.

Noch eine geraume Zeit verweilten alle in Lob und Dank, in Gebet und Gesang. Dann war der Gottesdienst beendet, und die Gemeindefeier begann. Man setzte sich an die Tische, Speisen und Getränke wurden aufgetragen, und wie vorhin das heilige Gottesmahl, vereinte jetzt alle, ob arm oder reich, das Gemeindemahl in geschwisterlicher Liebe. Alle waren ja mit demselben Gott vereint, wie durften da zwischen den einzelnen Schranken bleiben? Ein Glaube, ein Gott, ein Brot — deshalb auch eine Familie — das ist ja des Christentums schönster Gemeinschaftsgedanke.

Paulus nahm unter den Speisenden Platz, und eine von Liebe und heiterer Freude durchwehte Unterhaltung setzte ein. Da öffnete sich die Tür und herein trat der Totgeglaubte. „Den Jüngling brachten sie lebendig hinauf und empfangen nicht geringen Trost." (Ap. 20, 12.) Nun war die Freude voll. So auch war es geziemend;

338

wo der Herr des Lebens einzog, mußte der Tod seine Beute
wieder hergeben. Im Sinnbild sollte hier Christi Wort allen
vor Augen geführt werden, daß, wer sein Fleisch ißt und sein
Blut trinkt, das Leben in sich haben und selbst aus dem Grab
auferweckt werden wird am Jüngsten Tage.

Noch lange blieb man im vertrauten Gespräch zusammen —
stand ja der Apostel vor der Abreise. Dann schaute der Morgen
rotflammend durch die Fenster. Noch einige herzliche Ab=
schiedsworte, und die glückliche Schar ging auseinander: der
Apostel in die Ferne, die anderen an ihr Tageswerk.

Auch andere durchschritten um diese Morgenstunde die noch
wenig belebten Straßen: die einen heimkehrend aus Rausch
und Sünde, die anderen hineilend zu Arbeit und Gewinn,
zwischen diesen die Gotteskinder mit lichter Seele und heiliger
Freude.

Ihre Sonntage waren heilig verlebte Gnadentage. Mit
Gebet wurden sie begonnen, mit heiligen Abendandachten und
eucharistischen Nachtwachen beschlossen. Frieden und Segen
strömte darum von ihnen aus, heiliger Morgenglanz, der die
ganze Woche verklärte. So ist es ja auch heute noch bei guten
Christen Brauch. Ihnen ist der erste Wochentag noch stets der
Tag des Herrn, und ihnen ist noch stets das Sprichwort heilig:
„Wie dein Sonntag, so dein Sterbetag!"

5. Des Seelsorgers Abschied.
(20, 13—38.)

Von Troas fortwandernd beschleunigte Paulus seine Reise.
Selbst auf sehr liebe Besuche leistete er diesesmal Verzicht.
„Paulus hatte nämlich sich entschlossen, an Ephesus vorbei=

22*

339

zufahren, um nicht in Afien Zeit zu verlieren. Denn er hatte
es eilig, um womöglich das Pfingſtfeſt in Jeruſalem zu feiern."
(Ap. 20, 16.) Doch ohne jeden Gruß und ohne jedes väterliche
Wort an den neugebildeten Gemeinden Kleinaſiens vorüber-
zureiſen, litt ſein liebendes und eiferndes Herz um ſo weniger,
da bange Ahnungen betreffs der Zukunft ihn bedrängten.

Er ließ alſo die Leiter der einzelnen Gemeinden zu ſich
bitten. „Von Milet ſandte er nach Epheſus und berief die
Älteſten der Gemeinde zu ſich." (Ap. 19, 17.)

Als alle eingetroffen waren, richtete der Heilige Worte an
ſie, die zu den ſchönſten und ergreifendſten zählen, welche je
aus ſeelſorglichem Munde gefloſſen ſind, Worte, durchbebt von
Abſchiedsſchmerz und tiefen Bangen, von zarter Liebe und
erſchütterndem Ernſt zugleich.

Naturgemäß war es, daß der Sprecher zuerſt der bisher
zurückgelegten Entwicklung der Kirche in jener Gegend gedachte. „Ihr wiſſet, wie ich die ganze Zeit hindurch, vom erſten
Tage an, da ich Aſien betrat, bei euch geweſen bin. In aller
Demut, unter Tränen und Prüfungen, die
mir durch die Nachſtellungen der Juden widerfuhren, habe ich
dem Herrn gedient. Nichts, was euch nützlich ſein
konnte, habe ich euch vorenthalten, ſondern
alles habe ich euch verkündet, öffentlich und in den
Häuſern. Vor Juden und Heiden habe ich die Bekehrung
zu Gott und den Glauben an unſeren Herrn Jeſus Chriſtus
feierlich bezeugt." (Ap. 19, 18—21.)

In Demut und Niedrigkeit war er allerdings in jene Gegend
eingezogen. Er, ein Einſamer, Unbekannter, Verfolgter, ohne
den Prunk weltlicher Weisheit, ohne die Gabe ſchönredneriſcher

340

349

Wortmacherei, selbst ohne irgendwelche persönliche Reize; gekommen war er, wie einst Jakob auszog, nur mit einem Stabe bewaffnet, aber dieser Stab war ein Zauberstab gewesen, an den Gottes Wort Wunder knüpfte, ein Mosesstab, der die Wasser teilte und selbst aus Felsen neue Gnadenfluten schlug.

Er kam in Niedrigkeit und Demut auch den **äußeren Verhältnissen** nach. Als armer Geselle begann er zu arbeiten, um so anderen nicht lästig zu fallen. — „**Unter Tränen und Prüfungen, welche die Nachstellungen der Juden mir verursachten.**" — das läßt uns wieder einen tiefen Blick in die Paulusseele tun. Paulus steht vor uns als furchtloser, kraftvoller, unerschütterlicher Mann, und er war es; wollte man aber annehmen, diese Festigkeit habe ohne Kampf sich ausgereift, würde man sich schwer täuschen. In dieser so ehernen Brust schlug doch ein weiches Herz, das erschrecken konnte vor Nachstellungen und bluten bei Drangsalen. An den Dornen der Widersprüche stach es sich wund, unter Mißerfolgen zog es sich trauernd zusammen.

Nun schaue man sich dieses so stürmische, dabei so leicht erregbare und tieffühlende Herz inmitten der asiatischen Großstädte an. Mutig beginnt der Apostel die Predigt des Gotteswortes, doch wie wenige öffnen anfangs ihr Herz. Dazu die vielen Vorurteile, die Verderbtheit des Heidentums und überall die Verfolgungen der Juden!

So viel guter Wille, Gott Seelen zu gewinnen, so tiefe Erkenntnis der Notwendigkeit der Gnade für alle und doch so wenig Verständnis bei denen, die der Gnade so sehr bedürftig waren. Wie oft mag Paulus im stillen geseufzt, wie manche

341

Nacht mag er betend und weinend durchwacht haben! Und doch, er hält durch: „Ihr wißt, daß ich euch nichts vorenthielt von dem, was heilsam ist." Andere hätten ihre Predigt eingeschränkt, vielleicht das den Verstockten Anstößige fortgelassen oder sogar überhaupt sich zurückgezogen — Paulus nicht. Trotz der inneren Trauer arbeitet er weiter. Rastlos! „Öffentlich und in den Häusern, Juden und Heiden Zeugnis gebend von der Bekehrung zu Gott und dem Glauben an unseren Herrn Jesus Christus." (20, 21.)

Ein herrliches Vorbild für alle, die um Gottes Sache sich abmühen! —

Von der Bekehrung zu Gott und dem Glauben an unsern Herrn Jesus Christus legt Paulus Zeugnis ab.

Abkehr von Gott und Hinkehr zu den Erdendingen war ja die große Schuld der alten Welt und ist noch immer der große Irrweg, den die menschliche Seele geht.

Neuordnung des menschlichen Lebens kann daher nur durch das Gegenteil, durch Abkehr von den sündigen Erdendingen und durch entschiedene Hinkehr zu Gott erfolgen.

Wie oft müssen beide nicht wiederholt werden? Zu oft ja nehmen unsere Strebungen doch wieder ihren Weg erdwärts. —

Hinkehr zu Gott ist, weil zur Höhe strebend, aber den Menschen ohne Anlehnung an eine höhere Kraft nicht möglich. Deshalb verkündet Paulus zugleich den Glauben an Jesus Christus. — Dieser hebt die Seele auf, reinigt sie von ihrer Schuld, weckt und stärkt ihren Lebensmut und stellt ihre Verbindung mit dem Vater wieder her. Bringt die Abkehr von der Welt Schmerz, die Einkehr ins sündige Herz Ver-

342

zagtheit und Trauer, dann die Hinkehr zu Christus wieder Mut und Hoffnung. —

Von der Vergangenheit wendet sich nun des Apostels Auge der Zukunft zu. Trüb und dunkel liegt sie vor ihm, so trüb und dunkel wie das graue Meer an einem regnerischen Tag vor dem absegelnden Schiffer. „Und nun seht, getrieben vom Geiste ziehe ich nach Jerusalem, ohne zu wissen, was mir dort begegnen wird. Nur das bezeugt mir der Heilige Geist von Stadt zu Stadt, daß Bande und Trübsale zu Jerusalem meiner warten." (Ap. 20, 22. 23.)

Wo Gott schweres Leid einer Seele nahen sieht, sendet er oft Ahnungen als tröstende Wegebereiter voraus. Erwartete Schrecken sind halbe Schrecken!

Zum Schlachtopfer war Paulus erkoren, unter den Schwertstreichen grausamer Henker sollte er schließlich sein Blut verspritzen. So war es gütig von Gott, ihn durch viele vorhergehende, immer mehr sich steigende Prüfungen an die Schrecken der letzten Marter zu gewöhnen.

Paulus verstand Gottes Absicht. Erleuchtet vom Heiligen Geist, las er aus den von Stadt zu Stadt sich wiederholenden Leiden die Wetterzeichen des kommenden Todessturmes heraus. —

Aber, wenn seiner in Jerusalem Bande harrten, weshalb mied er nicht die gefahrdrohende Stätte?

„Und nun, sehet, gehe ich gebunden im Geiste nach Jerusalem."

Zeiten gibt es, in denen der Mensch fast mit unbezwing=

343

licher Gewalt seinem Schicksal entgegengetrieben wird. Dunkle Mächte zerren an der Seele, drängen und stoßen, bis diese den Platz, die Verhältnisse, den Wirkungskreis gefunden hat, den Gott ihr zudachte.

Nicht selten geht es dabei in Verwicklungen, in Leiden und Finsternisse hinein. Die Seele ächzt und stöhnt, bis sie dann schließlich gewahrt, daß alles so kommen mußte, um ihr die rechte Form zu geben. Wuchtig schliffen an ihr die Ereignisse herum, Funken sprühten, aber leuchtend und strahlend wie der Diamant ging sie schließlich aus den Bedrängnissen hervor.

Eine solche neue Läuterungsstunde hatte für Paulus jetzt geschlagen. Das Herz mochte ob der kommenden neuen Leiden beben, doch der Wille kämpft sich mutig über alles Zaudern empor. „Doch all dies fürchte ich nicht, auch mein Leben achte ich nicht höher als mich, wenn ich nur meinen Lauf vollende und den Dienst des Wortes, welchen ich empfangen habe von dem Herrn Jesus, Zeugnis zu geben für das Evangelium von der Gnade Gottes." (Ap. 20, 24.)

„Ich achte mein Leben nicht höher als mich", das heißt als mein unzerstörbares Ich, als meine Seele — wie tief ist der Heilige von dem Wert der letzteren durchdrungen!

Ja, was verschlägt es, wenn der sterbliche Leib zerbricht, wofern nur die Seele gedeiht! Was ist alles Erdenleben, an der Ewigkeit gemessen, anders, als ein kleiner Punkt, ein winziger Augenblick, und den sollte man nicht gerne opfern, immerwährende Herrlichkeit dafür einzutauschen?

„Wenn ich nur meinen Lauf und den Dienst des Wortes vollende."

344

Das Bild ist den großen Wettläufen der Alten entnommen. Viele Bewerber traten zugleich in der Ringbahn vor den Toren der Stadt auf. Alle stürmten zu gleicher Zeit, von den Blicken der vieltausendköpfigen Menge verfolgt, vor. Aber bald sah man den einen stürzen, den anderen ermatten, den dritten entmutigt abbiegen — nur einer gelangte als Sieger ans Ziel und setzte sich den Ruhmeskranz aufs Haupt. Der anderen Mühen war umsonst vertan.

So sah Paulus es sich in dem Rennstreit um die e w i g e K r o n e wiederholen. Wie viele begannen den Lauf und fielen unterwegs, von den Mühen erdrückt, ab.

Wird e r beharren? Werden s e i n e Kräfte reichen? Bange Sorge! Doch das Vertrauen verscheucht die Furcht; denn Gott, der das Wollen gegeben, gibt auch das Vollbringen. Darum mit Mut vorwärts!

Noch einige Jahre mühevollen heißen Ringens, da geht der Apostel durchs Ziel und ruft jubelnd aus: „Ich habe den Lauf vollendet, den Glauben bewahrt. Hinterlegt ist mir die Krone der Gerechtigkeit, welche mir der Herr an jenem Tage geben wird." (2. Tim. 4, 7. 8.)

Wohl dem, der wie er den Erdenlauf vollführt! Hoch das Ziel gesteckt: die Krone der Ewigkeit! Den geraden Weg ge= wählt und dann voran in nie erschlaffendem Lauf!

„U n d d e n D i e n s t d e s W o r t e s v o l l e n d e!" Auch das ist Pauli Sorge, daß nichts von Gottes Gabe in ihm unausgenützt, daß kein von Gott ihm gewordener Auftrag un= vollendet bleibe!

Um so mehr ist es seine Sorge, als ihm dieser Auftrag von unserem H e r r n J e s u s selbst geworden ist — wie

345

—

dürfte er, der treue Diener, sich lässig erweisen? Wie könnte er, der von seinem Meister so reich Begnadigte, auch nur in etwa dessen Erwartungen enttäuschen?

Auch das noch wirkt spornend auf ihn ein, daß das ihm anvertraute Evangelium das Evangelium der Gnade, nicht der Strenge Gottes ist, und läuternde, erquickende Gnade tut ja der Welt so not und hat er selbst ja so reichlich durch Christus erfahren. Wie könnte er es da verantworten, durch seine Schuld auch nur einer Seele Gottes Gabe vorenthalten zu haben!

Welch hohe Auffassung des Lebens spricht aus solcher Gesinnung!

Noch redet sein Mund, da überfliegt ein düsterer Schatten des Apostels Antlitz und weicher wird seine Stimme. Ein neues, wehes Ahnen will ihn beschleichen. „Und nun seht, ich weiß, daß ihr mein Angesicht nicht mehr sehen werdet, ihr alle, unter welchen ich als Verkündiger des Reiches Gottes wandelte." (Ap. 20, 25.)

Ein Abschied für immer, wie es damals wenigstens schien, steht bevor. Da möchte noch einmal die ganze Vaterliebe und Sorge sich ergießen. Sich selbst darf Paulus das Zeugnis ausstellen, daß er allen alles geworden ist. „Darum beteure ich euch feierlich am heutigen Tage, daß ich rein bin vom Blute aller. Denn ich habe es nicht unterlassen, euch den ganzen Ratschluß Gottes zu verkünden." (Ap. 20, 26. 27.)

Gleiche Sorgfalt wünscht er nun auch von seinen Stellvertretern. „Habet acht auf euch und auf die ganze Herde, in welcher euch der Heilige Geist zu Bischöfen gesetzt hat, die

346

Kirche Gottes zu regieren, welche er mit seinem Blute sich erworben. Denn ich weiß, daß nach meinem Weggang reißende Wölfe unter euch eindringen und die Herde nicht schonen werden. Aus eurer eigenen Mitte werden Männer aufstehen, welche Verkehrtes reden werden, um die Jünger zu sich hinüber zu ziehen. Seid darum wachsam und denkt stets daran, daß ich drei Jahre lang, Tag und Nacht nicht aufgehört habe, unter Tränen einen jeden von euch zu ermahnen." (Ap. 20, 28—31.)

Ergreifende Worte, die ihre Wirkung nicht verfehlen konnten. —

Die letzte Mahnung ist verklungen; getan ist, was der Mensch tun kann, das weitere muß er Gott überlassen. „Nun empfehle ich euch Gott und dem Worte seiner Gnade! Ihm, der mächtig ist, aufzubauen und euch mit allen Geheiligten das Erbe zu geben." (Ap. 20, 32.)

Doch es ist, als wende er sich beim Fortgehen nochmals um. Eines noch liegt ihm am Herzen: die S o r g e n k i n d e r der Gemeinden. „Silber und Gold oder Kleider habe ich von niemand begehrt, wie ihr selbst wißt. Denn für meine und meiner Gefährten Bedürfnisse haben diese Hände Dienst geleistet. In allem habe ich euch gezeigt, wie man so durch Arbeit sich der S c h w a c h e n a n n e h m e n muß, eingedenk des Wortes des Herrn Jesus: Seliger ist geben als nehmen." (Ap. 20, 33—35.)

D e r   S c h w a c h e n   s i c h   a n n e h m e n ist — der Apostel weiß es zu gut — die verbreitetste Tugend nicht. Gerne beschäftigt sich erziehende Gewalt mit dem Starken, Vielversprechenden, Zugänglichen, Glatten — wer aber neigt sich in Güte und Geduld den Gebrechlichen, Gebrochenen, Düsteren, Schwachbegabten, Verschlossenen zu? Doch sie gerade bedürfen der sonnigen Liebe und ertragenden Langmut, wie Paulus selbst es gezeigt.

Wie edel, daß der Apostel nicht weichen kann, ohne diese Art von Menschen gerade den Vorstehern ans Herz gelegt zu haben. —

„Als er dies gesagt hatte, kniete er nieder und betete mit ihnen allen." (Ap. 20, 36.)

Der Vater betet mit seinen sorgenden Söhnen, der scheidende Hirt mit seiner Herde!

Damit hatte die Rührung ihren Höhepunkt erreicht und lang verhalten, tat sie sich jetzt mit ungestümer Gewalt kund. „Da brachen alle in lautes Weinen aus. Sie fielen dem Paulus um den Hals und küßten ihn. Am meisten betrübte sie sein Wort, daß sie sein Antlitz nicht mehr sehen würden." (Ap. 20, 37. 38.)

Tränenden Auges wandte sich Paulus zum Gehen, aber noch nicht ließen die guten Seelen ihn los. So lange es ihnen nur eben gestattet war, hefteten sie sich an seine Fersen. „Sie geleiteten ihn ans Schiff." (Ap. 20, 38.)

348

IV. Den Banden entgegen.
(21, 1—26, 32.)

1. Der Aufbruch.
(21, 1—16.)

Das Schiff lichtete die Anker. Lange noch standen die Gläubigen am Ufer, lange noch, ihr Winken erwidernd, die Scheidenden auf dem Hinterbord des Seglers. Dann ging's hinaus ins offene Meer.

Mühsam war die Reise. Auch den Aposteln bereitet der Herr nicht immer wunderbar die Wege, sondern heißt auch sie sich den irdischen Verhältnissen anpassen. „Als wir uns von ihnen losgerissen hatten und abgefahren waren, kamen wir geraden Weges nach Kos, am nächsten Tag nach Rhodus, von dort nach Patara. Wir fanden ein Schiff, das nach Phönizien fuhr, stiegen ein und segelten ab. Als wir Zypern zu Gesicht bekamen, ließen wir es zur Linken liegen, fuhren gegen Syrien und landeten in Tyrus; da sollte das Schiff seine Fracht aus= laden." (Ap. 21, 1—3.)

In Tyrus wurde längere Zeit Pause gemacht. Doch für den seeleneifrigen Diener Gottes gab es Ruhezeiten nicht. Er benützte den Aufenthalt, um wie immer die Christenschar zu festigen.

Einige Tage weilte er schon dort, da trat wiederum der mahnende Schicksalsbote auf. „Hier fanden wir Jünger und

349

blieben deshalb sieben Tage. Diese rieten dem Paulus durch den Geist, er solle nicht nach Jerusalem hinaufgehen." (Ap. 23, 4.) Natürliche Liebe sucht ja immer von Opfergängen abzuraten und ungezählte Gründe weiß sie zur Bekräftigung ihrer Bitte zu finden.

Doch Paulus blieb fest. „Nachdem die Tage zu Ende waren, begaben wir uns auf die Reise." (Ap. 21, 5.) Darob ähnliches tiefes Weh wie in Milet. „Alle, mit Frauen und Kindern, gaben uns das Geleite bis vor die Stadt hinaus. Am Strande knieten wir nieder und beteten." (Ap. 21, 5.)

Wie rührend war doch überall die Anhänglichkeit der jungen Christen an ihren geistlichen Vater! Damals wußte man noch, was man der Priesterschaft verdanke.

Doch es drängte zur Abfahrt. „Nun nahmen wir Abschied voneinander, wir stiegen ins Schiff, sie gingen wieder heim." (Ap. 21, 6.)

Paulus den Banden entgegen — sie zu ruhiger Tages= arbeit zurück. Wie doch oft zu so verschiedenen Geschicken die Wege sich scheiden! Zu Mute mochte es dem Streiter des Herrn sein wie so manchem Krieger, der ins Feld mit seinem Grauen ausrückt, indes andere ihrem ruhigen Heim wieder zustreben.

Ein Abschied war es fürs Leben. Droben, so dürfen wir hoffen, finden sich aber alle jene Männer, Frauen und Kinder, die damals am Gestade von Tyrus mit ihm zusammen beteten, nun mit Paulus bei Gott im ewigen Licht wieder. —

Unaufhaltsam ging's vorwärts. „Wir beschlossen unsere Seereise mit der Fahrt von Tyrus nach Ptolemais, be=

350

Wieder sehen wir die Güte und Liebe des heiligen Paulus. Wohin er kommt, muß er sich nach dem Befinden der Brüder erkundigen.

„Des anderen Tages reisten wir ab und kamen nach Cäsarea. Wir gingen in das Haus des Evangelisten Philippus, der einer von den sieben war, und blieben bei ihm. D i e s e r h a t t e v i e r T ö c h t e r, J u n g f r a u e n, w e l c h e w e i s = s a g t e n." (Ap. 21, 8. 9.)

Philippus begegnete uns schon früher. Er war der Gefährte des heiligen Stephanus, hatte den Kämmerer von Äthiopien bekehrt und später in Cäsarea seinen Wohnsitz aufgeschlagen. Von da aus missionierte er das Küstengebiet. Sein Heim war ein Gotteshaus geworden, von Engeln in Menschengestalt bewohnt. Seine vier Töchter hatten sich ganz dem Herrn geweiht. Der Segen dieser gänzlichen Hingabe blieb nicht aus: „S i e w e i s s a g t e n!" Ist ja denen, die ein reines Herz haben, verheißen, daß Wunderwelten sich ihnen erschließen: Sie werden Gott schauen!

Der neue, von Christus gebrachte Geist brachte seine Blüten. Des Philippus Töchter sind, von Maria abgesehen, die ersten uns bekannten g o t t g e w e i h t e n J u n g f r a u e n, die Reigenführerinnen, denen eine unendliche Zahl Gleichgesinnter im Laufe der Zeit sich anschließen sollten. Unbegreiflich den Kindern dieser Welt, war der Jungfräulichkeitsgedanke doch zu verständlich den ersten Christen. Hingegeben hatte sich Gottes Sohn ganz für die Seelen, da erschien es zu natürlich, daß Seelen auch ihm ganz allein lebten. Familienlos hatte Christus

351

ganz dem Dienste der Menschheit gelebt, da erachtete man es als selbstverständlich, daß auch andere, aller Erdenliebe entsagend, nun dem Wohl der Gesamtheit sich widmeten.

Diese gottgeweihten Jungfrauen betrachtete die Urkirche deshalb als die ersten Lilien des Christusgartens, als ihre Perlen, ihre barmherzigen Engel. Sie glichen jenen festlich gekleideten Jungfrauen Israels, die nach dem Durchzug durch das Rote Meer unter Marias Führung zur Pauke und Zither griffen und dem Herrn Loblieder sangen.

Klostermauern waren damals noch nicht für sie erbaut, Einsiedeleien noch nicht gegründet. Darum lebten sie mitten in der Welt, die Welt durch ihren Einfluß reinigend, tröstend, heiligend. Gebe Gott der heutigen Welt auch wieder viele solche Dienerinnen des Herrn! —.

Alles unter der Sonne ist dem Wechsel unterworfen: auf den Tag folgt die Nacht, Reif auf wärmende Glut. Auch das Reich Gottes ist, solange es hienieden wandert, von diesem Gesetz nicht ausgenommen.

Eben sah Paulus in den Töchtern des Philippus die Früchte des Christentums reifen, da überflog wieder ein Schatten sein Gemüt. „Als wir einige Tage dort waren, kam noch ein Prophet von Judäa herab, Agabus mit Namen. Dieser fand sich bei uns ein, nahm den Gürtel des Paulus, band sich Hände und Füße und sagte: So spricht der Heilige Geist: Den Mann, dem dieser Gürtel gehört, werden die Juden zu Jerusalem also binden und in die Hände der Heiden ausliefern." (Ap. 21, 10. 11.)

352

Agabus ist wohl derselbe, der uns schon früher in Antiochien begegnete. Damals weissagte er die kommende Hungersnot, jetzt Bande und Kerker. Er gehört also zu denen, die Unheil künden müssen, ähnlich wie Elias und Jeremias und heute manche Erzieher, Seelsorger und Prediger. Dem natürlichen Menschen sind solche Drohpropheten lästig, er will in seinem Frieden nicht gestört sein, in seinen Plänen nicht behindert werden. Deshalb weist er zu gerne jene Mahner ab, schlägt sie, wenn möglich, tot und leiht lieber Lügenpropheten, die seinem Treiben schmeicheln, das Ohr. Törichtes Unterfangen! Entgeht man damit denn dem Unheil, daß man sich vor ihm Auge und Ohr verschließt?

So töricht handelten die Christen Cäsareas allerdings nicht, aber doch war es ihr Bestreben, Paulus vor dem angedrohten Leid zu bewahren. „Da wir dies hörten, baten wir und die Einheimischen den Paulus dringend, er solle nicht nach Jerusalem hinaufgehen." (Ap. 21, 12.)

Das drittemal ist es also, daß treue Seelen den Apostel umringen, um ihn von dem Aufstieg nach Jerusalem abzuhalten. Und je näher er dem Ziel kommt, um so eindringlicher wird ihr Bemühen. Von Opfer und Leiden vernehmen und sofort sich ihnen entgegenstellen, ist für die Natur ja ein und dasselbe. Sie kann mit ihren blöden Augen und will mit ihrem weichlichen Herzen die Lehre, daß der Weg zum Osterfest über Golgathas blutgetränkte Hügel geht, nun einmal nicht verstehen. Wo immer darum eine Seele zu Opfern und Entsagung sich entschließt, da regen sich nicht nur im eigenen Innern, sondern auch in Anverwandten und Freunden alle natürlichen Triebe zum Widerstand auf.

Paulus aber war nicht der Mann, der sich beugen ließ. Gott rief, da hieß es für ihn folgen und ging's in Kampf und Tod. „Paulus entgegnete: Was macht ihr, daß ihr weint und mir das Herz brecht? Ich bin bereit, nicht nur mich binden zu lassen, sondern auch zu sterben in Jerusalem für den Namen des Herrn Jesus." (Ap. 21, 13.)

Die Anwesenden sahen bald, daß alle Bitten hier vergebens waren. Hier ragte etwas Höheres in den Erdenlauf hinein und dem beugten alle demütig ihr Haupt. „Da wir ihn nicht umstimmen konnten, drangen wir nicht weiter in ihn und sprachen: des Herrn Wille geschehe!" (Ap. 21, 14.)

Gottes Wille über alles, das hatte der bis zum Tode gehorsame Gottessohn gelehrt. Das galt darum auch seinen Anhängern als erster Grundsatz des Lebens. Gottes Wille geschehe und gehen seine Räder auch zerstörend über Menschenbauten und Menschenleiber hinüber. Er ist ja die gebietende Majestät, er aber auch die weise Güte, die von einem Ende bis zum anderen alles lieblich ordnet.

„Nach Verlauf dieser Tage machten wir uns reisefertig und zogen hinauf nach Jerusalem." (Ap. 21, 15.)

Selten ging ein Mensch so klar bewußt und gerad ausschreitend seinem Schicksal entgegen wie hier der Weltapostel. Er ging eben „gebunden im Geiste!"

354

2. An der Opferstätte.

(21, 17—26.)

„Als wir nach Jerusalem gekommen waren, nahmen uns die Brüder mit Freuden auf. Am folgenden Tage ging Paulus mit uns zu Jakobus, und alle Ältesten fanden sich ein. Er begrüßte sie und erzählte ihnen alles im einzelnen, was Gott unter den Heiden durch seinen Dienst getan." (Ap. 21, 17—19.)

Man kann sich denken, daß die Freude des Wiedersehens bei vielen groß war. Dem Früheren hatte ja auch der Weltreisende jetzt viel Tröstliches über den Fortgang des Christentums in den Heidenländern beizufügen.

Aber, daß hienieden keine Freude ungetrübt bleiben kann, daß ein so eifriger, ein von Gott so offenkundig gesegneter, ein mit zahlreichen Märtyrerwunden bedeckter Mann wie Paulus noch seine Gegner, seine Anschwärzer und Verdächtiger haben mußte! Selbst im eigenen Lager! „Da sie dies gehört hatten, priesen sie Gott und sprachen zu ihm: Du siehst, Bruder, wie viele Tausende unter den Juden gläubig geworden und doch alle Eiferer sind für das Gesetz. Nun haben sie von dir gehört, daß du die Juden, die unter den Heiden wohnen, den Abfall von Moses lehrest und sie anweisest, sie sollen ihre Kinder nicht beschneiden und nicht nach den Satzungen leben. Was ist nun zu tun? Jedenfalls wird eine Menge zusammenkommen, denn sie werden erfahren, daß du angekommen bist. Tue darum, was wir dir sagen: Hier bei uns sind vier Männer, die ein Gelübde auf sich haben. Diese nimm zu dir, weihe dich mit ihnen und bezahle für sie, damit sie sich das Haupt scheren lassen können. Dann werden alle erkennen, daß an dem, was man über dich berichtet hat, nichts ist, sondern, daß auch du selbst in Beobachtung des Gesetzes wandelst." (Ap. 21, 20—24.)

Wie bitter mußte Paulus ein solcher Bericht treffen! Unsägliche Mühen hat er für Christus auf sich genommen, unbeschreibliche Leiden für ihn ertragen, stets das Beste im Auge gehabt und jetzt diese Anfechtungen kleinlicher und engherziger Seelen! Ob es dem tatkräftigen, heftig empfindenden Manne nicht in allen Gliedern zuckte? Ob seine Stirn nicht dunkle Wolken aufwies, Vorboten des kommenden Zornessturmes? Uns wäre es wohl so ergangen.

Doch Paulus weiß um des lieben Friedens willen auch dieses Opfer ruhig zu bringen. „Da nahm Paulus die Männer zu sich, reinigte sich am folgenden Tage, ging mit ihnen in den Tempel und zeigte den Ablauf der Reinigungszeit an, bis für jeden einzelnen von ihnen das Opfer dargebracht wurde." (Ap. 21, 26.)

Wie beschämend das Beispiel dieses um die Kirche so hochverdienten und dabei so demütig sich unterwerfenden Mannes für so manche selbstbewußte Brauseköpfe, die ihrer Eigenansicht lieber den Frieden der Kirche opfern!

356

3. Gefangen.

(21, 27—22, 30.)

Viele Pilger aus allen Ländern waren zum Fest nach Jerusalem gekommen, auch manche aus den asiatischen Städten, in denen die Predigten des Apostels so viel Staub aufgewirbelt hatten. Das sollte Paulus zum Unheil werden.

Als er, nichts ahnend, eines Tages in Begleitung eines früheren Heiden aus Ephesus durch die Stadt ging, wurden einige aus der Menge stutzig, da ihnen die beiden so bekannt erschienen. Bei weiterem Nachdenken wurde es ihnen klar: das war der Mann, der in ihrer fernen Vaterstadt jenen Aufruhr heraufbeschworen hatte. — Sie wollten ihm nacheilen, doch der Apostel hatte sich bereits im Gedränge verloren.

Nach einiger Zeit aber fanden sie ihn im Tempel betend wieder. Da entbrannten sie in Zorn, redeten den Anwesenden erregt zu: Paulus schände den Tempel, stürzten sich auf ihn, hielten ihn, und der Sturm war da. „Als die sieben Tage zu Ende gingen und die Juden aus Asien ihn im Tempel sahen, brachten sie das ganze Volk in Aufruhr, legten Hand an ihn und schrieen: ,Männer aus Israel, helft! Das ist der Mensch, der gegen das Volk, das Gesetz und diese Stätte allenthalben jedermann lehrt; außerdem führt er auch Heiden in den Tempel und hat diesen heiligen Ort entweiht.' Sie hatten nämlich vorher den Trophimus aus Ephesus bei ihm in der Stadt gesehen und meinten, Paulus habe ihn in den Tempel geführt. Die ganze Stadt kam in Bewegung. Es entstand ein Volksauflauf. Sie ergriffen den Paulus, schleppten ihn aus dem Tempel, und sogleich wurden die Türen verschlossen." (Ap. 21, 27—30.)

357

Im Vorhof hieb die ganze Menge nun unbarmherzig auf den Bedauernswerten ein, und es fehlte nicht viel, so hätten sie ihn erschlagen.

Da aber nahte Rettung. Oberhalb des Tempels lag, ihn hoch überragend, die Burg Antonia. Die Wache auf den Wällen hatte den Tumult drunten zu ihren Füßen im Tempel= hof bemerkt und den Obersten benachrichtigt. „Dieser nahm sogleich Soldaten und Hauptleute zu sich und eilte hinab zu ihnen. Da sie den Obersten und Soldaten sahen, ließen sie ab, Paulus zu schlagen. Der Oberst trat hinzu, ergriff ihn und ließ ihn mit zwei Ketten fesseln. Er fragte, wer er sei und was er getan habe. Die einen in der Menge riefen dieses, die anderen jenes. Weil er wegen des Lärms nichts Gewisses erfahren konnte, ließ er ihn auf die Burg bringen." (Ap. 21, 32—34.)

Doch grimmig wie Wölfe, denen die Beute entrissen ist, drängten die Feinde nach, so daß es den Soldaten kaum mög= lich war, den Gefangenen lebend durch den Vorhof zu schleppen. Endlich war es doch geglückt, bis an die Treppe zu gelangen, die von dem Tempelplatz zur Burg hinaufführte. Da schlugen die Wogen der Erbitterung noch einmal über dem Opfer, das ihnen zu entgehen drohte, zusammen. „Als er an die Stufen gekommen war, mußte er von den Soldaten getragen werden wegen des Volksgedränges. Denn die Menge folgte nach und schrie: Weg mit ihm!" (Ap. 21, 35. 36.)

Droben angelangt, dachte Paulus durch einige Worte die Menge beschwichtigen zu können. „Als Paulus in die Burg hineingeführt werden sollte, sagte er zu dem Obersten: Darf ich etwas mit dir reden? Er entgegnete: Du verstehst griechisch?

358

Bist du also nicht der Ägypter, der vor einiger Zeit Aufruhr erregte und viertausend Meuchelmörder in die Wüste führte? Paulus antwortete ihm: Ich bin ein Jude aus Tarsus, Bürger einer nicht unansehnlichen Stadt Ciliciens. Ich bitte dich, erlaube mir, zum Volk zu reden. Dieser gestattete es. Paulus trat auf die Stufen und winkte dem Volke mit der Hand. Es entstand eine große Stille, und er hielt auf aramäisch folgende Anrede: Ihr Brüder und Väter! Hört die Verteidigung, die ich nun an euch richte..." (Ap. 21, 37—22, 1.)

Daß der Fremdling in ihrer Muttersprache zu ihnen redete, daß er sich als Bruder und Volksgenosse kundgab, machte tiefen Eindruck. „Da sie hörten, daß er in aramäischer Sprache zu ihnen redete, wurden sie noch stiller." (Ap. 22, 2.)

Wie früher bei solchen Gelegenheiten, tut der Sprecher nun zunächst seine jüdische Abkunft und seinen Zusammenhang mit dem Gesetze kund, legt dann sein Wandeln als Pharisäer und sein Wüten gegen Christus dar. Alles das hört man mit steigender Aufmerksamkeit an. Die Wut scheint sich in Gunst wandeln zu wollen. Als Paulus nun aber erzählt, wie er aus dem Saulus ein Paulus, aus dem Pharisäer ein Jünger Christi, aus dem jüdischen Gesetzesbeflissenen ein Heidenapostel geworden, da bricht der Vulkan aufs neue giftsprühend los. „Bis zu diesem Worte hörten sie ihn an. Dann erhoben sie ein lautes Geschrei: Weg vom Erdboden mit einem solchen Menschen! Es gehört sich nicht, daß er länger lebe! Als sie so schrieen und ihre Kleider wegwarfen und Staub in die Luft schleuderten, befahl der Oberste, ihn auf die Burg zu führen, ihn geißeln und foltern zu lassen, um herauszubringen, warum sie so wider ihn schrieen." (Ap. 22, 22—24.)

Wie wenig ist doch aufgeregten Gemütern mit sachlichen Gründen beizukommen!

Vor der Wut der Menge war der Blutzeuge Christi nun hinter den Burgmauern geschützt, doch Schlimmeres stand ihm jetzt bevor. Man führte ihn in den Innenraum, band ihn und machte schon die Marterwerkzeuge bereit. Da aber erhob Paulus Einsprache. „Als sie ihn zur Geißelung angebunden hatten, sagte Paulus zu dem dabeistehenden Hauptmann: Ist es euch erlaubt, einen Mann, der römischer Bürger ist, sogar ohne Ursache zu geißeln? Da der Hauptmann dies hörte, ging er zum Obersten und machte die Meldung: Was willst du tun? Dieser Mann ist ja ein römischer Bürger. Der Oberst trat hinzu und fragte ihn: Sag mir, bist du ein Römer? Ja, antwortete er. Der Oberst entgegnete: Ich habe dieses Bürgerrecht um viel Geld erworben. Paulus versetzte: Ich habe es schon von Geburt. Sogleich ließen jene, die ihn foltern wollten, von ihm ab. Auch der Oberst geriet in Furcht, da er erfuhr, daß er römischer Bürger sei und weil er ihn hatte fesseln lassen." (Ap. 22, 25—29.)

Wieder zeigt hier Paulus, daß der Jünger Christi sich doch nicht alles bieten lassen, sondern, wo es erforderlich ist, auf Recht und Billigkeit bestehen soll!

Die Folter unterblieb; ungestört brachte Paulus die Nacht in der Haft zu. Doch der Oberst, mitverantwortlich für alle politischen Vorgänge in der Stadt, sah sich verpflichtet, den ganzen Sachverhalt aufzuhellen, und da aus den bisherigen verworrenen Reden kein bestimmtes Bild zu gewinnen gewesen war, beschloß er, sich an die oberste Behörde der Juden zu wenden. „Am folgenden Tage ließ er ihm die Fesseln ab-

360

nehmen, ordnete eine Sitzung der Priester und des Hohen
Rates an, ließ Paulus hineinführen und in ihre Mitte stellen."
(Ap. 22, 30.)

4. Vor dem Hohen Rat.
(23, 1—11.)

Wiederum sah Jerusalem eine Art Karfreitagssitzung. Die
Personen des Rates hatten gewechselt, der Geist nicht. Mutig
begann der Bote Christi seine Verteidigung. Von Feinden
zwar umlagert, blieb ihm doch ein Bundesgenosse, der über
alle Schrecken ihn hinweghob: das Bewußtsein seines guten
Gewissens. „Paulus sah festen Blickes auf den Hohen Rat
und sprach: Brüder! Mit ganz gutem Gewissen bin
ich vor Gott gewandelt bis auf den heutigen Tag." (Ap. 23, 1.)

Daß aber dieser Mann, dieser „Verächter des Gesetzes",
von gutem Gewissen zu sprechen wagte, das war den Eiferern
schon gleich zu viel. „Da befahl der Hohepriester Ananias den
Umstehenden, ihn auf den Mund zu schlagen." (Ap. 32, 2.) —
Ananias, 47 von Herodes von Chalcis zum Hohenpriester erhoben, war ein grausamer, gewalttätiger und ungerechter
Mann. Wegen Teilnahme an dem Krieg gegen die Samariter
war er 52 zur Verantwortung nach Rom gerufen, hatte sich
aber durch seine verwegenen Künste geschickt aus der Schlinge
zu ziehen gewußt. Später abgesetzt, ließ er diejenigen, die ihm
die Kornabgaben verweigerten, durch bewaffnete Banditen und
Knechte erschlagen und machte sich beim Volke so sehr verhaßt,
daß er als einer der ersten beim Ausbruch des jüdischen Aufstandes von den Sikariern (Dolchmännern) ermordet wurde. —

Ein solcher Mann war gewiß berechtigt, sich über die Berufung des Apostels auf sein gutes Gewissen zu entsetzen! Wie tief steckt doch der sich selbst überhebende und sich selbst gerecht dünkende Pharisäismus in der menschlichen Seele! Wie leicht neigt doch der Mensch dazu, sich selbst für untadelhaft zu halten und dem Gegner jeden guten Willen, Ehrlichkeit und Wahrheitsliebe abzusprechen!

Wir können Paulus verstehen, wenn er antwortete: „Dich wird Gott schlagen, du getünchte Wand! Du sitzest da, um mich zu richten nach dem Gesetz, und wider das Gesetz heißest du mich schlagen." (Ap. 23, 3.)

Bei dem Wort erschrak alles. „Die Umstehenden sagten: Den Hohenpriester Gottes lästerst du?" (Ap. 23, 4.) Der Apostel hatte wohl angenommen, daß der Befehl zum Schlagen aus dem Munde eines der Ratsherrn erfolgt sei; da er nun aber belehrt war, daß der Hohepriester ihn gegeben habe, bat er: „Brüder, ich wußte nicht, daß es der Hohepriester ist. Denn es steht geschrieben: Den Obersten deines Volkes sollst du nicht lästern." (Ap. 23, 5.)

Wiederum ein Vorbild, wie immer doch die Stellung zu achten ist, wo der Inhaber auch nicht ihrer Aufgabe gerecht wird.

Klug zu sein wie die Schlangen, hatte Christus seine Jünger geheißen. Das befolgte nun auch der Angeklagte. „Paulus wußte, daß der eine Teil Sadduzäer und der andere Pharisäer waren. Darum rief er im Hohen Rate: Brüder! Ich bin ein Pharisäer, ein Sohn von Pharisäern. Wegen der Zukunftshoffnung und der Auferstehung der Toten werde ich vor Gericht gestellt. Sobald er dies gesagt hatte, entstand Streit zwischen den Pharisäern und

362

Sabbuzäern, und die Menge spaltete sich. Die Sadduzäer leugnen die Auferstehung, Engel und Geister; die Pharisäer dagegen nehmen beides an. Es erhob sich ein großes Geschrei. Einige Pharisäer standen auf, stritten und sprachen: Wir finden nichts Böses an diesem Manne; wie wenn ein Geist oder ein Engel mit ihm gesprochen hätte?" (Ap. 23, 6—9.)

Schön war das sich darbietende Bild der zankenden Gelehrten nicht, aber echt menschlich; genügt es ja auch heute oft genug, eine Streitfrage aufzuwerfen, um erhitzte Gelehrtengemüter in nutzlose und maßlose Wortgefechte hineinzuhetzen.

Der Streit wurde immer heftiger. Mit funkelnden Augen, drohenden Gebärden, zornig erregten Mienen gingen Pharisäer und Sadduzäer aufeinander los und es fehlte nicht viel, so wäre es zu Bluttaten gekommen.

Lange hatte der römische Offizier dem Treiben dieser jüdischen Gesetzeslehrer mit steigender Verachtung zugesehen, jetzt machte er Schluß. „Da aber der Streit heftig wurde, fürchtete der Oberst, Paulus möchte von ihnen zerrissen werden. Darum ließ er Soldaten herabkommen, ihn aus ihrer Mitte reißen und in die Burg führen." (Ap. 23, 10.) —

Das Judentum hatte eine neue Niederlage erlitten. Seine Morschheit und innere Zersetzung, die Vorboten des gänzlichen Verfalles, traten immer mehr zutage. Beschämt zogen die Streiter ab. Seinen Diener festigte Gott aber immer mehr und mehr zum siegreichen Streit durch inneren Trost.

„In der folgenden Nacht trat der Herr zu ihm und sprach: Sei getrost! Denn wie du in Jerusalem Zeugnis von mir abgelegt, so sollst du auch in Rom Zeugnis geben." (Ap. 23, 11.)

Gott sprach wieder einmal. So hatte er es ja öfters schon gemacht. Damals vor Damaskus, wo dem ganzen Leben eine andere Wendung gegeben werden sollte. Dann im Tempel von Jerusalem, wo die Frage, ob es geziemender sei, dort oder in den Heidenländern die frohe Botschaft zu verkünden. Dann wieder an der Nordwestspitze Kleinasiens in Troas, wo Europas Tore sich öffneten. Abermals in Korinth, wo der Zweifel, ob Bleiben oder Abreisen vorzuziehen sei, sich regte.

Jetzt stand wiederum eine Wende bevor, und wiederum war Gott zur Stelle.

So führt Gott seine Auserwählten. Meist läßt er sie, von ihrem Glauben allein geleitet, getragen von der alltäglichen Gnade, ohne fühlbare h ö h e r e Eingriffe des Weges ziehen — wozu auch da besondere Mittel anwenden, wo der Weg klar vor Augen liegt und die Lebensweise geordnet vonstatten geht? — wo aber eine Wegkreuzung dem ratlosen Wanderer sich auftut oder wo zu große Gefahren vor der Weiterreise abschrecken, da stellt der tröstende und erleuchtende Gott sich wieder ein. „Was sagst du, Jakob, und sprichst du, Israel? Verborgen ist mein Weg vor dem Herrn? Fürchte dich nicht, ich bin mit dir, ich stärke dich und helfe dir." (Is. 40, 27. 41, 10.) — Gottes Schutz tat jetzt allerdings wieder besonders not, denn eine Gefahr schlich heran, die um so größer war, je geheimer sie gehalten wurde.

5. Verschwörung.
(23, 12—35.)

Die Niederlage und das schlaffe, unwürdige Benehmen der Hohenpriester wurmte die übrigen Juden und bewog einige

364

entschloſſene von ihnen zu einem verwegenen Schritt. „Am anderen Tag rotteten ſich einige Juden zuſammen und ver= ſchworen ſich, weder eſſen noch trinken zu wollen, bis ſie Paulus getötet hätten. Es waren mehr als vierzig Männer, die ſich ſo verſchworen hatten. Dieſe gingen zu den Hohenprieſtern und Älteſten und ſprachen: Wir haben uns verſchworen, nichts zu genießen, bis wir Paulus getötet haben. Tut alſo ihr ſamt dem Hohen Rat dem Oberſten zu wiſſen, daß er ihn euch vor= führen laſſe, als ob ihr die Sache genauer unterſuchen wolltet; wir aber ſtehen bereit, ihn zu töten, bevor er in eure Nähe kommt.“ (Ap. 23, 12—15.) Der See raſte und wollte ſein Opfer haben, aber Gott wachte.

Zufällig befand ſich ein Schweſterſohn des Apoſtels in der heiligen Stadt. Dieſer hatte von dem Anſchlag erfahren, ſtürmte in aller Eile zur Burg Antonia hinauf und teilte Paulus das Vernommene mit. „Da rief Paulus einen der Haupt= leute zu ſich und ſprach: Führe dieſen Jüngling zum Oberſten, er hat ihm etwas zu melden. Dieſer nahm ihn mit, führte ihn zum Oberſten und ſprach: Der gefangene Paulus hat mich gebeten, dieſen jungen Mann zu dir zu führen, da er dir etwas zu ſagen hat. Der Oberſt nahm ihn bei der Hand, ging mit ihm beiſeite und fragte ihn: Was iſt’s, was du mir zu ſagen haſt? Er antwortete: Die Juden haben ſich verabredet, dich zu erſuchen, daß du morgen Paulus vor den Hohen Rat führen laſſeſt, als wollten ſie ſeine Sache genauer unterſuchen. Traue ihnen aber nicht! Denn mehr als vierzig Männer aus ihnen lauern ihm auf; ſie haben ſich verſchworen, weder eſſen noch trinken zu wollen, bis ſie ihn umgebracht haben. Schon ſind ſie bereit und warten auf deine Zuſage.“ (Ap. 23, 17—21.)

365

Wohlwollend nahm der Römer den Bericht entgegen und ordnete sofort die nötigen Vorsichtsmaßregeln an. „Da entließ der Oberst den Jüngling mit der Warnung, jemand zu sagen, daß er ihm diese Anzeige gemacht habe. Er rief zwei Hauptleute und sprach zu ihnen: Haltet zweihundert Soldaten bereit, daß sie nach Cäsarea ziehen, auch siebzig Reiter und zweihundert Lanzenträger auf die dritte Stunde der Nacht. Auch haltet Lasttiere bereit, daß man den Paulus daraufsetze und ihn wohlbehalten zum Landpfleger Felix bringe. Er fürchtete nämlich, die Juden möchten ihn mit Gewalt entführen und töten, er selbst aber möchte in den Verdacht kommen, als habe er Geld annehmen wollen. Auch schrieb er einen Brief folgenden Inhalts: Klaudius Lysias entbietet dem erlauchten Landpfleger Felix seinen Gruß. Diesen Mann haben die Juden ergriffen, und es war nahe daran, daß sie ihn töteten. Da kam ich mit Kriegsvolk herbei und rettete ihn, da ich erfahren, daß er römischer Bürger ist. Da ich erfahren wollte, aus welchem Grunde sie ihn beschuldigten, führte ich ihn vor den Hohen Rat. Da fand ich, daß er wegen Streitfragen ihres Gesetzes angeklagt, aber keines Verbrechens schuldig sei, das Tod oder Fesseln verdient. Es wurde mir angezeigt, daß sie ihm heimlich auflauerten. Darum sandte ich ihn zu dir und habe die Ankläger beschieden, die Klage vor dir vorzubringen. Lebe wohl!" (Ap. 23, 22—30.)

In aller Eile trafen die Soldaten ihre Vorbereitungen, und als Jerusalem im Dunkel lag und die neunte Abendstunde schlug, da zog der Trupp mit dem Apostel in der Mitte davon. Ungestört gelangte man zu den Toren der Stadt hinaus, marschierte die Nacht durch und kam nach Antipatris. Da von

366

hier an ein Überfall kaum noch zu fürchten war, kehrten die
Fußfoldaten zurück, die siebzig Reiter aber geleiteten den Ge=
fangenen zu seinem Bestimmungsort.

„Als sie nach Cäsarea kamen, übergaben sie dem Land=
pfleger den Brief und stellten ihm auch den Paulus vor. Der
las das Schreiben und fragte, aus welcher Provinz er sei.
Als er erfuhr, daß er aus Cilicien sei, sprach er: Ich werde
dich verhören, wenn deine Ankläger angekommen sind. Dann
befahl er, ihn im Palaste des Herodes zu bewachen." (Ap. 23,
33—35.)

6. Felix.
(24, 1—27.)

Antonius Claudius Felix, der jetzt nach den Plänen der
Vorsehung als einer der Hauptpersonen im Paulusdrama auf=
trat, war ein Sklave der Antonia, der Mutter des Kaisers
Claudius gewesen. Freigelassen, gewann er ebenso wie sein
Bruder Pallas die Freundschaft des Kaisers, wurde Offizier
und stieg bald von Stufe zu Stufe empor. Doch sein am Hofe
einflußreicher Bruder wußte ihm die Stelle des Landpflegers
in Judäa zu verschaffen, und so vertauschte er den Degen mit
dem Befehlshaberstab. Seine Regierung war ungerecht, will=
kürlich, grausam. Er „handhabte", wie Tacitus (Hist. 5, 9.)
schreibt, „in aller Grausamkeit und Lüsternheit königliches Recht
mit sklavischer Sinnesart" und „glaubte alle Schandtaten un=
gestraft verüben zu können." (Ann. 12, 54.)

Seiner würdig stand ihm zur Seite Drusilla, seine Gattin.
Diese, eine Herodianerin, Schwester Agrippas II., hatte, ge=
treu dem lüsternen Geist ihres Hauses, ihren ersten Gemahl,

367

Azipus, König von Emesa, verlassen und sich dann mit dem ihr reizender erscheinenden Römer vermählt.

In die Hand dieses Mannes legte nun die Vorsehung, die gut und bös, Glück und Unheil zu ihren Plänen zu verweben weiß, die Geschicke unseres Heiligen.

In Jerusalem hatte sich mittlerweile eine neue Erregung der Gemüter bemächtigt. Kaum war am Morgen nach jener Nacht die heimliche Abführung des Gefangenen bekannt geworden, als auch schon der Hohe Rat vor Wut schnaubte und auf jeden Fall sein Opfer zurückzuholen beschloß. „Nach fünf Tagen kam der Hohepriester Ananias herab mit einigen Ältesten und einem Anwalt Tertullus, und sie traten als Ankläger gegen Paulus vor dem Landpfleger auf." (Ap. 24, 1.)

Felix ließ den Gefangenen vorführen und forderte nun die Juden auf, ihre Anklage in seiner Gegenwart vorzubringen. Dieses geschah durch Tertullus. „Paulus wurde gerufen. Dann begann Tertullus die Klage und sprach: Erlauchter Felix! Durch dich leben wir in tiefem Frieden und durch deine Fürsorge sind viele Verbesserungen getroffen worden. Das erkennen wir immer und überall mit aller Dankbarkeit. Um dich aber nicht länger hinzuhalten, bitte ich dich, in Kürze uns gütigst anzuhören. Diesen Mann haben wir als eine Pest kennen gelernt, als Unruhestifter unter allen Juden in der ganzen Welt und als Rädelsführer der empörerischen Sekte der Nazarener. Er hat sogar versucht, den Tempel zu entweihen. Wir nahmen ihn fest und wollten ihn nach unserem Gesetze richten. Aber der Oberst Lysias kam hinzu und entriß ihn mit aller Gewalt unseren Händen. Er befahl, seine Ankläger sollen vor dich kommen. Du kannst ihn selbst verhören und dich ver-

368

gewiffern über alle unfere Klagen gegen ihn. Auch die anderen Juden griffen mit ein und verficherten, daß dem alfo fei." (Ap. 24, 2—9.)

Das Schulbeifpiel einer gehäffigen und durchtriebenen Advokatenrede! „**Daß wir in tiefem Frieden leben durch dich und daß durch deine Fürforge viele Verbefferungen getroffen werden, das erkennen wir immer und überall, vortrefflichster Felix, mit aller Dankbarkeit an**" — fo fprach der honigtriefende Mund. In Wirklichkeit mußte man fich nicht genug über die Gewalttaten des Statthalters zu beklagen und verfolgte man ihn mit tötlichem Haffe.

„**Wir haben diefen Menfchen befunden als eine Peft!**" Der Apoftel Chrifti eine Peft! „**Als einen Aufruhrftifter unter allen Juden!**" Inwiefern? Weil durch ihn das fchlafende Gewiffen aufgerüttelt, das böfe aufgeftachelt wurde? Aber war das verderblich? Bringt nicht jeder Sauerteig, falls er etwas taugt, Gärung zum Guten hervor und ift nicht das Chriftentum als Sauerteig von feinem Stifter bezeichnet worden? Weh dem Boten Chrifti, der die fündige und ungläubige Welt fchlummern läßt, anftatt fie in folche Aufregung zu bringen. Ein Zeichen, daß das Salz fchal geworden ift. — „**Er hat fogar verfucht, den Tempel zu entweihen**" — aus der Luft gegriffene Befchuldigung! „**Die Juden beftätigten alles diefes und fagten, daß es fich fo verhalte**" — wie die Leidenfchaft auch fich fromm dünkende Seelen doch verblenden kann!

Man fieht hier wieder fo recht, was von folchen Rechtsprechungen zu halten ist, wo Parteigeist das Auge trübt. Die harmlosesten Vorgänge gestalten sich in der erregten Einbildung zu Gespenstern!

Nach der Anklage erhielt Paulus das Wort. Furchtlos widerlegt er einen Punkt nach dem anderen: daß er nirgendwo in Jerusalem einen Streit erregt, daß er nie das Gesetz verachtet, den Tempel niemals entweiht, daß auch sein erstes Verhör vor dem Hohen Rat nichts Belastendes ergeben habe, „es müßte nur wegen dieses einen Wortes sein, daß ich in ihrer Mitte laut ausrief: Wegen der Auferstehung der Toten werde ich heute von euch gerichtet". (Ap. 24, 21.)

Solchen Darlegungen gegenüber mußten die Angreifer verstummen. Auch dem Landpfleger drängte sich die Überzeugung von der Unschuld des Angeklagten auf. „Er vertagte die Sache und sprach: Wenn der Oberst Lysias herabkommt, will ich euch wieder hören. Er gab dem Hauptmann die Weisung, den Paulus in milder Haft zu halten und niemand von den Seinigen zu hindern, ihm Dienste zu leisten." (Ap. 24, 22. 23.)

Richtig wäre es gewiß gewesen, den Gefangenen in Freiheit zu setzen, aber dank der feigen Schaukelkunst der römischen Landpfleger, die, wie es schon bei Pilatus der Fall gewesen war, es nicht mit den Juden verderben wollten, blieb Paulus in Haft.

Zwei volle Jahre! Für den seeleneifrigen und tatkräftigen Mann gewiß ein sehr schmerzliches Opfer. Wie nötig war der Welt das Christentum! Wie viel Empfänglichkeit hatte sie für den neuen Samen gezeigt! Ganze Felder harrten des Bebauens, und Paulus sah sich untätig hinter Mauern festgehalten!

370

Warum befreite Gott, der doch dem Petrus den Kerker
öffnete, nicht auch diesen Apostel, der, menschlich betrachtet, so
viel Gutes draußen hätte wirken können? — Wiederum stehen
wir vor einer jener rätselhaften Maßnahmen der Vorsehung,
die uns Sterblichen unbegreiflich scheinen. Aber wie der Natur
draußen, gewährt Gott auch vielen seiner Diener Brachzeiten,
Zeiten, in denen der Seelenacker ruht, die äußere Tätigkeit
durch Hemmnisse, Krankheiten oder andere Widrigkeiten unter=
brochen wird. Aber mag es da auch an äußerlich sichtbaren
Früchten fehlen, der Acker selbst gewinnt doch, in=
dem er sich selbst wieder aufbessert und neue Kräfte sammelt.
Vielleicht auch ehrt die Seele in solcher Untätigkeit durch ihre
Geduld und Gleichförmigkeit mit Gottes heiligem Willen Gott
mehr als durch alle Außentätigkeit, die sie in derselben Zeit
geleistet haben würden. Gerade weit und kühn ausschreitenden
Charakteren tun zudem oft solche Hemmungen not, damit sie
nicht in der Arbeit sich selbst verlieren, sich verweltlichen und
völlig verausgaben.

Eintönig flossen die Jahre für Paulus dahin; doch
Felix, der offenbar schon vom Christentum gehört hatte,
nutzte seine Anwesenheit aus, um Näheres über die neue
Religion zu erfahren. „Nach einigen Tagen kam Felix mit
seinem Weibe Drusilla, einer Jüdin, beschied den Paulus zu
sich und hörte von ihm den Glauben an Jesus Christus."
(Ap. 24, 24.)

Anfänglich fanden des Apostels Worte bei beiden gute
Aufnahme. „Als er aber von der Gerechtigkeit,
der Keuschheit und dem künftigen Gerichte
sprach, erschrak Felix und sagte: Für dieses=

24*

mal magst du gehen; zu einer gelegenen Zeit
will ich dich rufen lassen." (Ap. 24, 25.)

Bezeichnend: für den gewalttätigen und ehebrecherischen
Mann waren diese christlichen Lehren allerdings wenig er-
freulich. Die Begebenheit bringt aber helles Licht in die Frage,
warum doch so manche nicht zum Glauben kommen oder ihm
entsagen. Nicht, weil ihnen die Glaubenswahrheiten nicht e i n =
l e u ch t e n d , sondern weil sie ihnen l ä ſt i g sind. „Jeder,
der Böses tut, haßt das Licht und kommt nicht an das Licht,
damit seine Werke nicht gerügt werden." (Jo. 3, 20.)

Die Gnade war abgewiesen. Nun trat in dem Landpfleger
der echte römische Beamte der damaligen Zeit hervor. „Zu=
gleich hoffte er, P a u l u s w e r b e i h m G e l d g e b e n.
Darum rief er ihn oft zu sich und unterhielt sich mit ihm."
(Ap. 24, 26.)

Doch Paulus kannte solche Bestechungskünste nicht. Die
Folge blieb nicht aus. „Nach Ablauf von zwei Jahren erhielt
Felix den Portius Festus als Nachfolger. Felix wollte sich
den Juden gefällig zeigen; d a r u m l i e ß e r P a u l u s
g e f a n g e n z u r ü ck." (Ap. 24, 27.)

7. Erneuter Vorstoß der Juden.
(25, 1—12.)

Mit der Hafthaltung des Apostels hatte Felix den Juden
sich zwar gefällig gezeigt, ihren Wünschen, die auf A u s =
l i e f e r u n g hinstrebten, aber doch nicht ganz entsprochen.
Von dem Nachfolger, der als neuangekommener Statthalter
gewiß darauf sehen mußte, sich die Gunst des Landes zu er=
werben, erhofften sie nun günstigeren Erfolg.

372

Kaum war jener Festus zu einem ersten Besuch in der Hauptstadt angelangt, als der Hohe Rat auch schon des Gefangenen wegen bei ihm vorstellig wurde: „Drei Tage nach seiner Ankunft in der Provinz begab sich Festus von Cäsarea hinauf nach Jerusalem. Die Hohenpriester und die Ersten der Juden erschienen vor ihm und erhoben Klage gegen Paulus. Sie ersuchten ihn um die Vergünstigung, daß er ihn wieder nach Jerusalem bringen lasse; denn sie stellten ihm nach, um ihn unterwegs umzubringen." (Ap. 25, 1—3.)

So arglos, wie sie es sich gedacht, ging der schlaue Römer nun doch nicht ins Garn, sondern lud die Ankläger zu einer Gerichtssitzung nach Cäsarea ein. Eine Abordnung des Hohen Rates folgte der Aufforderung und brach, als Festus abreiste, mit nach Cäsarea auf.

Dort gab es nun wieder eine erregte Auseinandersetzung. Paulus wurde vorgeladen. „Als dieser erschienen war, standen die Juden, die von Jerusalem herabgekommen waren, rings um ihn her und brachten viele und schwere Anklagen gegen ihn vor, die sie aber nicht beweisen konnten. Paulus sprach zu seiner Verteidigung: Weder gegen das Gesetz der Juden, noch gegen den Tempel, noch gegen den Kaiser habe ich mich irgendwie verfehlt." (Ap. 25, 7—8.)

Festus sah bald ein, daß auf ruhige Untersuchungen bei diesem erregten Volk nicht zu rechnen sei und versuchte durch eine List, sowohl den Handel von sich abzuschütteln, als auch zugleich sich die Gunst der herrschenden Judenwelt zu sichern. „Festus wollte sich den Juden gefällig erweisen und stellte deshalb an Paulus die Frage: Willst du nach Jerusalem hinaufgehen und dich dort hierüber von mir richten lassen?" (Ap. 25,

373

9.) Paulus aber empfand keine Luft, in die Falle zu gehen und sprach: „Ich stehe vor dem Richterstuhl des Kaisers, da muß ich gerichtet werden, den Juden habe ich kein Leid getan, wie du recht gut weißt. Bin ich im Unrecht oder habe ich etwas Todeswürdiges verübt, so weigere ich mich nicht, zu sterben. Ist aber nichts an den Klagen, die diese gegen mich vorbringen, so kann mich niemand ihnen ausliefern. Ich lege Berufung an den Kaiser ein." (Ap. 25, 10. 11.)

Das kam dem Landpfleger unerwartet. Da aber jedem römischen Bürger das Recht, an den Kaiser sich zu wenden, zustand, sah er sich nach Rücksprache mit seinem Rat genötigt, dem Ersuchen des Apostels zu willfahren und sprach: „Den Kaiser hast du angerufen, zum Kaiser sollst du gehen." (Ap. 25, 12.)

Damit war die Sache für die Judenschaft endgültig erledigt und Paulus ihren Ränken entzogen. Geschlagen und beschämt zogen die Angreifer ab.

Auch hier lehrt der unerschrockene Vorkämpfer Christi wieder, ungerechten Verfolgern sich nicht grundlos auszuliefern, sondern alle zu Gebote stehenden rechtmäßigen Mittel gegen sie auszunützen, solange nicht Gott das Gegenteil fordert.

Tatenloses Dulden aller Übergriffe würde ja die Gegner nur um so übermütiger machen und die Kirche vollständig verdrängen.

8. Vor Agrippa.
(25, 13—26, 32.)

Kurze Zeit nach diesen Verhandlungen bot sich der Stadt Cäsarea ein großes Schaugepränge dar. „Nach einigen Tagen

374

trafen der König Agrippa und Bernike in Cäsarea zur Be=
grüßung des Festus ein." (Ap. 25, 13.)

Dieser Herodes war der Sohn jenes, der, nachdem er den
Jakobus seinerzeit hatte töten und den Petrus einkerkern lassen,
bei jener großen Volksversammlung vom Engel Gottes ge=
schlagen, eines so jähen Todes gestorben war. (Ap. 12, 20 ff.)

Am Hofe des Klaudius in Rom erzogen, erhielt er bald
nach dem Ableben seines Vaters das Fürstentum Chalcis nebst
der Aufsicht über den Tempel und das Recht, die Hohenpriester
zu wählen. Später wurde er mit den ehemaligen Tetrarchieen
des Philippus und Lysanias und dem Königstitel bedacht.
Auch er erfreute sich wegen seiner Willkür bei Ein= und Ab=
setzung der Hohenpriester und anderer Fehlgriffe bei den
Juden keiner besonderen Achtung.

Bernike war seine Schwester. Anfangs mit ihrem Onkel
vermählt gewesen, zog sie sich nach dessen Tod an den Hof
ihres Bruders zurück. Bald jedoch brachte sie sich dort in üblen
Ruf und verband sich, um allen Verdacht von sich abzuwälzen,
mit dem König Polemo I. von Cilizien. Dessen nach kurzer
Zeit überdrüssig, kehrte sie zu Agrippa zurück. Später wurde
sie die Buhle des römischen Feldherrn Titus. Wiederum eine
echte Herodianerin! Wenn die Ausschweifung einmal im Blute
steckt! Jahrzehnte noch zittern und wühlen die Laster des einen
Herodes in all seinen Nachkommen nach — müßte diese Wahr=
nehmung nicht alle schon antreiben, mit Rücksicht auf die nach=
folgenden Geschlechter sich rein und gesund an Leib und Seele
zu bewahren?

Da nun Herodes, als König des Landes, mit dessen Ver=
hältnissen besser als der neuangekommene Römer vertraut war,

375

benußte Festus dessen Anwesenheit, um ihm den „Fall Paulus" vorzulegen. Agrippa wünschte den Apostel selbst zu sprechen. Festus sagte das zu und beraumte für den folgenden Tag die Sißung in seinem Palast an.

Der Morgen brach an. Viele Vornehme der Stadt strömten herbei und pflanzten sich im Hintergrunde des Saales auf. Dann trat Herodes im königlichen Schmuck, von den Obersten in glänzenden Uniformen umgeben, ein. Auch Bernike, fürst= lich gekleidet, erschien mit einer Schar geschmückter Hofdamen. Alle nahmen Plaß, und nun wurde auch Paulus hereingeführt.

Der Apostel Christi vor dem König der Juden! Der Statt= halter erhob sich und sprach: „König Agrippa und ihr alle, die ihr mit uns anwesend seid! Da seht ihr den Mann, desset= wegen die ganze Menge der Juden in Jerusalem mich an= gegangen hat mit dem Geschrei, er dürfe nicht mehr leben. Ich fand jedoch nichts Todeswürdiges an ihm. Doch, da er selbst Berufung an den Kaiser einlegte, so beschloß ich, ihn dahin zu senden. Nun weiß ich aber nichts Zuverlässiges über ihn dem kaiserlichen Herrn zu schreiben. Darum ließ ich ihn euch, und besonders dir, König Agrippa, vorführen, damit ich nach erfolgtem Verhör weiß, was ich zu schreiben habe. Denn es scheint mir unvernünftig, einen Gefangenen zu schicken, ohne die Klagen gegen ihn anzugeben." - (Ap. 25, 24—27.)

Als er geendet, war für Paulus der Augenblick der Verteidigung gekommen. „Agrippa sagte zu Paulus: Es wird dir jeßt gestattet, dich zu verteidigen. Da streckte Paulus die Hand aus und begann seine Verteidigungsrede: König Agrippa! Ich schäße mich glücklich, daß ich wegen aller Anklagen der Juden gegen mich heute vor dir mich verteidigen darf. Du bist ja

376

ein trefflicher Kenner aller jüdischer Sitten und Streitfragen.
Darum bitte ich dich, mich mit Geduld zu hören." (Ap. 26,
1—3.)

Auch hier erzählt nun Paulus, daß er nicht wegen irgendwelcher staatsgefährlicher oder volksaufrührerischer Umtriebe,
sondern allein wegen seines neuen Glaubens verfolgt werde,
daß dieser Glaube aber im Grunde kein neuer, sondern nur der
altüberlieferte J u d e n g l a u b e sei, der in Jesus von Nazareth
seine Erfüllung gefunden habe. Als er dabei auf seine eigene
frühere Verblendung zu sprechen kam, geriet er in solche Begeisterung, daß Festus mit lauter Stimme rief: „Paulus, du
bist von Sinnen. Das viele Studieren bringt dich um den ge-
sunden Verstand." „Paulus entgegnete: Erlauchter Festus, ich
bin nicht von Sinnen, sondern ich rede Worte der Wahrheit
und Besonnenheit. Von diesen Dingen weiß ja der König, zu
dem ich auch mit Freimut rede. Denn ich kann nicht glauben,
daß ihm etwas davon unbekannt ist; ist doch nichts von diesen
Dingen in einem Winkel geschehen." (Ap. 26, 24—26.)

Und am Blicke des Königs dessen Ergriffenheit ablesend,
wagt er kühn, diesem selbst ans Gewissen zu reden. „Glaubst
du den Propheten? Ich weiß, daß du glaubst!" (Ap. 26, 27.)

Das Wort traf! Dem gewaltig dahinrauschenden Strom
drohte selbst der König zu erliegen. Er sprach: „B e i n a h e
k ö n n t e s t d u m i c h b e r e d e n, e i n C h r i s t z u
w e r d e n." „Wollte Gott, entgegnete Paulus, daß nicht nur
beinahe, sondern völlig, nicht allein du, sondern auch alle, die
mich hören, heute so würden, wie ich bin, ausgenommen diese
Fesseln." (Ap. 26, 28. 29.)

Dem König wurde es unbehaglich. Mit Macht pochte die

377

Wahrheit an die Kammern seines Innern. Wird er sie öffnen? Ein Schwanken — ein Kampf und? — „Der König erhob sich und der Landpfleger sowie Bernike und alle, die bei ihnen waren." (Ap. 26, 30.)

Wiederum mal hatte Christus vergebens an verschlossene Türen geklopft und traurig zog er weiter, bis bereitwilligere Herzen sich ihm öffnen würden, um Mahl mit ihm zu halten. „Sie zogen sich zurück und redeten miteinander: Dieser Mensch hat nichts getan, was Tod oder Fesseln verdiente. Agrippa sagte zu Festus: Man könnte diesen Mann freilassen, wenn er nicht an den Kaiser Berufung eingelegt hätte." (Ap. 26. 31. 32.)

V. Zum Kaiser wirst du gehen.
(27, 1—28, 31.)
1. Querfahrten.
(27, 1—38.)

An den Kaiser hast du Berufung eingelegt! Zum Kaiser „sollst du gehen!" (Ap. 25, 12.) — bei allen Verhören war dieses das letzte Wort geblieben, nun erheischte es Erfüllung.

Aber das Reisen, zumal das Reisen zur See, war in damaliger Zeit mühsamer als heute. Ohne Kompaß und ohne Dampfkraft war man ganz auf die Gunst des Sternenhimmels und der Winde angewiesen. Die Fahrten konnten sich daher meist nur den Küsten entlang bewegen und waren für die Monate Oktober bis April fast ganz gesperrt. Wurde man infolge ungünstiger Winde vor dieser Zeit überrascht, hieß es einfach die Fahrt einstellen und in dem Hafen, wo man sich gerade befand, den Winter zubringen.

Auch die Gotteskinder waren von diesen Erdenbeschwerden nicht ausgenommen. „Als die Abfahrt nach Italien beschlossen war, übergab man den Paulus und einige andere Gefangene einem Hauptmann von einer kaiserlichen Kohorte namens Julius. Wir bestiegen ein Schiff von Adrumet, das nach den Küstenplätzen von Asien fahren wollte, und lichteten die Anker. Bei uns war noch der Mazedonier Aristarchus aus Thessalonich.

379

Am folgenden Tage kamen wir nach Sidon. Julius behandelte den Paulus menschenfreundlich und erlaubte ihm, zu seinen Freunden zu gehen und sich mit dem Nötigen versorgen zu lassen. Von da segelten wir ab und fuhren unter Zypern hin, weil wir Gegenwind hatten. So durchfuhren wir das Meer längs Cilizien und Pamphylien und kamen nach Myra in Lyzien. Hier traf der Hauptmann ein Schiff von Alexandrien, das auf der Fahrt nach Italien war; dorthin brachte er uns an Bord. Wir hatten viele Tage langsame Fahrt und gelangten nur mit Mühe gegen Knidus. Weil wir aber Gegenwind hatten, fuhren wir unter Kreta hin in die Gegend von Salmone. Mühsam fuhren wir an der Küste entlang und kamen an einen Ort, „Schönhafen" genannt, in dessen Nähe die Stadt Lasäa lag." (Ap. 27, 1—8.)

Durch die vielen Hin= und Herfahrten war ein gut Teil der günstigen Jahreszeit verstrichen. Es begann bereits zu herbsten. Die Tage wurden kürzer, die Winde heftiger, die Himmel dunkler. Da wähnte Paulus, der schon manche See= fahrt gemacht, auch schon mehrere Schiffbrüche hinter sich hatte, gegen die Weiterfahrt Einsprache erheben zu müssen. „Ge= raume Zeit war bereits verflossen und die Schiffahrt war schon gefährlich, denn die Faste war schon vorüber. Darum ermahnte sie Paulus: Männer, ich sehe, daß die Fahrt schlimm und sehr gefährlich zu werden anfängt, nicht nur für die Ladung und das Schiff, sondern auch für unser Leben." (Ap. 27, 9. 10.)

Aber Paulus war ja kein Fachmann! Was verstand zudem dieser „Gelehrte" von weltlichen Geschäften? „Der Haupt= mann glaubte dem Steuermann und dem Schiffsherrn mehr als den Worten des Paulus. Da der Hafen zum Überwintern

380

nicht geeignet war, rieten die meisten; von da abzufahren, um womöglich zum Überwintern bis Phönike, einem Hafen von Kreta, zu gelangen, der gegen Südwest und Nordwest liegt." (Ap. 27, 11. 12.)

Anfangs schien der Erfolg ihnen recht zu geben. „Da nun leichter Südwind wehte, glaubten sie, ihr Vorhaben sicher ausführen zu können, lichteten die Anker bei Asson und fuhren an Kreta entlang." (Ap. 27, 13.)

Aber bald trat eine unheilvolle Wendung ein. Ein furchtbarer Orkan erhob sich, riß das Schiff im Wirbel herum, das Meer schäumte, die Wolken jagten, die Seeleute verloren völlig die Herrschaft über ihr Fahrzeug, überließen es den Winden und wurden „fortgetrieben". (27, 15.) Durch die Gewalt des Sturmes und den Anprall der Wogen drohte der Bau aus den Fugen zu gehen; man festigte ihn durch Stricke, die man rings um ihn herumband.

Eine neue Gefahr tauchte auf: in der Nähe befand sich eine große Sandbank. Zu leicht konnte man auf sie auffahren. Man zog daher die letzten Segel ein, warf dann einen großen Teil der Ladung, nach einigen Tagen sogar das Schiffsgerät ins Meer. Aber der Sturm tobte tagelang weiter, und auch den Mutigsten entschwand der Mut. „M e h r e r e T a g e s c h i e n w e d e r S o n n e n o c h S t e r n e. D e r S t u r m t o b t e h e f t i g w e i t e r. A l l e H o f f n u n g a u f R e t t u n g w a r u n s a b g e s c h n i t t e n." (Ap. 27, 20.)

Doch einer wachte über das Fahrzeug, Gott, trug es doch ein ihm wertvolles Kleinod an Bord.

Schwerbedrückt ob der langandauernden Gefahr hatte sich

381

Paulus an diesen gewandt und Heil erlangt. „Schon hatten
sie lange nichts mehr genossen. Da trat Paulus mitten unter
sie und sprach: Ihr Männer, man hätte mir folgen und nicht
von Kreta abfahren sollen, dann hätte man sich dies Ungemach
und diesen Schaden sparen können. Und jetzt ermahne ich
euch, guten Mutes zu sein. Kein Leben aus euch wird ver=
loren gehen, nur das Schiff. Denn diese Nacht er=
schien mir ein Engel Gottes, dem ich gehöre
und auch diene. Der sprach: Fürchte dich nicht,
Paulus! Du mußt dem Kaiser vorgestellt
werden. Siehe, Gott hat dir alle deine
Schiffsgenossen geschenkt. Seid darum guten
Mutes, ihr Männer! Denn ich vertraue zu Gott, daß es so
kommen wird, wie mir gesagt worden ist. Wir müssen jedoch
auf irgendeine Insel verschlagen werden!" (Ap. 27, 21—26.)

Wegen seines einen Dieners bewahrte Gott die ganze
gefährdete Schiffsgesellschaft vor dem Untergang. Welches
Glück für diese, mit Paulus zusammen die Reise teilen zu
können. Ob nicht der Herr auch sonst noch ganze Familien,
Städte, Reisegesellschaften wegen eines Gottesfreundes in
ihrer Mitte, und sei es auch nur ein unschuldiges Kind, vor
Verderben bewahrt? Wie wichtig also, die Verbindung mit
gottliebenden Seelen zu suchen! — „Gott hat dir alle ge=
schenkt, die mit dir im Schiffe sind."

Lange, bange Tage und Nächte waren die Reisenden, in
ihrem krachenden Holzbau eingeschlossen, von den Wogen um=
hergetrieben worden, als endlich eine günstige Wendung ein=
trat. „Als wir die vierzehnte Nacht im Adriatischen Meer
umhergetrieben wurden, glaubten die Schiffsleute um Mitter=

382

nacht Land zu sehen. Sie warfen das Senkblei und fanden zwanzig Klafter Tiefe; ein wenig weiter davon fanden sie fünfzehn Klafter. Aus Furcht, wir möchten auf Klippen stoßen, warfen sie vom Hinterdeck vier Anker aus und warteten mit Sehnsucht auf den Anbruch des Tages." (Ap. 27, 27—29.)

Diese Sehnsucht war gewiß nach all den Finsternissen und Stürmen begreiflich. Aber wie tief doch die Selbstsucht im Menschen steckt und wie rücksichtslos sie gerade in Gefahren sich äußern kann! Die Seeleute, des Kämpfens mit den Wogen müde, gedachten die Nähe des Landes zu ihrer eigenen Sicherheit auszunutzen und das Schiff seinem Schicksal zu überlassen. Unter dem Deckmantel der Nacht trafen sie still die Vorbereitungen zur Flucht, und schon hatten sie das Boot ins Wasser gelassen, als ihr Rächer sie ereilte. „Die Schiffsleute wollten aus dem Schiff entfliehen und ließen das Rettungsboot ins Meer unter dem Vorwand, auch vom Vorderteil Anker auszuwerfen. Da sprach Paulus zu dem Hauptmann und den Soldaten: Wenn diese nicht im Schiffe bleiben, so könnt ihr nicht gerettet werden. Da schnitten die Soldaten die Taue des Bootes ab und ließen es ins Meer fallen." (Ap. 27, 30—32.)

Wieder war es der umsichtige und tatkräftige Apostel, der hier rettend eingriff. — Ein schönes Vorbild, wie übernatürliche Heiligkeit mit irdischer Tüchtigkeit sich zusammenfinden. Nichts unrichtiger als zu glauben, erstere müßte mit möglichst viel Ungeschicklichkeit zu allen Erdenaufgaben verbunden sein. Daß die Übernatur die Natur möglichst vervollkommne und verkläre, das ist das zu Erstrebende, nicht daß sie letztere ertöte. „Die Frömmigkeit ist zu allem nütze. Sie hat die Ver=

383

heißungen des diesseitigen und des ewigen Lebens."
(1. Tim. 4, 8.)

Auch weiterhin entwickelt sich der Apostel gerade in der allgemeinen Niedergeschlagenheit zur Seele des Ganzen, die den Mut aufrechthält und treffende Anweisungen erteilt. „Als der Morgen anbrach, ermahnte Paulus alle, Nahrung zu nehmen und sagte: Vierzehn Tage sind es heute, daß ihr ohne Nahrung zuwartet und nichts zu euch nehmet. Deswegen ermahne ich euch, etwas zu genießen; denn dies gereicht euch zur Rettung. Es wird keinem von euch ein Haar vom Haupte verloren gehen. Nach diesen Worten nahm er Brot, dankte Gott in Gegenwart aller, brach es und begann zu essen. Nun faßten alle wieder Mut und nahmen ebenfalls Speise zu sich. Wir waren auf dem Schiffe im ganzen zweihundertsechsundsiebzig Seelen. Nachdem sie sich mit Speise gesättigt hatten, erleichterten sie das Schiff und warfen das Getreide ins Meer." (Ap. 27, 33—38.)

Man sieht hier wieder, wie so oft, daß, wo alle irdische Hoffnung zu schwinden scheint, allein die mit Gott vereinten und in der Ewigkeit verankerten Seelen den Lebensmut bewahren und andere wieder aufzurichten imstande sind. Man sieht aber auch zugleich, wie erfrischend, lebenerhaltend ein einziger Hoffnungsvoller auf eine ganze Gesellschaft einzuwirken vermag. Wieder ein Fingerzeig für uns in unseren trüben Zeiten, wo so viel Schwarzseher, Entmutiger und Verärgerer allen Lebens- und Schaffenswillen untergraben. Nicht daß wir, wie die Bewohner des Schiffes, in düsterer Verzagtheit uns vergraben, auf Arbeit und sogar auf die Nahrung vor Überdruß verzichten,

384

rettet uns, sondern daß wir den Kopf hochhalten, die vorhandenen Mittel zur Kräftigung für kommende Taten emsig ausnutzen — das allein kann uns aufhelfen.

Wohl gleicht manches Leben dem Schiffe Pauli. Losgerissen vom festen Land, umhergeworfen von Stürmen, von Leiden, trüben Stimmungen, Leidenschaften, Sünden; und doch heißt es, nicht verzagen, wird nur der Paulus im Innern wieder belebt, der Rest des noch vorhandenen guten und strebenden Willens. Wendet der sich wieder an Gott, wird dieser ihn festigen und führen. Wo die Nacht am finstersten, der Sturm am heftigsten geworden, da naht dann wieder Hilfe.

Meist nicht plötzlich. Oft schon hatten die Seeleute ihr Senkblei in die Tiefe gesenkt, aber o Jammer, noch kein Land! Da, in einer Nacht fanden sie zwanzig Faden Tiefen, bald darauf fünfzehn Faden — es ging dem Lande entgegen, und bald konnten sie Anker werfen — dem Lande gegenüber. So macht sich auch in unseren Leiden und Stürmen l a n g s a m ein Wechsel zum Guten bemerkbar. Nach und nach gewinnen wir wieder sicheren Boden unter den Füßen und eine bessere oder sündenfreie Zukunft tut sich wieder auf.

Doch der letzte Aufstieg ans Gestade ist oft noch mit Erschütterungen verbunden; es ist, als wolle das Meer da, wo sein Opfer ihm entweicht, noch einmal alles aufbieten, es in seinen Strudel zurückzuziehen.

2. Der Schiffbruch.
(27, 39—28, 10.)

Mit großer Spannung standen in jener Nacht alle Insassen an Bord, den Tag erwartend, der ihnen Aufschluß gebe, wo sie sich befänden. Langsam schwanden die Nebel der Finsternis, stieg der graue Morgen aus dem Dunkel hervor, und Umrisse einer Insel wurden sichtbar. Endlich wieder Land! Gewiß jauchzten die Herzen nach all den Schrecken bei diesem Anblick auf. Nun hieß es, die Küste gewinnen. „Als es Tag geworden war, erkannten sie das Land nicht. Sie bemerkten aber eine Bucht mit einem flachen Strande. Auf diese wollten sie womöglich das Schiff auflaufen lassen. Sie machten die Anker los und ließen sie ins Meer fallen, lösten die Bande der Steuerruder, zogen das Vordersegel auf gegen den Wind und steuerten auf das Land zu." (Ap. 27, 39. 40.)

Anfangs ging alles glücklich vonstatten. Da aber geriet das Schiff in eine Doppelströmung hinein und, um nicht wieder in die hohe See getrieben zu werden, ließ man es an einem Riff auflaufen. Also gestrandet! Der Vorderteil blieb fest an den Felsen haften, der Hinterteil aber, von der Gewalt der Wogen bedrängt, zerbarst und begann zu sinken. Der Segler war verloren, die Besatzung aufs äußerste gefährdet, und als ob der böse Geist seine Hand im Spiele habe, schien ein tückisches Ende jetzt noch gerade, im Angesicht des rettenden Landes den Apostel ereilen zu wollen. „Die Soldaten wollten die Gefangenen töten, damit keiner durch Hinausschwimmen entkomme." (Ap. 27, 42.)

Doch wieder greift Gott helfend ein. „Der Hauptmann, welcher den Paulus retten wollte, ließ es nicht zu, sondern befahl, alle, die schwimmen können, sollten zuerst hinabspringen und ans Land zu kommen suchen. Die anderen brachten sie teils auf Brettern, teils auf Stücken des Schiffes fort. So geschah es, daß alle ans Land kamen." (Ap. 27, 43. 44.)

386

ıhren voll war infolge des hohen Seeganges und
nden Brandung dieses letzte Erstreben des Ge=
glücklich, wenn auch durchnäßt und von Kälte ver=
ıten doch alle, wie Gott vorausgesagt, ans trockene
das Schiff in den Wellen verschwand.

; der Dank, innig die Freude aller, doch groß auch
te man doch nichts als das nackte Leben gerettet.
ier kam die Vorsehung zu Hilfe.
Morgengrauen hatten einige Bewohner der Insel
hende Wrack an ihrer Küste bemerkt, und ganze
en nun helfend herbei. „Als wir gerettet waren,
r, daß die Insel Malta heiße. Die Eingeborenen
ns ungewöhnliche Menschenfreundlichkeit. Sie
n großes Feuer an wegen des eingetretenen
d wegen der Kälte und erquickten uns alle."
2.)
vieder ein gefährlicher Zwischenfall. „Als nun
en Haufen Reisig zusammengerafft und auf das
t hatte, kam wegen der Hitze eine Natter hervor
ı. Die Inselbewohner sahen das Tier an seiner
en und sagten zueinander: Dieser Mensch ist ge=
rder, den die Rache nicht leben läßt, obschon er
entkommen ist." (Ap. 28, 3. 4.) Wieder ein Bei=
ichtfertigkeit menschlichen Urteils!
er wurden alle eines besseren belehrt: „Doch er
das Tier ins Feuer, ohne den geringsten Schaden
Die Leute erwarteten, er werde anschwellen und
niederfallen. Da sie nach langem Warten sahen,
n Leid widerfuhr, kamen sie auf andere Gedanken

387

und sagten, er sei ein Gott." (Ap. 28, 5. 6.) Von einer Übertreibung also in die andere!

Gütig war die erste Hilfeleistung der Bewohner Maltas, aber sie reichte nicht aus. An eine Weiterfahrt war wegen der vorgeschrittenen Zeit auf Monate hinaus nicht zu denken, da hieß es für die Schiffbrüchigen Unterkunft und Verpflegung suchen. Und hier benahmen sich die Einwohner überaus großmütig. In der Nähe hatte der Erste der Insel, Publius, sein Landgut. Dieser nahm alle auf und bewirtete sie drei Tage, bis weiteres Obdach gefunden war.

Paulus zeigte sich dankbar. Geistiges gab er für Leibliches. „Der Vater des Publius lag eben am Fieber und an der Ruhr darnieder. Paulus besuchte ihn, betete, legte ihm die Hände auf und machte ihn gesund. Daraufhin kamen alle Kranken auf der Insel herbei und wurden geheilt." (Ap. 28, 8. 9.)

Durch all diese Begebenheiten entspann sich zwischen den Schiffbrüchigen und den Inselbewohnern ein vertrautes Verhältnis; führt ja kaum etwas Herzen so zusammen als gemeinsame Not und Hilfe.

Paulus müßte nicht Paulus gewesen sein, hätte er nicht den mehrmonatigen Aufenthalt zur Förderung seines Lebenswerkes benutzt. In der Tat berichtet die Überlieferung, daß durch ihn das Christentum auf Malta Eingang fand und Publius dort der erste Bischof wurde.

3. Nach Rom.
(28, 11—31.)

Drei Monate waren inzwischen vergangen. Die Winterstürme hatten sich gelegt, die Frühling zog ins Land. Da wurde

388

es in den Häfen der Insel lebendig. Die Seeleute kamen aus ihren Winterheimen hervor, rüsteten die im Dock harrenden Schiffe und versahen sie mit allem Notwendigen zur Abfahrt.

Ein großes Kauffahrteischiff war darunter, das den Lauf nach Italien zu nehmen gedachte. Es kam den Schiffbrüchigen wie gerufen und wurde von ihnen bestiegen.

Beim Abschied zeigte sich, wie innig das Verhältnis zu den Inselbewohnern geworden war. „Sie erwiesen uns große Ehrenbezeugungen und brachten uns bei der Abfahrt alles Nötige an Bord." (Ap. 28, 10.)

Schnell ging die Fahrt vonstatten. „Wir landeten in Syrakus und blieben dort drei Tage. Von da fuhren wir um die Ostküste herum und gelangten nach Rhegium. Da tags darauf Südwind war, kamen wir am nächsten Tag nach Puteoli." (Ap. 28, 12. 13.)

Hier gab es einen längeren Aufenthalt. Die Christen wünschten den Gottesmann, von dem sie gewiß manches gehört hatten, für einige Zeit in ihrer Mitte zu behalten. Der menschenfreundliche Hauptmann erlaubte es und so blieb Paulus sieben Tage dort.

Dann ging es zu Fuß weiter nach Rom. Dort hatte die vorauseilende Nachricht vom Nahen des Apostels große Freude ausgelöst. Paulus zu sehen, galt den dortigen Christen als höchste Ehre. Viele konnten sein Erscheinen nicht abwarten und gingen ihm entgegen. Bei Forum Appii begegneten sich die Wanderer und begrüßten sich herzlich. „Als Paulus diese sah, dankte er Gott und schöpfte neuen Mut." (Ap. 28, 15.) Die Liebe, die ihm hier entgegengebracht, durfte er ohne Zweifel als gutes Vorzeichen deuten. —

389

Man fieht aber auch da, wieviel von der
oder Unfreundlichfeit der erften Begrüßung und
hängt. In einigen Häufern fühlen fich Eintrete
von milder, lichter, wohnlicher Frühlingsftimmi
in anderen wie von falter, erftarrender Winter
Gaftlichfeit bleibt aber immer eine der fchönften
der Nächftenliebe. Im Altertum, wo es noch wei
Herbergen und Gafthäufer gab, war fie beffer gep
Möchte fie heute wenigftens in der freundlic
fremder Gäfte fich äußern, da man nach Ehr
ihm tut, was man feinen Mitmenfchen an Gi
läßt.

Von den Chriften begleitet, wandert nun der
Als Gefangener zwar zog Paulus in Rom ein, t
fünderzug hatte fich zu einem Triumphzug geft

In der Stadt angefommen, blieb der We
nach damaligem Brauch an einen Soldaten g
aber in einem eigenen Haufe wohnen. Nach der
lag feine Mietswohnung in der Nähe der Garde
volle Jahre hatte er wieder in Banden auszul
faiferliche Entfcheidung fiel.

Wie verbrachte er diefe Zeit?

Zunächft fuchte er feine Stammesgenoffen {
gewinnen. „Nach drei Tagen rief Paulus die
der Juden zu fich. Als fie zufammengefommen
er zu ihnen: Brüder! Ich habe nichts getan g
oder die väterlichen Gebräuche, wurde aber doch ɑ
aus Jerufalem in die Hände der Römer übe
verhörten mich und wollten mich hernach f

390

ann alſo, ihnen zunächſt ſeine Unſchuld dar=
ie aber ſprachen: „Wir haben aus Judäa weder
r dich, noch iſt einer von den Brüdern ge=
d hat etwas Schlimmes über dich berichtet oder
r wünſchen aber von dir zu hören, welcher Meinung
n von dieſer Sekte iſt uns bekannt, daß ſie überall
) findet." (Ap. 28, 21. 22.)
)nnte dem ſeeleneifrigen Mann erwünſchter ſein als
ingen. Man ſetzte einen beſtimmten Tag für eine
:erredung feſt, und als dieſer gekommen und eine
Juden erſchienen war, begann der Apoſtel ſeine
ig. Aber der Erfolg? Wie immer! „An dem Tage,
beſtimmt hatten, kamen ſehr viele zu ihm in die
Dieſen erklärte und bezeugte er das Reich Gottes.
e vom frühen Morgen bis zum Abend für Jeſus
i, wobei er von dem Geſetz des Moſes und von den
ausging. Die einen glaubten ſeinen Worten, die
:ben ungläubig. Untereinander uneinig, gingen ſie
us ſagte ihnen noch das e i n e Wort: Treffend hat
Beiſt durch den Propheten Iſaias zu unſeren Vätern
Geh hin zu dieſem Volke und ſprich zu ihnen:
)et ihr und nicht verſtehen, ſehen werdet ihr und
:hen. Denn verſtockt ward das Herz dieſes Volkes,
:n Ohren hörten ſie ſchwer, und ihre Augen ſchloſſen
ie nicht etwa ſehen mit den Augen und hören mit
und verſtehen mit dem Herzen und ſich bekehren
)eile. So ſei euch denn kundgetan, daß den Heiden

391

dieses Heil Gottes gesandt wird. Diese werden ihm Gehör geben. Auf diese Worte gingen die Juden von ihm weg und stritten heftig miteinander." (Ap. 28, 23—29.)

Obschon die Wetterwolken seines Unterganges bereits am Himmel standen, begriff Israel noch immer die Stunde der Heimsuchung nicht.

Dafür waren andere aber nach dem Heil um so begieriger. „Paulus blieb zwei volle Jahre in seiner Mietwohnung und nahm alle auf, die zu ihm kamen. Er predigte das Reich Gottes und lehrte von dem Herrn Jesus Christus." (Ap. 28, 30. 31.)

Die nächsten Zuhörer, zu denen der eifrige Apostel redete, waren die Soldaten. Abwechselnd wurde ihm je einer von ihnen zur Bewachung beigegeben, und so kam die neue Religion bald nicht nur dem Heer, sondern auch dem kaiserlichen Hause zur Kenntnis.

Aber auch viele andere heilsbegierige Seelen fanden sich ein und wurden gläubig.

Damit nicht genug. Aus den über die Welt zerstreuten neuen Gemeinden eilten zahlreiche Besucher herbei, den Gefangenen zu trösten und ihn über den Stand ihrer Kirchen zu unterrichten. Aus Ephesus kamen sie, aus Kolossä, aus Philippi, und ihrem Besuch haben wir manchen der schönen Paulusbriefe zu verdanken.

Gefangen war der Diener Gottes, aber seine Gefangenschaft erstreckte sich nur auf den Leib, nicht auf den regen Geist. Das Wort Gottes war nicht gebunden, sondern wanderte von der unscheinbaren Mietswohnung des Apostels hinaus in die ganze Stadt, hinüber über Land und Meer, in die weite Welt. Wie ein Sauerteig begann es die Kultur zu

397

durchſetzen, ſchließlich zu zerſetzen und zu erſetzen. Pauli Kerker in Rom wurde ſo zum Jakobsbrunnen, wo einzelne Seelen Licht begehrten, zum Berg der Seligkeiten, der ganze Scharen um ſeine Kanzel verſammelte.

Weiſe war auch der römiſche Aufenthalt von der Vorſehung geordnet: an den Kaiſer hatte der Apoſtel Berufung eingelegt, zum Kaiſer ſollte er gehen, nicht nur um Recht zu begehren, ſondern um das Banner Chriſti, das er zuerſt in den ſtillen Winkeln Syriens und Paläſtinas entfaltet, dann in ſiegendem Lauf durch die Handels= und Wiſſensmittelpunkte der alten Welt getragen hatte, nun auch in der kaiſerlichen Hauptſtadt furchtlos aufzupflanzen, als das von Iſaias geweiſſagte Feld= zeichen, zu dem alle Völker nun zu pilgern begannen.

393

D. Das Ende.

Mit diesem Bekehrungswerk in Rom schließt die Apostelgeschichte ab. Wie verlief die Geschichte der Kirche weiter?

Nach zweijähriger Gefangenschaft, etwa 63 oder 64 nach Christus, wurde der Apostel der Freiheit wiedergegeben. Dann unternahm er wahrscheinlich eine Reise nach Spanien, von der uns aber nichts weiter überliefert wurde.

Von dort zurückgekehrt, segelte er nach Kreta, besuchte Mazedonien, Troas, wahrscheinlich Ephesus und kam über Milet nach Korinth. Hier traf er, wie berichtet wird, mit Petrus zusammen und unternahm vermutlich gemeinsam mit ihm seine zweite Reise nach Rom. Wohl im Jahre 66[1]).

Unterdessen war die blutige Verfolgung Neros ausgebrochen. Christenblut sah man bereits in der Rennbahn unter den Zähnen der Löwen, in der Folterkammer unter den Geißeln und Rädern fließen; Christen, in Pech gehüllt, abends als Fackeln die neroianischen Gärten erhellen. Auch unseren Apostel= fürsten sollte jetzt die Stunde schlagen, beide das lang ver= haltene, oft durch Gottes Hand noch im letzten Augenblick zurückgezogene Todesschwert treffen.

---

[1]) F. X. Pölzl. D. A. P. S. 556 ff.

395

Gefangen genommen, verurteilt, wurden sie zum Tode geführt. Gemeinsam, so besagt es die Überlieferung, traten sie eines Tages den harten Gang an. An einer bestimmten Stelle, die noch heute gezeigt wird, trennten sich dann aber ihre Wege. In tiefer Rührung nahmen sie voneinander Abschied, und Petrus wanderte ans Kreuz, Pauli Haupt fiel unter dem Schwert. So wurden beide, wie sie die Arbeiten und Mühen ihres Meisters geteilt hatten, nun auch gewürdigt, mit ihm desselben Todes zu sterben. —

So riß der Würger der Unterwelt Lücke um Lücke in die kleine Schar der ersten Helfer Christi.

Manche von diesen waren den beiden Apostelfürsten in die Ewigkeit vorangegangen, andere hatten sich in weite Länder begeben und waren verschollen, nur einer stand schließlich noch wie ein Warttum da inmitten der alten Welt, der greise Johannes. Im fernen Ephesus harrte er bis zur Schwelle des neuen Jahrhunderts aus. Er, der letzte Zeuge des Wirkens Christi, sollte noch wachen, bis die neue Pflanzung gut geborgen sei.

Bald nach dem Tode der Apostelfürsten sah er Israels Geschick sich vollziehen, die dunkeln Gewitterwolken sich immer mehr über Jerusalem und das Heilige Land zusammenballen, die Blitze zucken, den Rauch der alten Herrlichkeit zum Himmel steigen und Israels Kinder über alle Lande versprengt werden. Als Gottverworfene, Gott vergeblich Suchende! Er sah das Wort seines Meisters, das er uns selbst überliefert hatte, erfüllt: „Ihr werdet mich suchen und nicht finden, ihr werdet in eurer Sünde sterben." (Jo. 8, 21.)

Aber auch einen neuen herrlichen Tag sah er dämmern,

396

den Tag des Christentums, das nunmehr die Führung der Völker übernahm.

Wie wunderbar mußte dem Greis Gottes Wirken erscheinen, schaute er am Abend des Lebens noch einmal den ganzen Weg, den das Christentum gegangen war, zurück. Damals, als er noch ein Jüngling war und mit seinen Altersgenossen dem Fischergewerbe nachgehend die Netze wusch, da am Gestade des Galiläischen Meeres, hatte der Gottessohn zuerst von sich reden gemacht. Da begann der bisher ganz unbekannte Mann von Nazareth umherzuziehen und seine Lehre verkünden. Von der Mehrzahl des Volkes abgewiesen, sammelte er einige wenige Männer, die ihn verstanden. Auch er, Johannes, war darunter. Und nach seiner Auferstehung hatte er sie alle auf einen Berg in Galiläa beschieden und dort zu ihnen gesagt: „Mir ist alle Gewalt gegeben im Himmel und auf Erden. Gehet also hin und lehret alle Völker." (Mt. 28, 18 ff.) Und wiederum hatte er gesprochen: „Ihr werdet meine Zeugen sein in Jerusalem und in ganz Judäa und Samaria und bis an die Grenzen der Erde." (Ap. 1, 8.)

Das war vor ungefähr sechs Jahrzehnten gewesen. Wie zaghaft hatte damals noch die kleine Schar ihrer Zukunfts= aufgabe gegenübergestanden. Jetzt war diese erfüllt. In alle Lande war der Jünger Ruf ergangen, aus allen Völkern rüsteten sich Ungezählte zu dem Hochzeitsmahl zu eilen, das der Gott= könig seinem Sohne bereitet hat in Ewigkeit. —

Wunderbar muß aber auch uns bei einem Rückblick auf die in diesen Blättern dargelegte Geschichte Gottes Walten er= scheinen. Wie klein begann die Urkirche in Jerusalem, wie kühn wagte sie sich aber bald hervor, wie mutig nahm sie den

397

Kampf mit der Synagoge auf, wie stark ausschreitend machte sie sich an die Bekehrung der Heidenwelt heran und, am Anfang des Jahrhunderts noch eine Winkelsekte, war sie am Ende desselben schon zur Weltreligion erweitert.

Welche Fülle von schönen Einzelbildern trat uns aber auch aus dem Gesamtrahmen vor Augen: die stille Vorbereitung auf die Herabkunft des Geistes, das Pfingstfest in Licht und Sturmeswehen, das herrliche Gemeindeleben der ersten Bekehrten in Jerusalem, der Glaubensmut der Verfolgten, die Ausbreitung des neuen Glaubens in Samaria, der Eifer in Antiochien, die Neupflanzungen in Antiochien, Philippi, Ephesus, Korinth . . .

Dabei welch liebliche Gestalten streiften in bunter Reihenfolge unser Auge: der immer tätige, stets ordnende, ungebeugt die Rechte der Kirche vertretende Petrus, der todesmutige Stephanus, der blutgekrönte Jakobus, der still wirkende Philippus und vor allem der nach allen Richtungen groß angelegte Paulus . . .

Den Hirten würdig zur Seite die Gläubigen: der biedere Hauptmann Kornelius, die barmherzige Tabitha, der gottsuchende Kämmerer Aethiopiens, die gottbegnadete Lydia, das fromme Ehepaar Aquila und Priscilla, die jungfräulichen Töchter des Philippus, der demütige Kerkermeister Philippis, der glaubensmutige Synagogenvorsteher und die begeisterten Mystiker Korinths, die erleuchteten Propheten Antiochiens . . .

Dann noch die vielen Wunder: die Heilung an der „Schönen Pforte", die in Lydda, in Lystra, auf Malta, die Totenerweckung in Joppe, die Sprengung der Kerkerpforten

398

ı und Philippi, das Gesicht des Petrus in Joppe,
ılus in Troas und auf dem Schiffe . . .
ottes R a ch e an seinen Feinden: das Strafgericht
und Saphira, an Herodes, an Simon dem Magier,
 dem Zauberer, an den Teufelsbeschwörern in
.
den aber denen, die da glauben, diese Wunder
 meinem Namen werden sie böse Geister aus=
ıeuen Sprachen reden, Schlangen aufheben, und
ötliches trinken, wird es ihnen nichts schaden.
den sie die Hände auflegen, und sie werden gesund
k. 16, 17) — so hatte der Heiland bei der Aus=
ıer Diener vor etwa 35 Jahren gesprochen. Wie
var das erfüllt! „Sie aber gingen hin und predigten
 der Herr wirkte mit ihnen und bekräftigte das
bie darauffolgenden Wunder." (Mrk. 16, 20.)
ır Hauch wehte durch die Welt, ein neuer Früh=
und blühte. Zeigt sich in den Schriften des alten
 Wirken Gott Vaters, in den Evangelien das des
ın in der Apostelgeschichte das des Heiligen Geistes.
ıb, die Zeugnis ablegen im Himmel: der Vater,
ınd der Heilige Geist! (1. Jo. 5, 8.)" Aber diese
.ns!" (Eb. 5, 7.) — gemeinsam sorgend, die Welt

r, der den ganzen Verlauf der neuen Religion,
n und Werden verfolgt, wird nicht von heiliger
iffen, wer nicht zu dem Geständnis gezwungen:
rrn ist das gemacht und wunderbar
ın seren Augen!" (Pf. 117, 23.)

Recht hat der heilige Chrysostomus, wenn er sagt: „Nicht minder nützlich als die Evangelien selbst, kann uns die Apostelgeschichte sein, denn was Christus in den Evangelien vorausgesagt hat, steht hier im Werke erfüllt vor uns." (Hom. in Act. 1 Nr. 1.)

In der Tat: die Evangelien gaben uns den Bauriß der Kirche, die Apostelgeschichte den Bau selbst, und je mehr dieser fortschreitet und je mehr wir ihn mit ersterem vergleichen, um so mehr sind wir genötigt, die Übereinstimmung beider festzustellen. Um so freudiger aber auch erheben wir den alten und stets neuen Ruf: Ich glaube an die eine heilige, katholische und apostolische Kirche.

Nach Heilung ruft die Welt. Von neuen Religionen verspricht sie sich Rettung. Nein, nicht eine neue Religion, sondern Wiederbelebung der alten, wie sie in der ersten Zeit uns vor Augen tritt!

Sie, die damals eine viel entweihtere Welt als unsere verjüngte, besitzt noch immer und allein die Kraft, auch uns Genesung zu bringen!

Inhaltsverzeichnis.

26*

Druck:
Customized Business Services GmbH
im Auftrag der KNV-Gruppe
Ferdinand-Jühlke-Str. 7
99095 Erfurt